Iwoak

DOKĄD
TERAŻ?

Prószyński i S-ka

Projekt okładki
Agencja Interaktywna Studio Kreacji
(www.studio-kreacji.pl)

Zdjęcie na okładce
Johner Images/Getty Images

Redaktor prowadzący
Michał Nalewski

Redakcja
Ewa Charitonow

Korekta
Mirosława Kostrzyńska

Łamanie
Jacek Kucharski

ISBN 978-83-8069-000-4

Warszawa 2015

Dla K. i jego synów

Czasem zdarza się, że dusze dzieci i rodziców są w istocie sobie wrogie i spotykają się w życiu, aby tę wrogość naprawić. Nie zawsze się to jednak udaje.

Olga Tokarczuk, *Księgi Jakubowe*

Lili

Kobieta stała za parawanem. Przez niewielką szparę, dzielącą płaty błękitnej, zimnej tkaniny prześwitywał skrawek nagiego ciała. Między stelażem a podłogą widać było szczupłe nogi obute w wysokie szpilki z czerwonymi podeszwami. Na pewno kosztowały majątek. Kobieta była wysoka; ponad parawan wystawała głowa. Ciemne włosy swobodnie spadały na ramiona, gęste i ciężkie. Lśniły w świetle jarzeniowej lampy. Postać była odwrócona bokiem. Na tkaninie odbijał się cień sylwetki. Klasyczne proporcje – wąskie biodra, szczupła kibić, uniesione piersi. Wystudiowanymi ruchami zdejmowała kolejne części garderoby. Zakołysała biodrami, spódnica zsunęła się do stóp. Kobieta sprawnym ruchem zrolowała pończochy, a potem strzepnęła je i odłożyła na krzesło.

Miało się wrażenie, że przygotowuje się do spektaklu w chińskim teatrze.

Gabinet był nowoczesny i duży, z rycinami przedstawiającymi narządy rodne. Zupełnie jak w sali lekcyjnej. Gablota z medykamentami, wielki fotel, kozetka z identycznym obiciem. Wszystko utrzymane w jednej tonacji: i ściany, i kafle, i biurowe krzesło w odcieniu lapis-lazuli, wyściełane miękką skórą, stojące przy eleganckim biurku przysuniętym do okna z zasuniętymi roletami.

Początek wizyty. Mężczyzna odwraca twarz od ekranu komputera.

– Proszę za parawan – mówi.

Jego twarz wydaje się znajoma. Nie, to absurdalna myśl. To niemożliwe. Nigdy nie znała nikogo z lekarskiego światka, a już na pewno nie tego starzejącego się faceta. Chociaż... Może przypomina nieco jednego z pracowników Dietera? Nie! Bzdura! Ostatnio wciąż coś jej się wydaje. Jest rozdrażniona. To przez tę przeprowadzkę. Kiedy umawiała się na wizytę, trzymając w dłoni wciśniętą jej przez córkę zmiętą kartkę, nie widziała nazwiska ginekologa. Zresztą był tam chyba tylko numer telefonu. Sara rzuciła jakimś nazwiskiem, ale nie zostało zakodowane.

Głos, który zabrzmiał wtedy w słuchawce, nie pozostawiał wątpliwości, że dodzwoniła się we właściwe miejsce. A nie na przykład do składu materiałów budowlanych.

– Gabinet ginekologiczny. Czym mogę służyć? – A potem odbierająca telefon kobieta znudzonym, pozbawionym emocji tonem poinformowała: – Doktor będzie w środę od dziesiątej do trzynastej trzydzieści. Proszę przyjść o wpół do jedenastej. I proszę się nie spóźnić.

Spojrzała na telefon, ale był już głuchy.

– Coś ty mi dała za numer? Jakaś baba mówi do mnie jak do pensjonarki! – zwróciła się do Sary, czekającej obok na koniec rozmowy.

– To bardzo dobry lekarz – poinformowała ją Sara rzeczowo, ignorując uwagę o pielęgniarce, z którą zapewne rozmawiała. – I zapewniam cię, że zna się na rzeczy.

Ostatnie słowa wypowiedziała znacząco.

Lili spojrzała na nią z wyrzutem, pomieszanym z przyganą.

Na jakiej rzeczy? Ona nie potrzebuje geniusza medycyny, ale kogoś, kto ją porządnie zdiagnozuje. Skieruje na badania. Przed kilkunastu miesiącami jej organizm zwariował. Żadnej pewności. Od jakiegoś czasu nie wiedziała, co może się przytrafić, jakieś krwawienia, bóle. A ona nienawidziła niespodzianek. Zawsze było tak, jak chciała. Jeżeli chciała włożyć stringi i biały kostium, po prostu je wkładała. Jeżeli zamierzała się kochać, to się kochała. A ostatnimi czasy wszystko wymyka się spod kontroli.

Chodziła rozdrażniona. Może to menopauza? Okej. Jest w stanie się z tym pogodzić. To nie wyrok.

Na pewno też nie ciąża. Żadnych ciąż! Żadnych dzieci! Jedno dziecko to, jak na nią, aż nadto (nie licząc

9

tego, ale Sara to zupełnie inna historia). Lili nie może pozwolić sobie na nonszalancję i ryzykować niechcianą ciążą. Zresztą... A nawet gdyby... Takie nieoczekiwane incydenty były już poza nią. Bez znaczenia.

* * *

– Zapraszam panią. – Głos był miękki i aksamitny.
Poprawiła włosy i półnaga wyszła zza parawanu. Niezgrabnie, z palcami zaledwie wsuniętymi w szpilki. Stanęła twarzą w twarz z lekarzem, który natychmiast spuścił wzrok i odwrócił się, czekając, aż pacjentka wejdzie na fotel.

Dobrzyński robił tak zawsze. Mimo lat praktyki, dzięki którym, zdawać by się mogło, nagość pacjentek powinien traktować naturalnie, sprawiał wrażenie zawstydzonego. Choć tym razem kusiło go, by przyjrzeć się tej kobiecie. Pacjentka jest do kogoś podobna. Do... Przez chwilę szukał w pamięci wizerunku. Niemożliwe. Tamta? Absurd! To przez zmęczenie i Olgę. Coraz gorzej znosi jej odejście...

Ciszę zakłóciło głośne plaśnięcie gumowych rękawic.
– Proszę się położyć i szeroko rozsunąć nogi – poprosił.

Był zły na siebie, że polecenie, które wydawał tysiące razy, nic nieznaczący instruktaż, teraz wywołuje konsternację.

Chłodne obicie fotela i metalowe podpórki były nieprzyjemne w dotyku. Kobieta sadowiła się przez chwilę, by ułożyć się wreszcie, gotowa do badania. Ciszę przerywało ledwie słyszalne dzwonienie jarzeniowej lampy.

Słyszała oddech lekarza.

– Proszę podsunąć się go góry.

Na chwilę podniósł głowę i szybko prześliznął się wzrokiem po pacjentce, jakby szukał właściwego obrazu, który wyświetli mu się w głowie i pozbawi nieprzyjemnego uczucia niepewności. Niepotrzebnego angażowania myśli, zupełnie jak w procesie natarczywego przypominania sobie tytułu mimowolnie zasłyszanej piosenki, która potem całymi dniami pałęta się pod czaszką.

Posłusznie wykonała polecenie i poczuła zdecydowane dłonie ginekologa. Badające.

– Mówiła pani, że obawia się ciąży? Zapewniam panią, tu ciąży nie ma. A to podkrwawianie… Cóż, trzeba zbadać. Tymczasem nic nie widzę. Może się pani ubrać.

Szum odkręconej wody zakłócał głos lekarza, który stał tyłem i pieczołowicie mył ręce. W lustrze mignęła jej twarz mężczyzny, który wciąż nie podnosił oczu. Zabawne. Facet, który codziennie bada najintymniejsze zakamarki kobiety, ucieka przed spojrzeniami.

– Czy pan coś podejrzewa? – zapytała, przechodząc ponownie za parawan.

– Hm… Bez dodatkowych badań wolałbym się nie wypowiadać Na razie pobrałem materiał do cytologii, resztę badań zlecę – odparł. – W rejestracji pielęgniarka

11

da pani wszystkie skierowania i przekaże stosowne instrukcje. Pani godność?

– Maria Ziemińska – skłamała bez wahania. Nie miała pojęcia, dlaczego to zrobiła. Skłamała. To idiotyczne!, skarciła się w myślach za podanie fałszywego nazwiska, ale przecież nie powie teraz, że skłamała. Ot, tak. Po prostu.

– Maria... Jak dalej? Przepraszam, nie dosłyszałem.

– Maria Zie-miń-ska – powiedziała, akcentując. Brnęła w to kłamstwo.

Sytuacja wydała jej się nawet zabawna. Cóż, jeśli nawet coś się okaże, zmieni lekarza.

Wyszła zza parawanu. W pełnej gali. Tak jak wychodzi się zza kurtyny po udanym występie. Ciasno opinający czarny golf wyglądał jak druga skóra. Wąska spódniczka odsłaniająca kolana i zgrabne łydki sprawiały, że wyglądała niczym negatyw Cate Blanchett. Kwintesencja smaku. Świetnie zagranym gestem obciągnęła spódnicę i usiadła, zakładając nogę na nogę.

Wzrok Dobrzyńskiego prześliznął się ponownie po pacjentce, a następnie skoncentrował na ekranie laptopa. Twarz tej kobiety. Ta twarz. Nie mógł pozbyć się wrażenia, że gdzieś już ją widział. Może na ostatnim sympozjum w Krakowie? Tyle osób przewija się przez jego życie każdego dnia. Tyle kobiet. Twarze nakładają się na siebie, miksują...

Myszka komputera drgnęła, ekran rozświetlił się medyczną aplikacją. Mężczyzna niezgrabnie uderzał w klawiaturę, zapisując dane w jakimś formularzu. Pod nosem literował imię, nazwisko, inne dane.

– Maria Ziemińska. Trzynasty maja. Siedemdziesiąty...

W gabinecie rozlegał się głuchy stukot. Za oknem wiatr uderzał o szyby. Znów rozpętała się wichura. Jesień. W jednej chwili zrobiło się pochmurno. W pomieszczeniu zapanował prawie półmrok. Rolety były zasunięte, chociaż jedno z okien przemycało wąski pasek dziennego światła. Na biurku stała wysoka designerska lampa, której wyświetlacz – jak wielkie oko – wycelowany był wprost w klawiaturę. Palce lekarza zawisły w powietrzu; przez moment wydawało się, że się zaciął. Ale zaraz złapał rytm. Czuł na sobie badawczy wzrok kobiety, która zdawała się wyluzowana i swobodna

Lili Czarnecka w istocie nie spuszczała z mężczyzny wzroku, choć zdawała sobie sprawę, jak bardzo go deprymuje. Znalazła w sobie głupie upodobanie do peszenia tego faceta, który co i rusz uciekał spojrzeniem, zawieszał się, powtarzał frazy. Śmieszny był z tą swoją nieporadnością. Z nerwowym tikiem, przejawiającym się w marszczeniu czoła tak, że brwi schodziły się w wierzchołek trójkąta, tworząc ciągłą, choć nieco załamaną linię nad głęboko osadzonymi oczami.

– Czy coś jest niejasne? – zapytał na koniec.

Nietrudno było odgadnąć, że szczytem oczekiwań jest spodziewana odpowiedź: Wszystko jasne.

– Wszystko wiem. – Głos kobiety był zdecydowany i pewny.

Dobrzyńskiemu rzadko (albo i nigdy) trafiały się pacjentki, które nie traciłyby rezonu w jego gabinecie. W zdekompletowanym stroju, naprzeciwko mężczyzny wydobywającego na światło dzienne najbardziej intymne sekrety, trudno było walczyć o niezależność. Ale z tą tutaj rzecz się miała inaczej. Zuchwałość spojrzenia, brak ograniczeń, śmiałość ruchów i pewność siebie, mimo że wystąpiła półnaga... Tego w trakcie swojej niespełna trzydziestoletniej kariery nie doświadczył.

– Zatem oczekuję pani z kompletem badań. – Wstał i wyciągnął dłoń, wciąż jednak nie patrząc Lili w oczy.

Dziwne uczucie.

Ewa

Już po wszystkim? – zapytała troskliwie filigranowa blondynka, przycupnięta na fioletowym stylowym fotelu w nowoczesnej poczekalni.

– Szlag by to trafił! Nie lubię ginekologów. Nie lubię i już! – Lili wypuściła nagromadzone w płucach powietrze. Uśmiechnęła się szeroko. – Uff! Mam to za sobą – dodała.

– I co? Wszystko w porządku? – dopytywała blondynka.

– Taką mam nadzieję.

Lili złożyła we czworo skierowania i wrzuciła je niedbale do torby. Zerknęła w kierunku pytającej. Tamta wydawała się sympatyczna, ale Lili nie należała do łatwo nawiązujących kontakty i przy byle okazji dających się wciągać w te idiotyczne słodkie pogawędki o chorobach, porodach i mężach.

– Proszę się pozapinać! Widzi pani, co się dzieje na zewnątrz.

Blondynka wskazała głową na okno, za którym zrobiło się niemal ciemno.

Silne podmuchy wiatru uderzały o szyby.

– Do zobaczenia! – pożegnała się Lili nonszalancko, wkładając płaszcz.

Wyciągnęła z kieszeni pomadkę i bez spoglądania w lustro przeciągnęła nią precyzyjnie po ustach. Matowa intensywna czerwień uwydatniła ich zarys. Lili roztarła barwnik wargą o wargę i wrzuciła szminkę do torby.

Ewa patrzyła za znikającą za drzwiami kobietą. Mocny, zdecydowany zapach perfum nieznajomej wciąż wisiał w powietrzu i drażnił rozkosznie nozdrza, mimo że chłodne powietrze ostatnich dni września wtargnęło do poczekalni. Zawirowało, targając ulotkami o świadomym macierzyństwie i badaniach profilaktycznych. To na pewno drogie perfumy. Nie takie, które Ewa kupuje na wyprzedażach w Rossmanie.

Lili i Samuel

Co jest? Jesteś jak kłoda. – Poderwał się zdenerwowany mężczyzna.

Patrzył na Lili pytająco. Próbował ją jeszcze całować, przekonany, że jego uwaga zrobiła wrażenie, lecz wypchnęła go z siebie chłodno i z niechęcią

– Dość! – powiedziała zdecydowanie i zrzuciła go z siebie ruchem zdradzającym zniechęcenie.

Opadł ciężko na łóżko, z uczuciem upokorzenia i niedosytu, graniczącym z bólem. Rozpalone ciało domagało się spełnienia. Znał ją jednak i doskonale zdawał sobie sprawę, że to już koniec. Koniec seksu.

Leżała z podłożonymi pod kark rękami, oplątana kołdrą, która zarzucona byle jak nie zakrywała całego ciała, na którym gdzieniegdzie różowiały odciski jego palców. Miała przymknięte powieki. On, wsparty na łokciach, próbujący wyrównać oddech, przyglądał się jej z niegasnącym zachwytem. Wreszcie ciężko opadł na kołdrę.

Wyglądał żałośnie. Nagi, dyszący zmęczeniem. Jego pożądanie mieszało się z wściekłością.

– Czego dość? O co znów chodzi? – pytał gorączkowo. I czekał na odpowiedź. Jakieś wyjaśnienie. Dlaczego przerwała? Przecież słyszał podniecenie w jej głosie, czuł mocno zaciskające się wokół bioder nogi. Z zapałem odwzajemniała pieszczoty. I nagle...

Żadnego odzewu. Obojętność. Tylko ona potrafiła znienacka przeobrazić się z ogarniętej namiętnością lwicy w chłodną, pozbawioną wyrazu lalkę. Plastikową. Idealną. Martwą. Wciąż leżała na plecach. Jakby zastygła. Milczała. Kołdrę podciągnęła pod brodę. Przygryzione wargi zdradzały zniecierpliwienie.

Ponownie spróbował pozbawić ją okrycia. Wsunął dłoń między jej uda. Pochylił się nad jej twarzą, gotów wsunąć w jej usta swój język. Napotkał opór, zawisł na wyciągniętych ramionach. Twarde paznokcie wbijały się w skórę.

– Już nie chcę. Już nie chcę się kochać. Rozumiesz? – powiedziała oschle.

Zabrzmiało to jak syk. Nieprzyjemny, jak pociągnięcie widelcem po talerzu.

A potem gwałtownie wstała z łóżka i włożywszy rzuconą niedbale wcześniej czarną tunikę, wyszła. Jak gdyby nigdy nic. Samuel owinął się leżącą na podłodze narzutą i usiadł, odprowadzając ją wzrokiem. Jego kości policzkowe drgały nerwowo, jabłko Adama poruszało się niespokojnie przy każdym przełknięciu śliny. W pokoju było dość ciemno, nie licząc padającego snopa światła z wnętrza domu. Na drzwi, za którymi znikła.

Była piękna. Mimo czterdziestki z okładem wyglądała ponętnie. Czas obchodził się z nią nader łagodnie, ale pomagała biologii. Obsesyjny lęk przed starością wyganiał ją do gabinetów kosmetycznych. Wmasowywała w siebie tony balsamów, maseł, lotionów. Codziennie uważnie lustrowała ciało. Milimetr po milimetrze. Wypatrzyła każdą niedoskonałość.

– Lili! – zawołał za nią głosem pełnym frustracji. – Nie możesz mnie tak zostawić! Wróć.

Ostatnie słowo zabrzmiało żałośnie.

– Przestań! – rzuciła niemal pogardliwie. Gdzieś z końca korytarza.

Lili

Strugi wody płynęły po twarzy. Haustem nabierała jej pełne usta, a potem wypluwała nadmiar. Czekała do chwili, kiedy niemal brakowało jej oddechu. Pewnie tak czują się topielcy, pomyślała. Może dlatego nigdy nie lubiła pływać? Umiała, a jakże. Całe dzieciństwo spędzała nad jeziorem, które rozpościerało się tuż za domem obok zielonych pól, w których zapadała na długie godziny, by grzać się w słońcu. To pokochała. Cichy szum dojrzewających kłosów, szmer latających pszczół, zapach ziemi. Ale nie wodę. Nieufna wobec żywiołu, który osaczał ją tak zwodniczo, czuła się nieważka. Pamiętała owo obłędne łaskotanie fal, senne kołysanie i niemożność wyrwania się z toni. A potem usta przylgnięte do jej ust i ucisk w klatce piersiowej. I chluśnięcie wyrywające z jej trzewi nadmiar wody i resztki nie wiadomo czego.

– O Jezu! Wreszcie oddychasz! – Jak z odległego pokoju usłyszała głos ojca.

Zasłaniał sobą niebo. Wielki i ciężki, jak deszczowa ołowiana chmura.

Odzyskiwała świadomość. Miseczki stroju kąpielowego miała odsunięte; poprawiła je szybkim ruchem. Czuła się dziwnie, w gardle piekło ją od wychlustanej wody. Czuła nieprzyjemny smak zgniłego zielska, którego cienkie nitki pałętały się po jej twarzy i plątały we włosach. Nie podziękowała. Zdawało jej się, że ojciec odwrócił wzrok. Rękami wyciągała z włosów wodorosty.

Z zamkniętymi oczami wycelowała w przycisk, uruchamiając dysze. Kłujące igły siekły uda, pośladki i smagały brzuch. Miała wrażenie, że ktoś ją dziabie szpilką. Otwierała oczy, by upewnić się, że to woda. Nie krew. Złagodziła strumień. Nabrzmiałe, pełne piersi wciąż piekły, pamiętając zgłodniałe usta Samucia. Delikatnie, palcami zataczała kręgi wokół sutków. Żel uspokajał podrażnienie.

Nie wiedziała, ile czasu spędziła w łazience. Z odrętwienia wyrwał ja trzask zamykanych drzwi.

* * *

Od wyjścia z gabinetu nie mogła się pozbyć panoszącego się w zakamarkach umysłu uczucia niepokoju. Może jeszcze nie minęło napięcie, które pojawia się zawsze, ilekroć odwiedza lekarza? A może to ten lekarz? W myślach wciąż powracała do tej wizyty. Uparta myśl nie dawała się odpędzić. Ten facet wydawał się znajomy, choć w pierwszej chwili uznała to za absurd. Nie znalazła w pamięci nikogo podobnego, a ponadto przyjechała tu zaledwie przed miesiącem. Z nim, z Samuelem. Tu mieszkała Sara.

* * *

Kiedy Sara była z babką, Lili zaglądała do niej od przypadku do przypadku. A potem matka Lili umarła i zamieszkały razem w starym, podniszczonym domu w zapyziałym Bieżuniu. Wyprowadziły się natychmiast po załatwieniu spraw związanych z pogrzebem. Byle dalej. Walizka zapełniła się w niewielkiej części ubraniami córki, choć mało co nadawało się do noszenia. Niemodne, podniszczone ciuchy. Przeniosły się do Warszawy, do wynajętego lokum, które jak pijawka wysysało oszczędności Lili i spadek po niemieckim mężu (niemało tego było, więc i ból przy spoglądaniu na wyciąg z konta był niewielki). Lili rozważnie pozostawiła zamrożoną znaczną część. Podjęła pracę u Garlickiego. Garlicki trafił się jak ślepej kurze grzęda. On potrzebował jej, ona – dobrze płatnej pracy.

Nie wracała do miasteczka. Miała dość małej mieściny, wścibskich oczu i ciągłego zaglądania w życiorys. Zresztą już dawno nikt na nią nie czekał. Potem zmarł ojciec, ale on jeszcze przed śmiercią żony wyprowadził się gdzieś pod Sierpc. Z kochanką. Jedną z tych tandetnych bab, które malują na niebiesko powieki i piszczą na widok metalików z szyberdachem. Ponoć pojawił się na starych śmieciach, ale dla niej nie miało to większego znaczenia. Jeśli już wracać do Bieżunia, to tylko dla matki. Lili miała do niej ogromny żal o to, że ta umarła, bo odtąd musiała opiekować się córką sama. A poza tym wciąż tliła się w niej niechęć za to, że matka była tak ślepa i ograniczona. Nigdy nie walczyła, ani o siebie, ani o Lili. Jak maszyna wykonywała wszystkie polecenia ojca. Była na każde skinienie. A przecież ona pamięta zdjęcia matki z czasów młodości. Piękne włosy. Chyba szatynka... Albo ciemna blondynka? Na poblakłych fotografiach trudno dokładnie ocenić. Głęboko osadzone oczy, duże i trochę skośne, przydawały kokieterii i filuterności. Pięknie wykrojone usta. Tfu! Lili nigdy nie zapomni sceny, kiedy on stał przed nią, trzymając w garści pęk włosów i potrząsając jej głową... A figura? Nigdy nie potrafię zrozumieć, jak można pozwolić tak się zniszczyć!, myśli Lili. Przecież nie dał jej niczego! To, co miała, mógł jej ofiarować każdy. A ona, głupia jedna, zakochana po same uszy! Zdawała się nie słyszeć, jak za plecami ludzie opowiadają o nim, że nawet kurze by nie przepuścił, a co dopiero jednej czy drugiej. Takiej Hance czy Elce. A potem jeszcze tamta historia... Cóż, została sama jak palec. Bez urody, bez młodości. I bez niego.

Sara

Zamieszkała w Gorzowie zaraz po skończeniu liceum. Kiedy wymyśliła sobie gorzowski ogólniak, Lili nie protestowała. Po wspólnym pomieszkiwaniu w Warszawie, gdy nie udało im się zbliżyć (a jeszcze sprawy potoczyły się tak, że ona wyjechała do Torunia), było jej to nawet na rękę. Trudno było nauczyć się życia razem z córką, której nie znała.

Sara najpierw zaczepiła się kątem u Judyty, koleżanki z liceum, w niewielkiej kamienicy niedaleko dworca. Było to małe mieszkanko, w którym poza dziewczynami żyli jeszcze rodzice Judyty i chora siostra, Alusia. Po śmierci ojca, którego istnienie ujawniło się po tylu latach bez jakiejkolwiek zapowiedzi – i jak później miało się okazać nieoczekiwane dla wszystkich – Sara kupiła niewielkie lokum na nowym osiedlu, na obrzeżach miasta. Spadek po ojcu. Była bardzo zdziwiona legatem, ale nade wszystko faktem, że miała ojca. Przez wszystkie lata matka nigdy o nim nie mówiła. Owszem, raz czy dwa zdarzyło się, że nastolatka pytała, wiedziona dziewczęcą ciekawością:

– Mamo! Mam ojca?

Matka mierzyła ją surowym wzrokiem.

– A cóż to za głupie pytanie? – odpowiadała. – Oczywiście, że masz. Wyobrażasz sobie, że znalazłam cię w kapuście?!

W jej słowach było tyle złości, że Sara za nic w świecie nie odważyłaby drążyć tematu. Tym bardziej że matka po chwili dodawała:

– Gdyby warto było o nim mówić, powiedziałabym ci już dawno.

Sara nie dopytywała. Nic dziwnego, że kiedy któregoś dnia matka, w byle jakim toruńskim mieszkaniu ostentacyjnie wręczyła jej wezwanie do sądu rejonowego w Mławie, była bardzo zdumiona.

– To do ciebie! – Podała opieczętowaną na czerwono kopertę. – Ciotce Ludce udało się to wydobyć z poczty.

Jak się później okazało, nie było to pierwsze wezwanie. Wcześniejsze Lili zmięła i rzuciła gdzieś w kąt szuflady, nie mówiąc Sarze. Nie miała w zwyczaju tłumaczyć swoich decyzji czy zachowań.

– Niczego nie potrzebujesz! – dodała, chociaż Sara wcale nie pytała, przyzwyczajona, że matka na ten temat nie mówi, i kropka.

* * *

Dziewczyna pamiętała, że na sali sądowej siedziała skulona, jakby czekała na wyrok. Bała się rozejrzeć.
A kiedy sędzia odczytał postanowienie, w którym wy-
mienił jej imię i nazwisko, niczego nie zrozumiała. Po
rozprawie podszedł do niej starszy mężczyzna. Chwilę
przyglądał jej się z nieukrywanym zainteresowaniem.

– Ponoć jakiś czas temu skończyłaś osiemnaście lat –
powiedział. – W zasadzie nic mi już do tego...

Głos był smutny. Mężczyzna mówił powoli, patrząc
na dziewczynę. Jakby w twarzy, w spojrzeniu szukał czegokolwiek znajomego.

Sara była oszołomiona, ale przyjęła wiadomości bez
oznak emocji. Zarówno tę o spadku, jak i tę o dziadku.
Zupełnie jakby ktoś ją poinformował, że właśnie minęła
piętnasta, a nie o tym, że od tego dnia jej życie wywróci
się do góry nogami. Nie odezwała się jednak, ale mężczyzna ją wyręczył. Podał jej kartkę z numerem telefonu
i adresem.

– To jest kontakt do mnie – oznajmił. – A w razie czego wiem, jak cię znaleźć, Saro.

Imię wypowiedział z naciskiem. Zapewne chciał
się przekonać, jak brzmi imię jego wnuczki. Wnuczki.
Wnuczki? Uczył się słów. Nie sądził, że w życiu zasko-
czy go coś jeszcze tak bardzo. Znał tyle przypadków, ku-
riozów... Ale one zawsze przypisane były innym. Teraz

jednak on – Michał Jaśkiewicz – stoi naprzeciwko pięknej dziewczyny, ucząc się jej imienia. Sara. Sara... Wnuczka.

Wręczył jej wizytówkę. Prostokątna karteczka, imię, nazwisko, telefon. Na dobrym papierze z lekko wyczuwalną fakturą.

Była mu wdzięczna za tę oszczędność słów. Nie była przygotowana na nic więcej.

* * *

Matka nie chciała o niczym słuchać.

– Nie interesuje mnie nic, co go dotyczy. Twoja sprawa, co zechcesz zrobić. Jesteś prawie dorosła.

* * *

W zasadzie Sara przywykła do takiego stanu rzeczy. Matka poświęcała jej niewiele czasu i uwagi, więc od najmłodszych lat trzeba było radzić sobie samemu. Nigdy nie rozumiała tych dziewczynek, które płakały za matką po zamknięciu drzwi przedszkolnej sali. Ona wiedziała, że matka pojawia się po to, by podać jej czyste rzeczy czy nakazać poukładanie zabawek, odrobienie lekcji albo zrobienie porządku w pokoju. Sara nigdy nie ośmieliłaby się jej przeciwstawić. Nie buntowała się nawet w ostatnich klasach podstawówki, choć nieraz zagryzała wargi i w nocy nie mogła spać.

– Nie kapryś – mawiała matka. – Masz wszystko, czego ci trzeba. Twoje koleżanki połowy z tego nie widziały na oczy.

I może dlatego właśnie wówczas, po maturze, po przyjęciu spadku i dokonaniu tysiąca formalności, kiedy to zdecydowała się osiedlić w Gorzowie i żyć na własny rachunek, matka nie oponowała. Wzruszyła obojętnie ramionami.

– Twoja sprawa – skonstatowała. – Jesteś dorosła. Jeśli o mnie chodzi, możesz wszystko rozdać ubogim. Grosza z tego nie chcę.

Od tamtej rozmowy Sara nigdy o nic nie prosiła matki. A i tamta nie oferowała niczego.

– Jak ty tak możesz żyć? – zapytała kiedyś Judyta, najlepsza koleżanka. – Jesteście sobie takie obce...

Sara nie potrafiła odpowiedzieć. A może i nie do końca rozumiała, co przyjaciółka ma na myśli? Było jak było, i tyle! Jej matka nie miała potrzeby tworzenia więzów. Nie lubiła być ograniczana przez relacje, stosunki, miłosne zobowiązania. Które są destrukcyjne, sprawiają ból i rodzą rozczarowania.

Dzięki temu Lili nie płakała nigdy.

Ewa

Wyszła z gabinetu. Z ulgą zbierała ułożone na krześle swoje rzeczy. Sięgnęła po szal, spod którego coś się wysunęło i ciężko upadło na podłogę. Telefon. Nowoczesny smartfon w skórzanym eleganckim etui z logo Chanel. Rozejrzała się, ale w poczekalni oprócz niej nie było nikogo. Zawahała się i otworzyła pokrowiec. Wcisnęła przycisk.

Na wyświetlaczu pokazała się twarz kobiety, którą widziała tutaj, w poczekalni, przed kilkunastoma minutami. Ewa wybiegła na ulicę, ale po tamtej nie było śladu. Przesunęła palcem po ekranie. Wiedziała, że gdzieś pod ikoną słuchawki muszą być połączenia; wystarczy wykonać jakieś i tym sposobem dowiedzieć się, kto jest właścicielem telefonu. Czuła się niezręcznie, jakby grzebała w czyimś życiu. Wreszcie postanowiła zadzwonić pod numer, który powtarzał się na liście wielokrotnie.

– Słucham? – odezwał się męski głos po drugiej stronie. Ostry i nieprzyjemny.

Samuel stał przed bramą posesji niezdecydowany. Zamierzał jechać do firmy, choć w istocie nie miał w tym żadnego celu. Ale praca rozładowywała wszelkie napięcia. Kątem oka zerkał na dom. Wciąż wszystko w nim się trzęsło. Niespełnione pożądanie sprawiało, że czuł się jak naszpikowany cienkimi igiełkami, które przy byle ruchu sprawiały ból.

Był pewien, że to ona. Wpatrywał się w uśmiechniętą twarz Lili. Chciał być obcesowy i twardy. Żeby go prosiła, żeby pokajała się przed nim. Że to nie ona, zorientował się dopiero po kilkunastu sekundach. Na wyświetlaczu widniało jej zdjęcie, ale to nie była ona.

– Przepraszam bardzo... – zaczęła Ewa niepewnie.
– Tak się składa, że znalazłam ten telefon i chciałabym oddać go właścicielce. Zadzwoniłam pod ten numer...
– Już. Zaraz ją dam, proszę chwilę zaczekać – rzucił w słuchawkę.

Dźgnięty bolesnym wspomnieniem własnego fatalnego położenia, zawrócił prężnym krokiem w kierunku domu. Nawet się ucieszył. Bądź co bądź to pretekst, by wrócić. Szarpany nerwami wyszedł ostentacyjnie, trzaskając drzwiami, tak że cały dom zadrżał w posadach. Nie miał innego pomysłu. Firma to tylko substytut i bezsensowna jazda samochodem. Wyszedł, żeby jej pokazać. By wołała zanim, wydzwaniała. I prosiła.

– Lili! – krzyknął w głąb mieszkania i po chwili w aparacie odezwał się damski głos.

Ewa ucieszyła się, usłyszawszy głos kobiety, którą spotkała tak niedawno. Obawiała się, że będzie musiała tłumaczyć co i jak, ale na szczęście okazało się, że tamta skojarzyła.

– Ma pani jakiś pomysł? – zapytała Ewa.

– Może umówimy się gdzieś na mieście? Za godzinę?

– Nie bardzo... O tej porze muszę być w domu. Ale może podam adres? A pani... Kiedy będzie pasować...

– Nie, nie. Nie będę pani nachodzić. Łatwiej będzie na mieście – przerwała Lili. – Co do godziny nie ma problemu. Ja się dostosuję. Nie sądzę, by przez ten czas zawalił się świat... – roześmiała się teatralnie.

– To może około siedemnastej? Już będę wolna. Chyba że coś nie pasuje, to... Ja...

– Gdzie mam przyjechać?

– Bella Toscana? To taka przyjemna kawiarenka.

– Okej! – przerwała Lili po raz kolejny. – Wiem, gdzie to jest. Będę.

Nie znała Gorzowa, lecz akurat to miejsce było znajome. Samuel zabrał ją tam kiedyś, gdy wracali od notariusza. Widok rozciągającej się za wielkimi oknami rzeki, z łączącym brzegi pięknym mostem, podziałał na nią uspokajająco. Za rzeką zieleniły się łąki i rozlewiska. Widać było, że trwają prace melioracyjne. To zapewne kwestia czasu, kiedy na tych rozległych łęgach powstanie kolejne wielkie centrum...

Ale teraz wciąż było sielsko.

Lili i rodzice

Przypomniała sobie dzieciństwo, kiedy w rodzinnych stronach, w niewielkiej miejscowości w centralnej Polsce, w Bieżuniu, biegała od wczesnej wiosny po takich łąkach. W zielonej wysokiej trawie potrafiła leżeć godzinami, wpatrując się w leniwie płynące po niebie chmury. Czasem zdarzało się, że przysypiała, i dopiero ciągnący od ziemi chłód czy uporczywie tnące komary stawiały ją na nogi. Nieszczególnie zajmowały ją zabawy z koleżankami, które wydawały się jej dziecinne i głupie. Kryśka Pająkówna bez przerwy paplała o tym, jak jej rosną cycki, Jadźka Paprocka cały czas wyciskała pryszcze, biadoląc: „Nie dość, że jestem gruba i brzydka, to jeszcze syfy jak pershingi wyrastają jak grzyby po deszczu i nic, tylko będę dziobata przez całe życie!". Wszystko to zalatywało banałem, więc po parunastu minutach koleżanki zostawały z problemami sam na sam.

Lili bardziej fascynował świat chłopaków, ich szemrane sprawki, popalanie papierosów na starym poniemieckim cmentarzu za porośniętym bluszczem kamiennym murem. Podglądała nieraz, jak oglądają wymięte „świerszczyki" albo pornograficzne karty, zwinięte jednemu czy drugiemu ojcu. Takie karty ściągano z bazaru Różyckiego. Jej ojciec też miał taką talię. Chował ją razem ze starganymi „świerszczykami" za stertą pościeli. Widziała ich rozpalone twarze i ręce bezwstydnie gmerające w rozporkach. Nie odważyła się jednak podejść; siedziała skulona w kucki, śmiejąc się z nich w duchu, bo takie mieli nadęte i czerwone gęby, jakby zaraz mieli wystrzelić. Jak te ich fiutki w gaciach. Jednego razu Maniek Lemański wypatrzył Lili i całą chmarą rzucili się w jej kierunku. Uciekła przez łąki prosto do domu, choć później długo w noc zastanawiała się, co by jej zrobili. Może nawet i żałowała tej rejterady... Wyobrażała sobie ich poczerwieniałe twarze, dyszące nad nią ze strachu i podniecenia. Kiedy w kolejnych dniach mijała ich na szkolnym korytarzu, patrzyła hardo, aż uciekali od jej wzroku gdzie pieprz rośnie.

Tamtego lata często chodziła sama na pola porosłe łanami zbóż, rozpostarte szerokim pasmem tuż przy brzegu rzeki, która płynęła niedaleko, oddzielając ziemię dziadków od innych. Stąd rozciągał się widok na bieżuńskie zabudowania. W samych majtkach leżała w wysokiej trawie, dotykając swoich piersi. Budziła w sobie kobietę. Wiedziała, że obserwują ją chłopcy, przykucnięci opodal, i że żaden nie ma odwagi się zbliżyć. Gdy Lili unosiła nieco głowę, by otrzepać się z pyłków dmuchawca i drobnego robactwa, nagle zapadali się pod ziemię, płosząc ukryte w zbożu pisklęta. Potem wstawała, półnaga jak Wenus zrodzona z łanów zbóż. Wkładała spódniczkę i bluzeczkę, i wracała przez pola do domu. Tam smarowała nogi maślanką, bo piekły od pokrzyw i słońca.

Od pewnego czasu znajdowała dziwne upodobanie w prowokowaniu chłopców. Wiedziała, że gdy zbliża się lato i dojrzewają zboża, oni ciągną do niej jak muchy do lepu.

* * *

Wszystko było proste i jasne. Matka była matką, ojciec ojcem. Jeszcze wtedy nie było w życiu dramatu. Było zwyczajnie, a nawet dobrze. I miało tak być. Bo matka zawsze powtarzała:

– Wiesz, córka? W życiu nie można mieć wszystkiego. Ba! Czasem ma się bardzo niewiele. Ale zawsze można być człowiekiem. I ważne, żeby nigdy się nie wstydzić. Pewnie, że człowiek zrobi czasem coś durnego, czy palnie ni z gruszki, ni z pietruszki, ale... Raz, dwa może się zdarzyć. Potem trzeba po rozum do głowy pójść.

Lili irytowały te komunały. Zwłaszcza w wydaniu matki, która dała się omotać tak idiotycznie. A jak już zaczynała te swoje mądrości wygłaszać, nigdy nie wiedziała, kiedy skończyć. Toteż Lili nie słuchała, wciąż mając przed oczami jej rozanielone oczy, kiedy ojciec używał sobie na niej. A potem szedł do innych. Tak się pozwolić zbabrać! Czasem żal jej było matki, która kiedyś była przecież piękna. Żyła jak tysiące innych kobiet. Wcześnie wyszła za mąż, bo zaraz po maturze, którą zdała, bo zdała, ale wielkiego pożytku z tego faktu nie było. Ojciec pracował „na swoim" – prowadził niewielki warsztat samochodowy. Niespecjalnie zajmował go dom, jakieś gotowanie, opieka nad dzieckiem. Mało go było w domu. I prawie zawsze obok. Nie tak jak w innych domach. Niedziela, święto, rodzina na spacerze. Bo on albo praca, albo nosiło go czort wie gdzie. W domu się nie przelewało, ale biedy nie klepali. Nie licząc Lili, rodzice nie dorobili się innych dzieci. Ponoć się trafiały, ale ojciec matkę na skrobankę do Warszawy wyganiał.

– Jedź i zrób coś z tym! Szkoda pieniędzy, ale i tak taniej niż kolejny dzieciak! Czasy trudne!

Lili miała wiele swobody. Matka, zajęta urządzaniem życia mężusiowi, nie zwracała na nią uwagi, zwłaszcza że dziewczyna nie przysparzała żadnych trosk. Nigdy powiadomień ze szkoły, telefonów. Po co zresztą ma tam chodzić? Szkoda czasu. W domu zawsze roboty pełne ręce.

Zdarzało się, że zaczepiała i zagadywała o lekcje czy (potem) chłopaków, ale Lili obrzucała matkę ironicznym spojrzeniem. Kręciła głową, uśmiechając się półgębkiem.

– Dobrze – odpowiadała zdawkowo.

Owo „dobrze" uspokajało. Jak dobrze, to dobrze. Zresztą Lili zawsze trzymała dystans, który onieśmielał matkę, milknącą i wracającą do swoich spraw. A te mnożyły się jak grzyby po deszczu. Czasem matka żaliła się ojcu, że niby córka, a taka dziwna i że „pojęcia nie mam, co jej się w głowie kluje", ale ten machał ręką albo spoglądał spode łba. Bo Czarnecki nigdy nie skupił na dziecku wzroku; było dla niego transparentne. Dopóki któregoś razu nie otworzył szeroko oczu w zdumieniu, mlaskając, jakby pozostał mu na języku słodki smak, którym trzeba się delektować jak najdłużej, kiedy zobaczył, że zamiast pałętającego się po domu bachora o obłych kształtach, pojawiła się prawie kobieta.

Życie Lili popsuło się z dnia na dzień.

* * *

To się zdarzyło gdzieś w okolicach szóstej albo siódmej klasy.

Po kilku dniach Czarnecka pomyślała wreszcie, że z córką coś się dzieje. Dwa dni z rzędu nie wychodzi z łóżka, wymawiając się przeziębieniem. Leży w pokoju ciemnym od zaciągniętych zasłon, głucha na pytania. Ale kolejnego dnia wstała jak odmieniona.

– Chcę zmienić imię! – oświadczyła nieoczekiwanie, stając na wprost matki.

Wbiła w nią dziki wzrok.

Matka wyminęła córkę obojętnie, nie biorąc sobie tych słów do serca.

– To leżenie ci w głowie pomieszało! – rzuciła i znikła za kuchennymi drzwiami.

– Musisz mi to załatwić! Nie chcę, by ktokolwiek mówił do mnie Mariola! Nie jestem żadną pieprzoną Mariolą! Słyszysz?! – W głosie dziewczyny zabrzmiały hardość i upór, pomieszane z gniewem.

Czarnecka aż wychyliła się z kuchni.

– Ty rzeczywiście jesteś chora! Coś ci na głowę padło! Chyba zwariowałaś! Musiałabym mieć nie po kolei, żeby po sądach się włóczyć i imię zmieniać! Skąd ci się to wzięło? Ja chyba nigdy ciebie nie zrozumiem... – Pokręciła głową. – Że niby jak chcesz mieć na to imię? – prychnęła ironicznie.

– Chcę być Lili! I musimy to załatwić jak najszybciej! Z brudu i błota jestem – dodała enigmatycznie.

Matka uśmiechnęła się pod nosem, przekonana, że Lili plecie bzdury, bo widać choroba jeszcze z niej nie wyszła.

– Idź i się połóż. Pogadam z ojcem... – Próbowała łagodzić.

Lili aż się wzdrygnęła.

– On nie ma nic do gadania. Podpisze wszystko, co trzeba.

Na twarzy matki odmalowało się jeszcze większe zdumienie. W zakamarkach umysłu coś jej mówiło, że córka nie popuści.

Kolejne dni spędziły na wypełnianiu wniosków i lataniu pod urzędach.

Po niemal dwóch miesiącach Lili trzymała w ręku dokument stwierdzający tożsamość. Lili Czarnecka. Urodzona w Żurominie. Trzynastego maja tysiąc dziewięćset siedemdziesiątego roku. Córka Marii i Stefana.

Lili

O tej porze ruch na ulicach gęstniał. I chociaż nigdy nie myślała o Gorzowie jak o metropolii, to sznur samochodów, jazgot silników, ciągnące się korki przywodziły na myśl wielkie miasta, w których mnóstwo czasu trawi się na światłach. Lili nie cierpiała wielkich miast. Wszechobecnego pośpiechu, idiotycznego stania na czerwonym, dźwięków i ruchu, które nie kończyły się nawet za zamkniętymi drzwiami. Jedyne, co jej się podobało, to anonimowość. Nie musiała wciąż się uśmiechać i kłaniać na każdym kroku. A kiedy nawet czuła na sobie taksujące spojrzenia, nie robiły na niej żadnego wrażenia. Zupełnie, jak spoglądające ze wszystkich stron tabloidowe oczy. Zimne, obce i obojętne. Nigdy nie było wiadomo, co wyrażają. Inaczej w małych miasteczkach, takich jak Bieżuń, gdzie zza firan, zza żaluzji łypały na nią wredne spojrzenia mieszkańców i skąd, gnana niechęcią, uciekała. Od zawsze czuła, że Bieżuń ją mierzi, i może dlatego wciąż wymyślała, jak się odegrać za tamto stłamszenie. Za małostkowość. Dać powód, by huczało. Głupie baby wysiadujące na ławkach w parku. Jak kwoki. Z upośledzonymi skrzydłami, niezdolne do wzniesienia się ponad banalne sprawy. Szu, szu, szu. Tylko szepty, plotki i wytykanie palcami. Coraz częściej docierała do Lili prosta prawda, że czasu się nie cofnie. Zegary chodzą do przodu, odmierzają kolejne lata.

Skrzyżowanie koło katedry było najbardziej problematyczne. Bez pasów, bez świateł. Istny kociokwik. Jeszcze nie nauczyła się tu jeździć. Czuła, jak zalewa ją pot, pieką napięte do granic mięśnie. Przenosiła niespokojny wzrok z lusterka wstecznego na boczne. Samochody śmigały. Była pewna, że zaraz któryś uderzy w bok jej mercedesa. Już słyszała histeryczny głos Samuela, usiłującego stłumić wściekłość, jak wówczas gdy uderzyła w lampę – jedną ze szpaleru na drodze do garażu. Dopiero jej mroźne, krótkie spojrzenie pozbawiło go głosu. Nie odzywała się do niego przez kilka dni. Nie pozwoli, aby ktokolwiek cokolwiek przedkładał ponad nią. Żadnego mercedesa!

Cieszyła się jednak bardzo, gdy udawało jej się przebrnąć przez krzyżówkę i ustawić za samochodami. Wówczas wrzucała bieg, przyśpieszała, a gdy wyjeżdżała już z tego miejsca, nabierała głęboko powietrza. Oddychała z ulgą, spokojnie czekając na zmianę świateł, by teraz skręcić w lewo i wjechać w niewielką i mało uczęszczaną uliczkę niedaleko restauracji Bella Toscana, pozostawiając za sobą wielką bryłę katedry i poplątany sznur samochodów.

Z daleka wyczaiła wolne miejsca parkingowe. Zerkając w boczne lusterko, czy aby na pewno nikt za nią nie jedzie, zgrabnie ustawiła auto między czerwonymi pasami.

W bramie obskurnej kamienicy popijała piwo grupka podrostków. Jeden z nich gwizdnął, a później odezwały się kolejne gwizdy i nawoływania.

– Ej, lala! Bucik ci się rozpierdala! – Kolebał się któryś i imitując ruchy frykcyjne, cmokał obleśnie.

Przyśpieszyła kroku, aby szybciej minąć towarzystwo. W sklepowej witrynie sprawdziła wizerunek. Lubiła wszystko kontrolować. Każdy ruch, gest, minę. Tylko pełna świadomość wyglądu pozwalała jej trzymać dystans wobec wszystkich. Z zewnętrznej kieszeni torebki wyciągnęła pomadkę i dyskretnie pociągnęła nią po ustach, pocierając wargę o wargę, by wyrównać koloryt. Mężczyzna w nadjeżdżającej vectrze zapatrzył się w nią jak w obrazek. Zapaliło się czerwone. Samochód przystanął, a ona pochwyciła powłóczyste spojrzenie kierowcy znad zsuniętych na czubek nosa okularów. Facet oparł łokieć na opuszczonej szybie. Z głośników dobiegała głośna muzyka. Banał. Lubiła męskie spojrzenia, zgłodniałe, pewne siebie. Natychmiast przybierała pozę. Wypięta pierś, lekko uniesiona głowa, pełne gracji ruchy.

Wyobrażają sobie zapewne, że wystarczy wyciągnąć rękę. Że jest w ich zasięgu. Idioci! Pojęcia nie mieli, jak bardzo panuje nad sobą. Jak potrafi pociągać za sznurki, by zrobili wszystko, o czym ona – Lili – zamarzy.

Szła, świadoma wrażenia, jakie robi na kierowcy. Szła powoli, choć światła migały niecierpliwie. Niczym krnąbrna dziewczynka czekała na to, co się wydarzy, by przyklepać udany żart.

Za chwilę klaksony aut tworzących długi wąż rozległy się na całej ulicy.

– A ty, co? Zasnąłeś?

– Palant!

– Baran!

Właściciel opla ruszył z piskiem opon, pozostawiając za sobą ciemny obłok spalin.

Lili kroczyła teraz wzdłuż jezdni, uśmiechając się do siebie.

* * *

Zeszła schodami na bulwar. Było pusto. Od czasu, gdy zlikwidowano targowisko i zagospodarowano teren – wyremontowano nisze i zrobiono w nich restauracje i puby – bulwar stał się miejscem spacerów. Przy dolnym tarasie cumowały stateczki. Wszystko to sprawiało, że latem miejsce zaludniało się i do późnych godzin nocnych nie cichł gwar pomieszany z muzyką, płynącą z lokali wabiących klientów różnorodnością klimatów. Od rzewnych włoskich piosenek Drupiego czy Umberta Tozziego, po ciężkie tony irlandzkiego black metalu. Spacerując po bulwarze w świetle stylowych latarni, można było podziwiać widok na most Staromiejski, który zwłaszcza o zmroku przypominał piękne mosty Rzymu czy Pragi. Za nim majaczyło wielkie centrum handlowe, a tuż przed stał monstrualny dziwoląg, na który gorzowianie mówili „pająk", bo w istocie przypominał wielkiego stwora na ogromnych metalowych odnóżach z wielką złotą kopułą – głową. Chłodna bryza od rzeki orzeźwiała przyjemnie, więc bulwar zaludniał się powoli. Życie toczyło się tutaj do późnych godzin nocnych.

Teraz na dworze było paskudnie. Od Warty szedł zapach wodorostów i ryb. Przy opustoszałym brzegu przycupnęli wędkarze z niezmienną determinacją zarzucający przynętę, liczący na wielką rybę.

W kawiarni panował półmrok. Być może za sprawą zaciągniętych rolet, bo w świetle dziennym wnętrze było raczej jasne i pogodne. Designerskie stoły i krzesła z litego drewna, pomalowane wapiennymi farbami w ziemistych odcieniach bieli, kreowały wyrafinowany klimat wnętrza. Kolorowe obicia na siedziskach krzeseł i kanap, stojących pod niemal wszystkimi ścianami, w zestawieniu z abażurami o różnych kształtach oraz wieloma wycyzelowanymi detalami, w postaci tacek, serwetników, puszek, butelek i Bóg wie czego jeszcze, tworzyły niezwykłą atmosferę miejsca.

W środku było pusto. Lili rozglądała się, zatrzymując wzrok na wielkich obrazach w surowych ramach, podwieszonych pod niszą. Na wszystkich widniały wielkie słoneczniki albo połacie lawendowych pól. Namalowane tandetnie ręką niewprawnego malarza, ale miały swój urok i konweniowały z resztą wystroju.

Przeszła do przylegających do dużej sali kolejnych pomieszczeń, małych i dyskretnych, skąd można było obserwować, co się dzieje na zewnątrz. Minęła stojącą przy kontuarze kelnerkę.

– Mogę w czymś pani pomóc? – zapytała młoda dziewczyna, uśmiechając się służbowo.

Lili cicho wymruczała podziękowania.

– Czy można tam usiąść? – Wskazała miejsce w głębi niewielkiego korytarzyka. Mogło być pomieszczeniem służbowym.

Kelnerka zerwała się usłużnie.

– Ależ oczywiście. To są takie specjalne salki dla gości, którzy potrzebują spokoju.

Lili nie zdążyła zrealizować zamiaru, gdy dziewczyna, podając jej kartę, pośpieszyła z pytaniem:

– Życzy sobie pani czegoś?

Mogła być w wieku Sary.

Myśl o córce wywołała nieprzyjemny ścisk. Sara sobie radziła. I to nieźle. Zaraz po studiach podjęła pracę w liceum na Zawarciu, którego była absolwentką. Wyłącznie mieszkańcy Gorzowa i okolicznych miejscowości wiedzieli, że szkoła była renomowana i dostanie się do niej – czy to w charakterze ucznia, czy nauczyciela – stanowiło nie lada powód do dumy. Lili nie miała o tym pojęcia, bowiem jej rozmowy z córką ograniczały się do lapidarnych dialogów o niczym.

– Za chwilę – powiedziała, wyciągając z torebki szykowne okulary. Podniosła wzrok na kelnerkę, która wycofała się spłoszona.

– Dobrze. Proszę spokojnie się zastanowić. Podejdę za moment.

Z podwieszonych dyskretnie pod sufitem głośników dobiegały dźwięki italo disco, jakieś *Felicita* i *Lasciate mi cantare*, zakłócane raz po raz przez przejeżdżający tramwaj.

Lili znalazła stolik charakteryzujący się wysmakowaną elegancją, o której stanowił misternie wydziergany szydełkowy obrus i wysublimowany flakon ze świeżymi gałązkami lawendy. Zwabiona widokiem, przytknęła nos do fioletowego bukiecika, ale odsunęła się szybko, bowiem sztuczny pęk kwiatów w najmniejszym stopniu nie przywodził na myśl zapamiętanych toskańskich widoków i zapachów, które tam rozprzestrzeniały się wszędzie – czaiły się po pokojach, na zewnątrz, wyzierały z szaf i strychów. Chociaż po powrocie Lili po wielokroć przekonywała się, że bardziej wyobrażała je sobie, niż były w istocie. Ale to te zapachy i błękit małych, ukrytych między skałami plaż, na które przedzierała się przez piniowe chaszcze, pomagały przetrwać.

* * *

Włochy. Włochy!

Nie tak wyobrażała sobie ten kraj. Nie jako paskudne miejsce, które do końca życia będzie jej się kojarzyć ze starością i śmiercią. Z niedołęstwem, z trzęsącymi się pomarszczonymi rękami, z charczeniem, które budziło ją strachem, że oto trzeba stanąć oko w oko ze śmiercią. Nie tą z literackich opisów – cichą, spokojną i dostojną – ale odartą z intymności i wstydu, pozbawioną twarzy, o zapachu zgnilizny i waleriany. Od tego uciekała w wolne dni. Zagrzebywała się w piasku niczym mała jaszczurka, piaskarka hiszpańska, i tak jak ona zapadała się w poczuciu zagrożenia. Jakby się bała, że zarazi się starością, że jej skóra nagle zwiotczeje. Obsypią ją brązowe plamy, ciało się skurczy i Lili będzie jak one – stare kobiety, którymi się zajmowała. Leżała, wpatrując się w niebo, które miało taki sam kolor jak morze. Linia horyzontu nikła i miało się wrażenie bycia w bezkresie. Jakby nie istniało nic poza błękitem. Szum morza przywoływał odległe wspomnienia. Spinała ręce, które z wolna błądziły po nagrzanym słońcem ciele. Czuła się jak kiedyś, w zbożu. Zaciskała uda, by zatrzymać przyjemne fale rozkoszy, błąkające się w podbrzuszu.

46

Po całym dniu wracała do domu Morettich. Już w autobusie, wiozącym ją z Calambrone do San Miniato, wzdrygała się na myśl, że za chwilę znajdzie się w tym domu z białego wapienia, oplecionym winoroślą, z przyległymi doń poletkami warzyw, sadami oliwkowymi i winnicami. Domu, który wbrew swojemu urokowi budził w Lili niechęć. Tak jak codzienna opieka na starą Caren, sprzątanie jej łóżka, wciąż pofajtanego, bo podopieczna od dawna nie panowała nad odruchami, wysłuchiwanie jej chorego bełkotu, wycieranie ciągle oślinionych warg, z których strugi lepkiej mazi toczyły się na bluzkę, spódnicę. Nienawidziła tej roboty, ale nie miała wyjścia. Wyjechała do Toskanii na ślepo, bez adresu, bez znajomości języka. Ktoś, kto ucieka, nie myśli praktycznie. Uczyła się włoskiego samodzielnie. Na początku wchodził kiepsko, ale uwodził śpiewnością i elegancją. Znalazła ogłoszenie o pracy. Pojechała. Przez kilka miesięcy pracowała w Empoli, u młodego małżeństwa. Ona, Laura, była Polką. Oprowadzała wycieczki po Rzymie i rzadko bywała w domu. On, Luciano, dużo rozumiał po polsku. Lili opiekowała się jego matką, choć tak naprawdę niewiele miała do roboty, bo Luciano nie opuszczał matki na krok. Ale gdy stan się pogorszył, oddali ją do hospicjum w Velletri. Laura znalazła Lili pracę u Morettich, w niedalekim San Miniato. Nie było wyjścia; Lili nieraz głośno złorzeczyła starej Włoszce, wiedząc, że ta i tak słyszy niewiele. I nawet, gdy wydawało się, że patrzy rozumnymi i pełnymi wyrzutu oczami, opiekunki to nie wzruszało. Kiedy któregoś poranka Caren Moretti zmarła, Lili odetchnęła z ulgą. Zadzwoniła do jej syna Vincenza.

– Proszę przyjechać. Pani Caren nie żyje.

* * *

Spędziła w domu Morettich jeszcze jedną noc, a potem spakowała walizkę i pojechała do Lukki. Było jej o tyle lżej, że poznała już język, zwyczaje. Wypuszczenie się poza znany teren nie budziło w niej paraliżującego lęku.

Musiała w spokoju zastanowić się, co dalej. Zarobiła trochę, ale nie tyle, by móc wrócić do Polski i zacząć nowe życie. Może nawet z Sarą. Wybrała się więc do Florencji. Zawsze marzyła o spacerowaniu uliczkami tego miasta, trzymając wzorem dawnych dam pomarańczę przy nosie, która chroniła przed panoszącym się wstrętnym zapachem kanalizacji. Kilka dni spędziła w podrzędnym hostelu, starając się nie myśleć zbyt wiele. Wędrowała całymi dniami, za wszelką cenę pragnąc poczuć się jak turystka. Siadywała na schodach, przy Uffizi podglądała mimów i słuchała polskiego grajka, który grał *Concierto de Aranjuez*. Grał tak, jakby tylko dla siebie, a nie po to, by zarobić. I tak jak ona udawała turystkę, tak on zachowywał się, jakby był w wielkiej sali koncertowej, a zaraz po występie miał wrócić do ekskluzywnego hotelowego pokoju. Przez chwilę pomyślała, by podejść. By potułać się razem. Był młody i przystojny, niewiele starszy od niej. A może tylko ogorzała twarz, niedbały zarost sprawiały takie wrażenie? Lili szybko zarzuciła tę myśl. Nie tego oczekiwała od życia. Wszystko, tylko nie brak. Brak pieniędzy, mieszkania. Jakikolwiek.

Dieter

Tam, we Florencji, przy Santa Maria del Fiore poznała Dietera. A właściwie upolowała, kręcąc się przy nim.
Mężczyzna był sam. Nie wiedziała, skąd przyszedł jej do
głowy ten szatański pomysł, ale była pewna, że to właśnie Dieter zapewni jej niezłe życie. Postawiła wszystko
na jedną kartę: albo on, albo nikt. Ale w razie niepo-
wodzenia przyjdzie jej wrócić do Polski... Wysłuchiwać
zrzędzenia matki, oglądać ojca i zajmować się małą Sarą.
Nie dorosła do roli matki. Jeszcze nie wtedy.

Jak w kiepskim melodramacie – wpadła na niego,
a potem przepraszała łamanym włoskim. Po chwili
okazało się, że jest Niemcem, więc szybko przeszła na
niemiecki. Facet zastygł w bezruchu. Zarzekał się, że
wszystko w porządku, że nic się nie stało. Taka piękna
kobieta, to wielka przyjemność. Potem w L'Osteria di
Giovanni długo opowiadała o sobie, co chwila spuszczając wzrok.

– Przyjechałam do pracy – mówiła, sprawdzając reakcję towarzysza.

Nie mogła mu opowiedzieć o starych babach i o tym, jak bardzo nie cierpiała roboty przy nich. Spontanicznie wyszukiwała historie, jakby była pewna, że od tego zależy jej los. – U nas w Polsce ciężko. Musiałam przerwać studia, bo rodziców nie stać było, a ja... Kierunek studiów... Dużo pracy...

– To przykre – wtrącił Niemiec, nie spuszczając oczu z obcisłej bluzki, pod którą rysowały się sutki.

Przyłapała go na tym spojrzeniu i poprawiła się na krześle, prostując zmysłowo i odrzucając do tyłu rozpuszczone włosy. Zazwyczaj związywała je w kucyk, ale dziś miała ochotę pozostawić luzem. Wyglądała ponętnie.

– Muszę wrócić na studia i... zająć się córką.

Przez twarz mężczyzny przebiegł dreszcz.

– Jesteś mężatką? – zapytał.

Lili wystraszyła się, że go spłoszy.

– Nie – odparła po chwili. Na poczekaniu wymyślała historię. – Już nie – dodała smutno.

Dieter pogładził jej dłoń. Nie cofnęła ręki. Przez moment ich spojrzenia się spotkały. Uciekła wzrokiem. Mężczyzna, mimo wieku, był atrakcyjny. Miał, na oko, pięćdziesiąt pięć lat. Może nieco mniej, może więcej. Należał zapewne do tego typu facetów, którzy na uroku zyskują z wiekiem. Szczupły, wysportowany. Gdyby spojrzeć na niego z tyłu – młody mężczyzna o zdecydowanych ruchach, pozbawionych niezborności. Twarz przypominała Dana Marshalla z *Powrotu do Edenu*: szlachetne rysy w otoczeniu szpakowatych włosów i miękkie, ujmujące spojrzenie. Lili pamiętała, jak z zaciśniętymi dłońmi śledziła losy biednej Tary, wskutek rodzinnych intryg poszarpanej przez krokodyla. To właśnie Dan zajął się nią z ogromną troskliwością... Potem, w nocy, marzyła. Śniła o takiej miłości. Facet poświęcający się dla niej jedynej. Nie to, co jej ojciec, czy inni idiotyczni faceci wokół. Dupki żołędne!

– Odszedł?

– Zginął... – ściszyła głos.

Odwróciła głowę i machnęła dłonią w powietrzu, jakby chciała dać do zrozumienia, że jeszcze nie może o tym mówić. Pociągnęła dyskretnie nosem. Mężczyzna wzdrygnął się i uniósł ręce w geście poddania.

– Przepraszam – powiedział.

Zaraz też dolał wina, pozwalając jej dojść do siebie.

– Nic nie szkodzi. Staram się zapomnieć. Pogodzić. Przecież mam dla kogo żyć... – Lili ciągnęła swoją kwestię. – Tyle że to naprawdę bardzo trudne.

Ukryła twarz w dłoniach. Zaszlochała cicho, ale zaraz się otrząsnęła. Nie chciała wypaść melodramatycznie. Ale już wtedy miała pewność, że facet dał się złapać. Czuła się jak dziwka, jednak wiedziała, że to jedyny sposób, by uwolnić się od ciągłego biedowania.

Dzięki niemu objeździła całą Toskanię. A potem zamieszkała z nim. Naiwny! Do końca wierzył, że żeniąc się z nią, złapał Pana Boga za nogi. Była młoda i piękna, skąd miał zatem wiedzieć, że stał się dla niej łodzią ratunkową? Wykorzystała go. Perfidnie i metodycznie. Jeszcze tam, we Florencji, pozwoliła mu się uwieść. Kiedy w hotelu Calzaiuoli kazała zgasić światło, tłumacząc się onieśmieleniem i wstydliwością, zaproponował, by z nim wyjechała. Zachwycała go jej skromność.

Nie miała nic do stracenia.

Pomimo że Dieter wyglądał jak Dan, był jednak stary. Po prostu stary. A Lili nie znosiła starości.

Wyszła za niego, ale nazwiskiem Neuman nie posługiwała się nigdy. Wszędzie przedstawiała się jako Lili Czarnecka. Z czasem nauczyła się przełamywać obrzydzenie, gdy dotykał ją chropowatymi rękami, a potem, charcząc gardłowo, opadał na nią, mamrocząc, że jest cudna, boska, wspaniała. Gdy wyjeżdżała do Polski na tydzień czy dwa, nie było dnia, by nie wydzwaniał i błagał o powrót. Chciał, by ściągnęła córkę. Chciał Sarę uojcowić, dać jej nazwisko. Obiecywał szkoły i ptasie mleko. Wszystko, byleby tylko Lili nie zostawiała go ani na chwilę. Lecz ona nie zamierzała słuchać.

– Dieter! – mówiła stanowczo. – Ustaliliśmy na początku: żadnej zabawy w dom!

Przez lata nauczyła się być żoną. Bywało, że dusiła się w związku, ale trwała uparcie. Do końca. Miała niezależność, miała pieniądze. Nie oczekiwała wiele od życia, ale nie potrafiła znieść myśli o biedzie. Nie umiała być matką. To nie była rola dla niej. Rola, w której nie chciała zostać obsadzona. Raz czy dwa przywoziła Sarę, ale po kilku dniach wywoziła ją jeszcze szybciej. Nie licząc tego jedynego przypadku, gdy mała znalazła się w szpitalu w Kassel. Przez cały, ciągnący się w nieskończoność tydzień...

Kilka dni po śmierci Dietera Lili spakowała manatki. Nakazała pełnomocnikowi Frankowi Richte załatwienie wszelkich formalności spadkowych, sprzedaż domu w Kassel i wróciła do kraju. Pozbyła się niemieckiego nazwiska.

Pozostało jej ładnych parę lat zamkniętych w kilku walizkach. I konto.

Ewa i Lili

Dzień dobry! – Z zamyślenia wyrwał ją kobiecy głos. Ewa wyrosła jak spod ziemi. Była zdyszana. Jedną ręką rozpinała trcncz, drugą szamotała się z krzesłem.

– Jestem. – Wyprostowała się jak do prezentacji.

– Wiem, kim pani jest. Poznałam panią. Zresztą nie spodziewałam się nikogo innego. – Lili uśmiechnęła się z wyższością.

Skincła głową w kierunku kelnerki, która trwała w gotowości. Dziewczyna znalazła się przy stoliku w mgnieniu oka.

– Na początek dwie kawy. Tak? Pani też, oczywiście. Nie czekała na potwierdzenie.

Kelnerka zapisała zamówienie w notesie i odeszła. Lili rzuciła okiem na Ewę, która usiadła.

Kobieta poprawiła krótką fryzurę. Widać było, że walczy ze skrępowaniem. Nerwowo poprawiała obrus, wygładzając każdą zmarszczkę. Było w niej coś, co budziło litość. Jakaś nieporadność, zahukanie. Była ładna, ale naznaczona upływającym czasem, choć zapewne usiłowała obchodzić się sama ze sobą łagodnie. Miała na sobie skromną sukienkę. Porządne, choć już niemodne buty były wypastowane i lśniące. Złożyła dłonie na wygładzonym obrusie jak do modlitwy, wspierając na nich brodę. Po chwili zwinęła dłonie, chowając zniszczone paznokcie. Cała jej postać zdradzała niepokój, jakby od tego spotkania zależało życie.

Przez chwilę w powietrzu zawisła cisza. Taka, w której uwiera wszystko. Wyżłobienie w krześle, przekrzywiona spódnica, wpijająca się w ciało bielizna. Cisza drażniła.

Ewa odchrząknęła.

– Dopiero odeszłam od obiadu. Nie mam zwyczaju robić czegokolwiek w rękawicach – tłumaczyła się, pochwyciwszy spojrzenie, które przed skupieniem się na twarzy, na chwilę zatrzymało się na dłoniach. – Właśnie dlatego nie mogłam wcześniej. Mąż wrócił z pracy. Musiałam podać mu obiad...

Lili nie spuszczała oczu z rozmówczyni. Wzruszyła ramionami.

– Ależ nie musi się pani tłumaczyć. Rozumiem. Tak robią porządne żony.

W słowach pobrzmiewała ironia, ale Ewa zapewne jej nie odczuła. Kobieta siedząca naprzeciwko niej była damą. Wymuskaną i perfekcyjną.

– Ja, na szczęście... – Lili teatralnie zniżyła głos, jakby chciała, by to, co teraz powie, pozostało tajemnicą. – ...ani dla siebie, ani dla potencjalnych mężów nie jestem ani żoną, ani tym bardziej porządną – zaśmiała się.

– Oczywiście porządną żoną. Bo jeszcze by sobie pani o mnie pomyślała...

Śmiech wypełnił przestrzeń. Był głośny. Podzwaniający, jakby ktoś rozsypał na szkle maleńkie kryształki. Demoniczny. W głowie Ewy na ułamek sekundy pojawiła się myśl, że można było inaczej rozwiązać problem z telefonem. Na przykład zostawić go u doktora Dobrzyńskiego albo poprosić Adama, by z nią przyszedł. Ale coś ją podkusiło. Tam, w poczekalni, nie potrafiła oderwać wzroku od tej kobiety, która czekała, jak ona, na wizytę. W nieznajomej było coś niepokojącego i intrygującego zarazem. Pomyślała wówczas, nie wiedzieć czemu, że chciałaby mieć taką przyjaciółkę. Że zapewne przy takiej kobiecie jak tamta, jej, czyli Ewy, życie nie byłoby takie zwyczajne i monotonne. Że ta kobieta z poczekalni jest inna. Inna niż wszystkie. Niż Dzidka, niż żona Dobrzyńskiego, Olga. Niż wszystkie te, które spotykała na co dzień. Ta była jak wróżka, która nawet różdżki nie potrzebuje, by odwrócić los. By poplątać koleje życia. Może dlatego Ewa gnała na spotkanie z nią pełna podniecenia i nadziei.

– Och! Zapomniałabym. – Poderwała się na równe nogi.

Wyciągnęła rękę po torebkę, która podobnie jak wszystko inne była w bardzo dobrym stanie, tyle że już nieco wysłużona i niemodna. Starta duża litera K świadczyła, że czas świetności dawno ma za sobą. Ewa wyciągnęła z niej telefon i podała Lili, która ledwie na niego spojrzała. Wrzuciła komórkę do torby.

– Ktoś do pani dzwonił, ale, oczywiście, nie odebrałam.

– Nieważne – skwitowała Lili nonszalancko. – Proszę mi nie mówić pani. Jestem Lili. Lili Czarnecka.

Wypielęgnowana dłoń zawisła nad stolikiem.

– Ewa – odparła Ewa. – Ewa Niebieszczańska – dodała, dopełniając prezentacji.

Na czole Lili wystąpiła niewielka rysa. Zamyśliła się na chwilę, ale szybko odzyskała rezon.

– Przepraszam, ale już po raz drugi dzisiaj przytrafia mi się coś dziwnego. – Potarła ręką czoło, jakby zamierzając odegnać natrętną myśl. – Mam wrażenie, jakbym już kiedyś, gdzieś słyszała wymieniane dzisiaj nazwiska. To pewnie przypadek. Człowiek w najdalszym zakątku świata natyka się na znajomych. – Lili podniosła do ust filiżankę. – Wciąż mi się to zdarza. W różnych dziwnych miejscach spotykam ludzi, których spodziewałabym się mniej niż diabła. Wyobraź sobie, w zeszłym roku siedziałam w hali odpraw na lotnisku w Heraklionie. Tłok jak jasna cholera. Zbieranina z całego świata. Przy stanowiskach odpraw – kolejki. Siadłam na ławce. Przecież samolot beze mnie nie odleci, nie? Czytam jakąś bzdurną książkę, aż tu nagle ktoś krzyczy mi do ucha: „Seniora Lili?!". Podnoszę głowę i patrzę, a tu Sandra Moretti, córka znajomych, których poznałam podczas pobytu w San Miniato. Kto by pomyślał? A wyjechałam, żeby pobyć z dala od wszystkich...

Ewa

Włoskie nazwy w opowieści Czarneckiej brzmiały gładko i naturalnie, w najmniejszym stopniu nie oddając prawdy. W powietrzu co jakiś czas dźwięczał jej śmiech. Rzeczywiście był irytujący. Ewa czuła się nieswojo, ale mimo to słuchała uważnie, obserwując tę piękną i wyluzowaną kobietę w niemym zachwycie. Ewa stwierdziła, że obie muszą być w podobnym wieku, lecz zaraz odrzuciła tę myśl. Gdzie ona, Ewa, a gdzie tamta? Lili jest niemal nieskazitelnie piękna. Bez wieku. W idealnym make-upie, pod którym próżno by doszukiwać się najmniejszej zmarszczki. Starannie wytuszowane rzęsy podkreślały granatowe tęczówki, które wyglądały jak szklane. Błyszczące i tajemnicze. Największy zachwyt budziły jednak dłonie. Żadnej plamki, żadnej zmarszczki. Wymuskane. Ze starannie wypielęgnowanymi paznokciami pociągniętymi subtelnym lakierem. Jakby w życiu nie tknęły się żadnej pracy. Nie to co Ewy.

Zadziory skórek, poszarpane, podbiegłe krwią. Na domiar złego, mimo szorowania i przecierania cytryną, nie chciały zniknąć ciemne nitki przecinających dłonie linii. A paznokieć na małym palcu znaczyła czarna obwódka. Za nic nie chciała zejść, choć ręce szczypały i piekły z bólu. „Żałoba po kocie", żartowała Ewa z synów, gdy wracali z dworu do domu z rękami jak święta ziemia. A teraz manewruje, by ukryć zniszczone dłonie. W duchu pożałowała, że nie przywykła używać rękawiczek, ale miała wrażenie, że kiedy je wkłada, wszystko jej leci z rąk. A później skóra jest pomarszczona i nieprzyjemnie czuć ją talkiem.

* * *

Nie pracowała zawodowo. Tak jakoś wyszło. Zajmowała się domem. Mąż. Dzieci. Obiadki. Sratki. Pranie. Pastowanie. Perfekcyjna pani domu, psia mać! Nie tak miało to wyglądać. Ona. Pani magister sztuki po architekturze wnętrz. Nie licząc głupich wizerunków myszek Miki i jelonków Bambi w poradni dziecięcej, nie dokonała niczego wielkiego. Wprawdzie za studenckich czasów wygrała konkurs na zaaranżowanie Domu Kultury w Zielonej Górze, a jej promotor – nawiasem mówiąc, dziekan w zakładzie architektury, profesor Anatol Jarosz – rozpływał się z zachwytu, ale szybko zapomniał o nadzwyczajnych zdolnościach uczennicy, kiedy na czwartym roku złożyła podanie o urlop dziekański. A potem, dzieląc czas między męża, pieluchy a deskę kreślarską, zrobiła dyplom. Leży gdzieś, wetknięty między metryki urodzenia, akty notarialne i umowy z bankami.

– Może napijemy się wina? – zaproponowała Lili. – Ja wprawdzie przyjechałam samochodem, ale od lampki jeszcze nikt się nie upił. Zatem?

Krótkie wyczekiwanie. Ewa zamierzała odmówić, mimo że przyjechała tramwajem, ale wwiercające się w nią spojrzenie zbijało z tropu. Co mi tam, pomyślała. Spróbuję poczuć się lekko i swobodnie. Nawet nie zdążyła przytaknąć, gdy Lili dyskretnie przywołała kelnerkę.

– Proszę nam podać kartę win – zwróciła się do dziewczyny uprzejmie, lecz tonem zdradzającym poczucie wyższości.

* * *

Wino. Cierpkie, taniczne. Wstrząsnęło Ewą. Krzywiąc usta, przymknęła oczy, jakby to mogło pomóc jej przełknąć trunek. Nie lubiła win wytrawnych i zupełnie nie rozumiała, jak można zachwycać się czymś, co wykręca wargi i na długo pozostawia na czubku języka drętwy posmak. Kiedy na jakiejś imprezie trafiało się jej takie, dosypywała doń łyżeczkę cukru.

– Przestań robić porutę! – upominał ją mąż. – Kto to widział?

Oburzyła się. Kłótnia zawisła w powietrzu.

– Chcesz powiedzieć, że wstydzisz się własnej żony? Kompromituję cię? Tak?

– Nie, no skąd? Ale to nie wypada. A poza tym wcale nie musisz pić – próbował łagodzić, ale ona dąsała się do końca imprezy.

– Wielu rzeczy nie muszę, a robię... – zaczęła, ale ugryzła się w język i zamknęła temat.

Kiedyś nie piła prawie wcale, chyba że jakieś mdłe likiery albo gęste i słodkie kremy, ale ostatnio zdarzało jej się sięgać po coś mocniejszego. Lubiła być na rauszu, chociaż mężowi nie bardzo podobało się zbyt swobodne zachowanie czy głośny śmiech. Który, jak mu się wydawało, rozbrzmiewał non stop, bo wówczas Ewę bawiło niemal wszystko.

Lili i Ewa

Nie smakuje? To może coś innego? – Uśmiechnęła się Lili, dostrzegając grymas.

Ewa zaprzeczyła energicznie i jakby zamierzając udowodnić, że wino jej smakuje, pociągnęła większy łyk.

– Ja piję wyłącznie wytrawne. I dużo. – Lili zniżyła nieco głos i nachyliła się nad stołem, udając, że oto zdradza jakąś wielką tajemnicę. – Ponoć pozwala zachować jasne serce, zdrowy umysł i... młodość.

Patrząc na nią, nietrudno było uwierzyć, toteż kolejny łyk wydał się Ewie mniej cierpki. Palcem otarła brzeg lampki, na którym odbił się bladoróżowy półksiężyc. Nie wiedziała, jak Lili to robi, że jej kieliszek pozostaje nieskazitelnie czysty. Mimo ust pokrytych grubą warstwą czerwonej szminki.

– Nauczyłam się pić wina tam.

Powiedziała to w taki sposób, jakby owo „tam" było oczywiste. Zaraz jednak dodała:

– Mieszkałam trochę we Włoszech. – Roześmiała się i zatoczyła ramieniem krąg w powietrzu. – Dlatego polubiłam tę knajpkę, choć zapewniam cię, że poza nazwą ma niewiele wspólnego z prawdziwą Toskanią. Tam... – przerwała, szukając czegoś w myślach. – Tam jest zupełnie inaczej.

– Długo byłaś we Włoszech? – spytała Ewa.

Przypadkowo spotkana u lekarza kobieta intrygowała ją coraz bardziej. Była ciekawa jej życia. Historii, która zapewne nie jest tak banalna jak jej.

– Zbyt krótko – westchnęła Lili teatralnie. – Potem zamieszkałam na krótko w Północnej Nadrenii, niedaleko Dortmundu, a potem na dłużej w Kassel. Ale nie ma co gadać.

– Ależ dlaczego? To musi być interesujące!

Lili zerknęła kpiąco. Po kilku sekundach przeniosła wzrok na inne stoliki. Na okno, za którym poszarzało. Drobne krople deszczu miarowo uderzały o szyby. Zapatrzyła się w nieodgadnioną przestrzeń. I uśmiechnęła, chociaż bardziej do własnych myśli niż do rozmówczyni. Lecz w tym uśmiechu był dziwny grymas. Coś jak niedobre wspomnienie.

– Zapewniam cię, że nie jest.

Ta prosta konstatacja zdecydowanie kończyła temat niemieckiego epizodu.

– O! Rozpadało się! – zauważyła Lili. – Cholera! Nie wzięłam parasola...

– Zaraz przejdzie.

Pogoda znienacka przyszła z pomocą; obie kobiety sprawiały wrażenie szalenie zainteresowanych tym, co się dzieje za oknem. Jak na komendę poderwały się od stolika. Wyglądało to komicznie, jakby śpieszyły się na frapujący spektakl za oknem.

– Na zachodzie już się rozwidnia. To pewnie tylko chmura.

Ewa

Wróciły na miejsca. A to oznaczało, że mogą poruszyć inne kwestie i kontynuować wzajemne poznawanie.

– Mieszkasz tutaj od urodzenia? – zapytała Lili.

– Nie. Przeprowadziliśmy się do Gorzowa po studiach. Adam... Mąż dostał tu pracę, w Stilonie, jako inżynier produkcji. Praca, mieszkanie. Wiesz jak jest. Miało być pięknie i po amerykańsku. Perspektywy! – Ewa prychnęła z pogardą, zrezygnowana i rozgoryczona. – A potem wszystko trafił szlag. Jak to u nas, w Polsce. Żadnej stabilizacji. Żadnej pewności. Ja nie chciałam tu przyjeżdżać. Urodziłam się w Sierpcu...

– O! To z nas krajanki – ożywiła się Lili. – Ja też pochodzę z tamtych stron. Kiedyś mówiło się centralna Polska. Też mi centrum! Zwykłe popierdowo – dodała z pogardą i czym prędzej zmieniła temat.

Nie lubiła niczego, co przypominało jej tamte rejony. Wspomnień, ludzi, miejsc. No może z wyjątkiem łąk. Jej łąk. Jej azylu.

– Pracujesz?

Ewa poruszyła się niemal niedostrzegalnie. Nie spodziewała się takich określeń. Aż pokręciła głową. W tej konkretnej chwili, przy tej eleganckiej kobiecie, tak obytej, zapewne wykształconej, bogatej, poczuła pewną ulgę. Wewnętrzny głos podpowiadał jej, że może nieco spuścić z tonu. Poluzować zbyt sztywny gorset.

– Nie. Skończyłam studia... – zaczęła. – Architekturę – doprecyzowała z dumą, mając nadzieję, że nazwa kierunku (bo przecież architektura to nie w kij dmuchał) wzbudzi uznanie Lili.

Tak się stało.

– O! To fantastyczne! Ale dlaczego nie pracujesz?

– Hm – zawahała się Ewa. – Jakoś tak wyszło. Najpierw dzieci, potem... Hm. Właściwie długo były dzieci, a potem to już nie takie proste wcisnąć się gdziekolwiek. Lata przerwy, inne czasy, sama wiesz. Zmienia się moda, upodobania. Wypadłam z torów.

Nie to powinna powiedzieć, ale przecież nie mogła przy tej obcej kobiecie otworzyć się i wylać hodowanych przez lata i skwapliwie pielęgnowanych żalów. Że jej mąż uważa, iż miejsce kobiety jest w domu. Że nie wyobraża sobie, aby Ewa mogła pracować w biurze projektowym wśród samych prawie facetów. Że on nie będzie biegał z trojakami albo wystawał przy kuchni i odgrzewał stołówkowe mamałygi, bo wszystko stamtąd smakuje tak samo. On wie, bo czasem zdarzało mu się jadać obiady w zakładowej stołówce w Stilonie. Że nie pozwoli, by jego dzieci przesiadywały do nocy w świetlicach, narażone na Bóg wie jakie towarzystwo.

Adam zdecydował za nią. Kiedy Paweł i Piotr byli na tyle duzi, że mogła spokojnie wrócić do pracy, znalazła ogłoszenie biura New Project. Poszukiwali architekta. Zapewniali szkolenia, kursy. Obiecywali ciągłe doskonalenie i zdobywanie nowych kompetencji. Nie wahała się, ale na spotkanie wybrała się po kryjomu. Pokazała teczkę z pracami, a właściciel biura zapiał z zachwytu, proponując pracę od zaraz. I niemałe pieniądze. Wróciła do domu cała w skowronkach, które Adam spłoszył natychmiast.

– Nie sądzisz chyba, że się zgodzę, żebyś szlajała się poza domem przez cały dzień, robiła jakieś durne projekty, latała po kursach, jeździła na szkolenia? Tam, wszyscy to wiedzą, tylko picie i pieprzenie! A ja? A chłopaki będą latać z kluczami na szyi?

– Przecież jest świetlica. A ty możesz jeść obiady na mieście. – Próbowała przekonywać, choć jej szanse malały z minuty na minutę.

– Przestań! – przerwał Adam. – Ja nie nadaję się do takiego życia! A poza tym niczego nam nie brakuje. Czyż nie? – Cmoknął ją w czoło, co oznaczało koniec rozmowy.

Nie pomogła noc, którą Ewa zaplanowała w najdrob-
niejszych szczegółach – z muzyką, seksowną bielizną
i całym zestawem póz, westchnień i pieszczot.

Następnego dnia po prostu nie odebrała telefonu.

* * *

Zerknęła na zegarek. Zrobiło się późno.

– Muszę już wracać.

Rzadko zdarzało się jej wychodzić z domu, chyba że
do Dzidki, którą poznała na jakiejś imprezie Stilonu.

Adam zabrał ją wtedy ze sobą, choć czuła się fatalnie.
Nie znała nikogo, na domiar złego miała wrażenie, że
wygląda wśród tych wszystkich eleganckich i szykow-
nych kobiet jak kopciuszek. Choć kilka dni wcześniej
Adam dał jej pieniądze.

– Idź i kup sobie coś ładnego. Może w tej nowej Modzie w centrum?

I nawet zajął się chłopakami.

Gdyby to było takie proste! Ewa nie miała pojęcia,
co to jest „coś ładnego". Najlepiej czuła się w dżinsach
i T-shircie. Nie nawykła do sukienek i wymyślnych spód-
nic, a jeszcze nie daj Bóg przed kolano!

– Włożyłabyś jakąś kieckę – marudził Adam od czasu
do czasu. – Wciąż tylko te spodnie. Popatrz na inne. Wy-
malowane, wypindrzone...

* * *

Z czasem zaryzykowała proste sukienki o niewyszukanych fasonach, a potem nawet kupiła minizestaw do makijażu. Ale w wersji na bóstwo nie potrafiła pozbyć się uczucia, że jest przebrana.

Na tamtej zakładowej imprezie koledzy Adama (niejeden już lekko wcięty) klepali go familiarnie po ramieniu.

– No, no! Panie inżynierze! Taki skarb pan ukrywał przez tyle czasu! Żonka palce lizać!

Adam pękał z dumy, co chwila podpowiadając szeptem, z kim Ewa ma zatańczyć. A to z Zawadzkim, dyrektorem pionu technicznego, a to z Ludwińskim, odpowiedzialnym za eksport. Kiedy jednak przy którymś tańcu partner okręcił ją, a ona roześmiała się, pokazując zgrabne nogi, nie wytrzymał. Najpierw zrobił jej karczemną awanturę pod Stilonem, a po powrocie na salę upił się tak, że ledwie dowlokła go do domu.

To na tej zabawie poznała Dzidkę, która cały niemal czas spędziła z nimi przy stoliku, bo jej mąż już na samym początku poszedł w tango. Pojawiał się od czasu do czasu, by poprzytulać w tańcu, klepnąć w tyłek i zniknąć.

Ewa nigdy nie miała wielu znajomych. Mąż Dzidki, po tym, jak wyrzucili go ze Stilonu, bo krzyczał za dużo, wyjechał do roboty do Norwegii, a Dzidka wzięła się do prowadzenia niewielkiego sklepiku na Chrobrego. Czasem dzwoniła do Ewy, kiedy miała coś fajnego, wpadała rzadziej. Wybudowali się na Osiedlu Poznańskim, skąd na Dolinki była już cała wyprawa i zupełnie nie po drodze. A ponadto Dzidka poświęciła się urządzaniu domu. Firany jak z katalogu Otto, pokoje w antykach, które jej mąż zwoził razem z lampami, obrazami w słoneczniki i innymi modnymi impresjonistami, których nazwiska Dzidka nauczyła się wymawiać. Układała śmiesznie język i przeciągała manierycznie samogłoski: Renuaaa, Degaaa, Maneee. Robiła przy tym minę najprawdziwszej koneserki sztuki.

Adam nie lubił, kiedy odwiedzały ich jakiekolwiek znajome żony.

– Zrozum – mówił. – Nie zamierzam po powrocie z pracy czuć się u siebie nieswojo. Ani się rozebrać, ani położyć.

Fakt faktem, mieszkanie było niewielkie, niecałe pięćdziesiąt siedem metrów kwadratowych. Cztery pokoje, ale każdy maleńki; nie było gdzie się schować. Był czas, że myśleli o budowie na obrzeżach Gorzowa, ale ostrożny Adam bał się kredytu. No i nie ufał nikomu. Otaczali go sami oszuści i złodzieje, a na dodatek brakoroby, więc na dom, który i tak zaraz wymagałby remontu i nowych nakładów, szkoda było pieniędzy. Bo dom to wieczna skarbonka, a on głowy nie ma do takich rzeczy. A poza tym, po co im taka wielka chałupa, skoro Ewa już teraz narzeka, że cały dzień nic nie robi, tylko macha ścierką? I jeszcze do pracy jej się zachciewa!

Lili

Rozejrzała się po sali.

– Tu pewnie też nie wolno palić? Poszaleli wszyscy. Kto to widział, żeby człowiek w kawiarni, przy lampce wina, nie mógł zapalić! Musi jak jakiś krzywus kulić się przed restauracją albo ćmić w bramie jak menel! Co to za polityka? I gdzie tu ekonomia? Daję sobie rękę uciąć, że niejedna knajpa już przez to zbankrutowała. Cudaki z tych polityków.

I słowa, i sposób ich wypowiadania wprawiły Ewę w zdumienie. Nie tego się spodziewała, lecz może to właśnie ten pozbawiony patosu ton pozwolił jej spojrzeć na Lili jak na zwyczajną osobę – Dzidkę czy sąsiadkę z niższego piętra, z którą mijały się niemal codziennie, wymieniając uwagi. Co słychać? Jak pogoda? Co głupiego znów w telewizji.

– Nigdy nie paliłam. – Rozłożyła ramiona Ewa, akcentując własną bezsilność w tej kwestii.

Nic na to nie poradzi. To nie jej wina. Ale znowu poczuła się gorsza. Co z tego, że moda na niepalenie zawitała do Polski lata temu? Tu, przy tej kobiecie, pożałowała, że nie pali. Jej palące koleżanki zawsze sprawiały wrażenie, że są bardziej pewne siebie; trzymały w wyprostowanych palcach papierosa, wypuszczając nosem siwe wiązki. Ale to ją wybrał Adam. Nie śmierdziała „jak popielniczka", jak się wyraził.

Nowa znajoma uśmiechnęła się pobłażliwie. Jak człowiek, który na sto procent wie, że poddawany przesłuchaniu rozmówca nie jest zdolny do pewnych zachowań. Są rzeczy wypisane na czole.

Na czole Ewy przymocowana była jaskrawa etykietka z napisem: ZE WSZECH MIAR PORZĄDNA.

* * *

Lili domyśla się, że jej nowa znajoma nie należy do osób, które trawią czas na kawiarnie czy plotki. Przypatruje się jej kątem oka. Gdyby tak ją trochę zrobić? Gdyby choć trochę poluzować ten ciasny gorset? Podkreślić zalotnie oczy, pociągając maskarą rzęsy? Rozwichrzyć włosy, ułożone misternie, z grzywką na prosto, z równo przyciętymi bokami? Przydać im koloru, blasku? I koniecznie buty! Wysokie. I spódniczka, klasyczna, ołówkowa. Przed kolano. Lili nie rozumie kobiet, które przestały walczyć o swoją kobiecość, zatraciły się w miłości do męża, do dzieci. Pogubiły się, pochowały dawne marzenia o wspaniałym życiu. Wieczorami siedzą w ciężkich niemodnych szlafrokach, skulone na tanich kanapach, przytłoczone codziennymi rachunkami, jadłospisami i wywiadówkami roszczeniowych smarkaczy, uzurpujących sobie prawo do niszczenia matczynej urody, figury i młodości. Niechętnie, lecz bez sprzeciwu przyjmujące mężów. Bez protestu, bo „sobie pójdzie i znajdzie inną". A niech idzie! I krzyż mu na drogę! Wielka strata! Że niemłoda? Że gruba? Że czarna, a nie blond albo ruda? Jakakolwiek, byleby obca? Ach, pozbyć się tych śmierdzących skarpetek, przepoconych koszul i niezadowolonych spojrzeń! Mało to Lili napatrzyła się w domu na ojca, który maślanym wzrokiem wodził za Elką Figurską, nawet w części nie tak ładną jak matka. Tlenione kudły, żółte jak ledwie opierzone kurczęta, niebieskie cienie na powiekach i różowa perłowa szminka, która za cholerę nie dawała się sprać z koszuli.

* * *

Któregoś razu zaszła do warsztatu; drzwi do kantorka były uchylone, więc do głowy jej nie przyszło, żeby zapukać. Zresztą była to zwykła kanciapa, w której stało zdezelowane biurko, krzesło ze starego kompletu jeszcze po dziadkach, regał na skoroszyty i kartony po butach, w których leżały papierzyska. Zamyślona Lili nadziała się na fajtające w powietrzu gołe nogi Elki, między którymi stał ojciec ze spuszczonymi do łydek spodniami. Czerwony, najpierw z podniecenia, a potem ze złości. Na córkę! Wyszedł z Elki ze wzwiedzionym członkiem. Co za obrzydliwość! Jeszcze większa niż wtedy, gdy w lustrze, przez wąską szparę, z wypiekami na twarzy obserwowała kopulujących rodziców. Ojciec nachylał się nad matką. A potem, przycisnąwszy jej plecy, uderzał mocno, wykrzywiając w paroksyzmie rozkoszy usta. Do chwili, gdy opadł bezwładnie na łóżko, pozostawiwszy matkę w pozycji, która Lili zdawała się ohydna i upokarzająca. Matka leżała z podciągniętą byle jak do góry koszulą i zsuniętymi do kostek majtkami, które wyglądały jak zaciśnięte postronki, a on zasypiał z zastygłą na twarzy ulgą i zwiotczałym penisem. Przez chwilę Lili przyglądała się z niechęcią i nieskrywanym obrzydzeniem. Uciekła do siebie.

Wtedy, w warsztacie, ojciec podciągał spodnie i jednocześnie krzyczał na nią głosem bulgoczącym z wściekłości i pożądania.

– Pukaj! Pukaj, do cholery! Czego chciałaś?

Elka z głupią miną zsunęła się z blatu biurka, rozcierając odciśnięte na udach kanty i jak gdyby nigdy nic obciągnęła spódnicę i wyszła z „biura". Takich jak ona ojciec miał na pęczki. Głupia matka! Wszystkim dokoła opowiadała, jaka to jest szczęśliwa i że jej mąż, co jak co, ale w życiu by jej nie zdradził.

A potem puścił ją w trąbę.

Lecz dzięki temu Lili zawsze miała pieniądze i nie musiała chodzić w byle czym, tylko pojechać do Sierpca albo Ciechanowa i pokupować w butikach zachodnie sukienki. A od czasu do czasu, kiedy z matką jechała do lekarza do Warszawy, na Różyckiego stać ją było na modne lee czy wranglery i elektroniczny zegarek. Nikt w klasie nie miał takiego zegarka ani takich cieni do oczu.

A potem... Po tamtych nocach już nie chciała od niego niczego.

Ewa

Może się kiedyś wybierzemy do kina? – zapytała Ewa nieśmiało na zewnątrz.

Za szybą restauracji stała kelnerka, która z podobnym zachwytem jak ona obserwowała Lili.

Czarnecka łapczywie zaciągała się dymem z cienkiego papierosa, wypuszczając nosem i ustami szare obłoki. Zatrzymała wzrok na Ewie. W oczach czaiło się pytanie: „I co, tak zwyczajnie będziesz mogła wyjść z domu? Zostawisz gary, ścierki i skarpetki?". Były w tych oczach zarówno sarkazm, jak i politowanie. Ona, Lili, za żadne skarby nie pozwoliłaby się tak wziąć w ryzy. O nie!

– Poustawiam wszystko w domu, zaplanuję wcześniej... – zaczęła Ewa, jakby czytała w myślach nowej znajomej. Widać było, że kombinuje, że układa plan. Zmarszczyła czoło, przymrużyła powieki.

– Jasne! – rzuciła nonszalancko Lili. – Podaj mi swój numer.

Wyciągnęła telefon i wprawnym ruchem wprowadziła nowy kontakt.

– Zadzwonię. Na pewno! – zapewniała Ewa.

Zupełnie jakby od tego zależało dalsze jej życie. Czuła podniecenie. Nie żeby Adam zabraniał jej wychodzić.

– Wyjdź gdzieś – namawiał nieraz. – Do kina czy do koleżanki.

Ale ona nie miała dokąd iść. Samej do kina? Nie chciało się jej. Z koleżankami też był kłopot. Zwyczajnie, nie licząc Dzidki, z nikim nie zaprzyjaźniła się na tyle, by się spotykać. Z widzenia znała parę kobiet z sąsiedztwa, ale wydawało się jej, że mają swoje sprawy i trzymają się od niej z daleka. Czuła się w Gorzowie obco, mimo że już tyle lat minęło od przeprowadzki. Ale samotność zaczęła jej dokuczać dopiero niedawno. Chłopcy dorośli i nagle okazało się, że coraz częściej Ewę dopada wrażenie nadmiaru czasu. Czas jej przeszkadzał. Dłużył się, ciążył. Zdarzało się, że sprawdzała na kilku zegarkach, pewna, że stanęły wszystkie jak na komendę. Wskazówki ledwie przesuwały się na tarczy.

* * *

– Może cię podrzucić? Niedaleko mam samochód – zaproponowała Lili.

– Nie, nie! – pośpieszyła z zaprzeczeniem Ewa.

Nie chciała, by ta kobieta zobaczyła obskurne osiedle. Wprawdzie ostatnimi czasy miasto zaczęło nieco zmieniać wizerunek szarych i nijakich pokomunistycznych mrówkowców, ale tak czy owak, daleko im było do tych nowoczesnych osiedli, w których za horrendalne ceny można było poczuć się luksusowo. Deweloperzy prześcigali się w nadążaniu za europejskimi standardami. Nowoczesna architektura. Tereny zielone. Cuda-wianki, wśród których człowiek nie czuł się jak element układanki z klocków, a jak członek elity. Właściciel ekskluzywnego penthouse'u z basenem, wytwornie odzianym portierem i wszechobecnym monitoringiem.

A jeszcze, nie daj Bóg, przyszłoby tamtej do głowy wprosić się na herbatę!

– Okej! – rzuciła Lili, znikając za szpalerem aut poustawianych przy chodniku.

Jeszcze przez jakiś czas czuła na sobie wzrok Ewy.

Rafał

Dobrzyński ciężko opadł na fotel. Skórzany mebel, jeszcze niewyrobiony, pachnący nowością i impregnatami, zaszeleścił, uginając się niechętnie pod ciężarem. Mężczyzna sięgnął ręką po pilota leżącego na niewielkim szklanym stoliku. Szlag by to trafił! Na powierzchni stolika lęgną się całe kolonie mikrobów!, pomyślał. Mgławe odciski palców na przezroczystej tafli szkła wyglądały fatalnie. Ledwie człowiek dotknie, a już pozostawia dokładny obrys linii papilarnych! Wystarczy opylić pędzelkiem z argentoratem, by ujawnić dane.

Rafał Dobrzyński. Płeć: mężczyzna. Wiek: 45 lat. Zawód: lekarz. Stan cywilny: ... No właśnie. Trudno określić. Sytuacja wciąż w zawieszeniu. Olga się wyprowadziła; któregoś dnia wrócił z pracy, a jej nie było. „Pewnie poszła gdzieś na fisty franty", pomyślał o wypadach żony do sklepów. Wówczas nieszczególnie się tym przejął i nie przeczuwając niczego, jak zwykle trochę posiedział w salonie, aż opadły mu powieki i zapadł w sen.

Cichy szum z telewizora wpływał na Rafała kojąco. Coraz częściej zdarzało mu się przysypiać w fotelu. Gdy się budził, szedł spać. Praca, praca, praca. Ostatnimi czasy nie wyrabiał. Miał tysiące zajęć. Przychodnia, szpital i jeszcze gabinet. Do tego ciągłe szkolenia, kursy.

A jeszcze Jankowski dzwoni z Barlinka, by przyjechać choć na parę godzin raz w tygodniu, bo mu się lekarze sypnęli i nie ma kim obsłużyć rejonu. Zgodził się. Znali się tyle lat, od sympozjum na temat diagnostyki ultrasonograficznej, jeszcze na studiach. Potem cyklicznie spotykali się na konferencjach i szkoleniach ginekologicznych. Bywało, że odwiedzali się od czasu do czasu, gdy Dobrzyński osiadł w Gorzowie.

* * *

Daniel Jankowski chętnie zapraszał do swojego domku letniskowego niedaleko Barlinka. Rafał przez wiele lat przyjeżdżał tam sam lub z aktualnymi kobietami; myliły mu się już ich imiona i zajęcia. Wszystkie były ładne. Po prostu. Ale tylko ładne i każda na chwilę. Dobrzyński nie miał czasu na miłość.

Oprócz Daniela w Barlinku mieli swoje siedliska lekarze z całego niemal województwa. Bo miejsce w istocie było czarowne.

Z drogi prowadzącej z Barlinka do Pełczyc od razu skręcało się w prawo. Krzywą i wyłożoną betonowymi plastrami drogą jechało się, mijając skąpe zabudowania, aż do granicy miasteczka. Dalej prowadził bruk. Po obu stronach pobocza porastały poniemieckie śliwy, chropowate i przygarbione, które w pełni jesieni roztaczały słodki zapach na całą okolicę, wabiąc roje ptactwa i spóźnionych pszczół. Zza zdziczałych drzew prześwitywał najpierw zielony kobierzec pól, latem zamieniających się w żółte połacie. Zaraz za nimi połyskiwał dumnie Pełcz, którego wody na horyzoncie łączyły się z niebem, tworząc bezkres błękitu. Z drogi trudno było dojrzeć domki letniskowe, przycupnięte w otoczonych niewielkimi wzniesieniami nieckach, ale wystarczyło wyjść z samochodu, by rozległ się śmiech, śpiew, a nozdrza podrażnił przyjemnie dym z rozpalonych grilli.

* * *

Kiedyś przywiózł tam Olgę. Szła za nim nieśmiało, krygując się trochę. Pozwalała, by Rafał przywitał się ze wszystkimi, a potem sama występowała nieco do przodu, dokonując autoprezentacji:

– Olga – wyciągała rękę na przywitanie i uprzedzała ewentualne pytania. – Tak, jestem żoną Rafała i nie jestem lekarzem.

Tym oświadczeniem wprawiała wiele osób z towarzystwa w konsternację. Obecni uśmiechali się zdezorientowani i unosili w zdziwieniu brwi, jakby zamierzali oznajmić, że nikt ją o to nie pyta i szczerze im obojętna jest jej tożsamość. Ale Olga od początku małżeństwa miała dość pytań na każdym kroku i przy byle okazjach: „A pani jaką ma specjalizację?", „Pracuje pani w jednym szpitalu z mężem?", „Mam wrażenie, że nie widziałem pani nigdy w środowisku". A kiedy okazywało się, że jednak nie jest z branży, ignorowano ją i wzorem chomików w klatce skupiano się w grupki i gromadki, by uczenie roztrząsać kwestie współczesnej medycyny. Co jeden, to mądrzejszy.

Raził ją i drażnił cały ten medyczny światek. Te głosy ferujące prawdy absolutne i niepodważalne, które – zwłaszcza po kilku drinkach – stawały się coraz głośniejsze. Tak naprawdę nikt nikogo nie słuchał.

Coś zmieniło się dopiero za którymś wyjazdem, gdy Jankowski z nowego, przywiezionego z Zachodu boomboxa puścił muzykę. Wówczas krzyki ustały na rzecz tańców. Nierówne podłoże nie pomagało w wymyślnych figurach, a wręcz przeciwnie, pary chwiały się niebezpiecznie. Kobiety, przechylane przez partnerów, zamiatały włosami udeptany piasek, a faceci z tępym wzrokiem à la John Travolta w *Pulp Fiction* gibali się, mijając z rytmem i często z partnerką. Skupiali się raczej na własnej widowiskowości niż na połówkach pary. Zresztą wszyscy mieli już dobrze w czubie i naprawdę nie było ważne, kto jak sobie radzi. Najchętniej kolebano się w rytm starych, wysłużonych standardów w stylu Modern Talking, choć na trzeźwo większość deklarowała skłonność ku ambitnemu jazzowi czy bluesowi.

To tam któregoś razu Olga zapytała:

– Pamiętasz? Kiedyś powiedziałam ci, że jak przestanę cię kochać, odejdę...

Był lekko zamroczony, więc jej słowa zupełnie do niego nie trafiały. Chciał ją zagarnąć do siebie. Chciał się z nią kochać. Nogi mu się plątały, ale czuł napływającą żądzę i nie liczyło się nic.

Aby tylko ją posiąść, a potem spać.

Olga

Uwielbiała taniec. Kiedy muzyka wypełniała ją całą, kiedy traciła kontakt ze światem, będąc jednocześnie absolutnie zintegrowana z rytmem. Zamykała oczy, stawała na palcach, jakby to pozwalało jej dotykać ziemi i zarazem sięgać kosmosu. Słyszała muzykę całą sobą.

Rafał poznał ją w nocnym klubie go-go Tequila, gdzie pracowała jako tancerka. Zajęta sobą i tańcem zdawała się kompletnie obojętna na awanse mężczyzn, daleka od flirtów. Nikt, kto ją oglądał podczas spektaklu, nie miał wątpliwości, że to, co robi dziewczyna, sprawia jej wielką przyjemność. Po numerze znikała ze sceny, na której nigdy nie pojawiała się dwa razy jednego wieczoru. On przychodził tam codziennie. Wielokrotnie wsuwał w dłoń barmana banknoty, chciał zdobyć informacje, ale nic z tego. Zawsze pod koniec występu opuszczał salę i jak małolat wystawał na ulicy, czając się przy tylnym wyjściu. Potem szedł za nią, lecz nigdy nie odważył się zagadnąć, by jej nie spłoszyć ani nie wystraszyć. Mało to zboczeńców? Nocami rwał włosy z głowy. Był zakochany po uszy. Nie mógł spać, nie mógł myśleć. Kompletna pustka. Po historii na tamtym weselu u Anki obiecał sobie, że nigdy się nie zakocha. Nie szukał dziewczyny. Nie miał czasu. Praca i specjalizacje nie pozostawiały wolnej chwili. A tu nagle, trzask! Totalnie powaliła go tancereczka z nocnego klubu!

Rafał oszalał. Przez dwa miesiące obserwował jej dom, wystawał za rogiem, aż któregoś dnia zdobył się na odwagę i podszedł.

– Obserwuję panią od pewnego czasu – zagadnął. – I wreszcie się zdecydowałem. Rafał Dobrzyński – przedstawił się oficjalnie.

Nie była zdziwiona. Nosiła czarny płaszcz, niskie buty, czapkę głęboko nasuniętą na czoło, niemal zakrywającą oczy. Podała mu dłoń.

– Olga Szczęsna.

Pobrali się na Boże Narodzenie, a zaraz potem wyprowadzili z Ciechanowa. Rafał właśnie zakończył rezydenturę. Wciąż wydawało mu się, że wszyscy patrzą na niego kpiąco. Że wytykają: „O! Wziął sobie tancereczkę za żonę, żeby mu na rurze tańczyła! I do tego dziesięć lat młodszą!".

Padło na Gorzów. Trochę pomógł Daniel. Znany w środowisku i z koneksjami.

Następnego roku w czerwcu urodziła się Zosia. Była mała, różowa i pachniała mlekiem. A Rafał oszalał ze szczęścia. Również Oldze na początku podobała się rola mamy, lekarski świat i pieniądze, których ani nie brakowało, ani mąż nie żałował.

Rafał

Głos nerwowego dziennikarza, który na półoddechu oznajmiał o kolejnym końcu świata w postaci braku deszczu, drażnił Dobrzyńskiego do granic. Nużyły go bezsensowne programy, głupi prezenterzy i ich naiwne reportaże o dupie Maryni. Właśnie kolejny młodzik wypytuje przechodniów, jak im się żyje bez deszczu i co sądzą o fali powodzi w Indiach. Idiota! Dobrzyński energicznie chwycił pilota i przełączył na inny kanał. Na nieszczęście tamten również zdominował banalny temat. Pstryknął czerwonym przyciskiem. W salonie zaległa cisza, z rzadka przerywana przytłumionymi dźwiękami dochodzącymi gdzieś z głębi domu.

Nie mógł uwierzyć. „…jak przestanę cię kochać, odejdę". Pojęcia nie miał, jak słowa, zasłyszane w jakimś pijackim widzie, ulokowały się w jego głowie, coraz to wyzierając z zakamarków, rwąc go na strzępy. Nie lubił powrotów do domu, bezruchu, bo wówczas tłukło mu się po głowie to zdanie, nie dając wytchnienia. W pracy nie miał czasu o tym myśleć. Ciąże, porody, endometria, torbiele, nowotwory. Musiał skupiać się na tych wszystkich kobietach, które przychodziły do niego z ufnością. Niektóre pojawiały się raz czy dwa, ale były i takie, które znał od dawna. Historie chorób, związków. Historie życia. Już dawno zapomniał o tym, czego uczono go w akademii, że żaden lekarz nie ma prawa żyć życiem pacjentów. Twardym trzeba być! Ludzie rodzą się i umierają. Rafał miał się o tym przekonywać wielokrotnie, jako jeden z wielu. Taka praca. Tyle że on przeżywał wszystkie przypadki.

I dlatego być może nie zauważył, że własne życie przecieka mu między palcami.

* * *

Z pokoju Zosi dobiegały dźwięki muzyki, równie irytującej jak programy w telewizji. Nie chciało mu się zaglądać do córki. Radziła sobie. Czasem obserwował ją, zdumiony, że taka już duża i mądra. Urosła. Z dnia na dzień. A dałby sobie głowę uciąć, że urodziła się wczoraj.

Kiedy okazało się, że Olga nie wraca, Zosia przyszła do niego.

– Powiedziała mi, że jest zmęczona tobą i musi odejść – oznajmiła. – Może kiedyś wróci, ale nie spodziewaj się.

Ja ją rozumiem – dodała tonem dojrzałej kobiety, która doskonale pojmuje argumenty.

Spodziewał się raczej, że córka zacznie rozpaczać, przeklinać. Albo matkę, albo jego. To by było normalne. Ale trudno mu było przyjąć jej stoicki spokój i owo zrozumienie dla matczynej decyzji. Jak gdyby nie chodziło o codzienne poczucie bliskości, o tysiące drobnych spraw, które dzieją się za sprawą matek, a o których on nie ma bladego pojęcia. Choćby jakaś niewielka histeria. A tu zaledwie lakoniczna konstatacja: „Może kiedyś wróci, ale nie spodziewaj się". Może dlatego nie uwierzył w odejście Olgi, przekonany, że to jakaś gra. Taka zabawa, która zaraz się skończy. W którą został wmanewrowany. Nieraz przecież zdarzało się, że obie knuły coś za jego plecami. Jakieś przebieranki, pokątne szepty, a potem wielkie entrée. Nawet nie musiał udawać zaskoczenia. Było autentyczne. Do głowy by mu nie przyszło, że tamta noc uderzyła w nią z taką siłą.

Wypił nieco. Może nawet za dużo. I powiedział. Ale przecież Olga wie, jak ją kocha. Przecież wie.

* * *

Za oknem pociemniało. Ciężkie stalowe chmury zakryły niebo i tylko zamglony księżyc, którego światło ledwie przenikało przez złowrogie nisko zawieszone stratusy, rozjaśniał przestrzeń za oknem. Czarna otchłań budziła niepokój i tęsknotę. Światła przejeżdżających aut oślepiały. Musiał mrużyć oczy. Cichy szmer zasuwanych rolet odgrodził go od świata.

Olga. Nie rozumiał. Miała tu wszystko. Sama zaaranżowała cały dom, choć on wielokrotnie proponował, by skorzystała z fachowych rad Ewy Niebieszczańskiej. Wprawdzie tamta nie miała własnej pracowni ani nie pracowała w renomowanym biurze, ale miała dobry gust. I świetne wyczucie. Wiedziała, jaka faktura i jaki kolor przyciągają wzrok. Jak łączyć barwy, by dawały harmonię i elegancję.

Rafał lubił Niebieszczańskich.

* * *

Kiedyś, przypadkiem, w Castoramie wpadł na Adama.

– Rafał? – zawołał wysoki szczupły mężczyzna z dużymi zakolami, najwyraźniej bardzo zadowolony z przypadku.

Przez chwilę stali naprzeciwko siebie. Początkowo Rafał go nie poznał, zdziwił się bezpośredniością. W zasadzie, mimo że już jakiś czas mieszkał w Gorzowie, znał niewiele osób. Owszem, kojarzył ludzi ze szpitala, czasem nawet zdarzało mu się rozpoznać pacjentkę gdzieś na ulicy czy w centrum handlowym. Ale już nie wszystkich sąsiadów. Zwłaszcza teraz, po przeprowadzce do nowego domu na obrzeżach miasta.

– Nie! No tylko mi nie mów, że nie wiesz z kim rozmawiasz! – wykrzykiwał mężczyzna.

Dobrzyński bacznie przyjrzał się facetowi, ale dopiero po chwili, gdzieś z zakamarków umysłu, wyłonił się obraz. Jeszcze niewyraźny, niepewny, ale dość dobrze sytuujący w czasie. Liceum. Tamto cholerne liceum!

Zanim jednak wyartykułował cokolwiek, mężczyzna już szarpał jego ręką. Przyciągał go ku sobie, poklepując po ramieniu.

– Cholera, prędzej bym się diabła spodziewał niż ciebie – mówił, wyraźnie ożywiony. Zachowywał się, jakby dystans ponad dwudziestu lat nie istniał. – Nie pamiętasz mnie? Adam. Niebieszczański.

Rafał wyciągnął szyję, tak że jego twarz znalazła się na wprost twarzy dawnego kolegi. Jakby ten gest mógł mu pomóc w rozpoznaniu. I widać pomógł.

– Rzeczywiście! – powiedział.

Wahanie powoli znikało z jego twarzy. Przymrużył oczy. Jasne! Teraz przypominał sobie dokładnie. Jak mógł zapomnieć? Kogo jak kogo, ale kumpla? Takiego do tańca i do różańca. Mieszkali niedaleko. Razem chodzili do podstawówki, potem do ogólniaka.

Odstąpił o krok i popatrzył na kolegę z niedowierzaniem. Tyle czasu. Adam był nieco wyższy i masywniejszy. A w liceum byli prawie równi. Często zdarzało się, że Rafał pożyczał od kumpla bluzy, które pasowały jak ulał. Nawet spodnie leżały idealnie. Zwłaszcza na randkach.

Zresztą zarówno oni, jak i inni: Jaśkiewicz, Lemański, trzymali sztamę, gdy któryś z nich wybierał się na spotkanie z dziewczyną. Czekali później na pełne pikantnych szczegółów opowieści, którymi raczyli się na szkolnym boisku lub na łące za Wkrą. Nigdy nie przepuszczali Marioli, która od jakiegoś czasu kazała nazywać się Lili. Była obiektem westchnień. Popijali tanie wino i marzyli o jej pływających pod bluzką piersiach.

Rafał i Adam

Tak, pamiętał Adama. I innych też.

Kiedy Rafał w któreś wakacje wyjechał z OHP do Niemiec, nakupił tam trochę ciuchów. Dla siebie i niego. Jakieś markowe dżinsy, koszule, modne T-shirty. Adam skołował gdzieś marki, a on dość dobrze zarobił. Szpanowali w mieście. Umawiali się, by nie ubierać się tak samo do szkoły, bo dopiero wszyscy mieliby z nich ubaw. Zaraz by padały dowcipy o nieważnej płci, tylko uczuciu. Zwłaszcza że Adam miał charakterystyczną urodę. Blondyn, piękne oczy, osadzone głęboko w ramie ciemnych, gęstych rzęs. Zawsze śmiali się z niego na przerwach, przedrzeźniając go i wykonując gejowskie ruchy, zaczesując palcami grzywkę na bok. „Żeby życie miało smaczek, raz dziewczynka, raz chłopaczek", robili sobie jaja. Może dlatego wówczas tak łatwo poszło mu z nią na tamtym weselu? Chciał pokazać kumplom, że na sto procent jest facetem. Zaraz po tamtym, i po tych wszystkich sądowych perturbacjach, ich drogi się rozeszły. Aż do tego spotkania. Szmat czasu!

Rafał Dobrzyński stuknął się w czoło.

– Teraz sobie przypominam! Jasne, że cię pamiętam. – Potrząsał dłonią Adama, która wciąż tkwiła w jego dłoni.

Musieli wyglądać zabawnie. Dwaj dojrzali faceci, trwający w uścisku jak przyklejeni.

– Chociaż chciałem zapomnieć o tamtym – ciągnął. Wierzchem drugiej dłoni pocierał czoło, jakby chciał się pozbyć potu. – I nawet czasem się udawało. – Pokręcił głową, jak ktoś, kto unika przykrego wspomnienia.

Rozejrzał się za Olgą, ale ona utonęła w dziale z oświetleniem. Nie był pewien, czy chce, żeby poznała Adama. Może nawet wolałby, by nie zagłębiała się w przeszłość. Jego przeszłość. Było, minęło. Kamień w wodę.

– Daj spokój! – przerwał mu Adam. W jego głosie pobrzmiewały nieprzyjemne tony. – Też nie chcę do tego wracać. Pół życia mi ta kurwa zepsuła! Sorry, ale nie umiem mówić o niej inaczej. To przez nią tu jestem! W jakimś pieprzonym Gorzowie! Zamiast u siebie. Szlag by to trafił! A ty? Mieszkasz tutaj?

Chwilowe wzburzenie ustąpiło miejsca ciekawości.

Rafał przytaknął i nagle zapragnął zniknąć. Uwolnić się. Wewnątrz siebie poczuł nieprzyjemny ucisk. Zawsze tak miał, gdy coś mu nie pasowało. Gdy czuł dyskomfort. Nie spodziewał się, że przeszłość dopadnie go w hipermarkecie. Rozglądał się gorączkowo, wypatrując żony.

Olga skierowała się w ich stronę.

– Tak! Już jakiś czas. Trzeba się kiedyś spotkać – mówił prędko, byle tylko jak najszybciej spławić kumpla z liceum. Ale zanim to nastąpiło, Olga była tuż-tuż.

– O, właśnie przyszła moja żona. Musimy lecieć – dodał pospiesznie.

Adam, mimo upływu lat, pozostał przystojny. Olga otaksowała go wzrokiem. Nie czekając, podała rękę.

– Olga Dobrzyńska! – Pochwyciła zainteresowane spojrzenie. – Upatrzyłam sobie lampy – zwróciła się do męża, uśmiechając się kokieteryjnie i zerkając na nieznajomego raz po raz.

Adam nie spuszczał z niej oka. Spodziewał się u boku ubranego z klasyczną elegancją Rafała kobiety atrakcyjnej, ale ta zaskoczyła go kompletnie. Czuł, że grdyka unosi się i zatrzymuje w pół drogi, blokując nadmiar śliny. Musiał przełknąć, ale bał się, że uczyni to tak głośno, że wszyscy usłyszą gulgotanie. Jak u indyka. W roztargnieniu przeczesał palcami włosy.

– Tak. Koniecznie trzeba się spotkać. Poznacie moją żonę i w ogóle. Powspominamy...

Dobrzyński zastygł. Ale zanim zdążył powiedzieć cokolwiek, Olga podjęła z entuzjazmem.

– Z przyjemnością. Poza kolegami Rafała, nudnymi lekarzami i szacownymi paniami doktor, trącącymi staropanieństwem... – w jej głosie wyczuwało się ironię – nie znam tutaj nikogo.

– Nie przesadzaj! – ofuknął ją mąż, ale zaraz chwycił za rękę i dyskretnie pogładził kciukiem wierzch jej dłoni. – Obiecuję, że się odezwiemy. Podaj mi swój numer. Może jakaś kolacja...

Wyciągnął telefon.

– Pięćset czternaście, zero, zero, zero, jeden, dwa, osiem – dyktował powoli Adam. – Powtórzę – zaoferował.

I powtórzył, równie dobitnie, jak za pierwszym razem. Jakby się bał, że Rafał się pomyli i nie spotkają się już nigdy.

– Okej. Puszczę ci strzałkę.

Dźwięk przeboju oznajmił połączenie. Uspokojony Adam zerknął na wyświetlacz.

– W takim razie do usłyszenia. Na nas naprawdę czas.

Olga pomachała na pożegnanie z gracją i lekkością, jak w amerykańskich filmach. Adam stał przez chwilę, patrząc za odchodzącymi. Kobieta kołysała biodrami. Podobała mu się.

Rafał i Olga

Wypełniony po brzegi przeróżnymi alkoholami od „wdzięcznych pacjentek" barek, mógł swobodnie konkurować z ekskluzywnymi sklepami pod szyldem „Alkohole Świata". Rafał podszedł i chwycił pierwszą z brzegu flaszkę. Bursztynowy kolor w świetle jaskrawych halogenów zachęcał.

– Boulard Grand Solage – przeczytał na etykiecie.

Nalał. Mocny smak jabłek wymieszanych z wanilią osiadł na czubku języka, drażniąc przyjemnie. Oto czym raczyli się Joanna i Ravic u Remarque'a.

Wspomnienie nieszczęśliwych kochanków szarpnęło Rafałem. Chciał Olgi. Chciał, by wróciła. Już, natychmiast. Za długo na nauczkę. Nie odbierała telefonów, sama też nie dzwoniła. Nie miał pojęcia, gdzie jej szukać. Rodzice Olgi? Nie ośmieliłby się zapytać, ale był pewien, że u nich jej nie ma. Nie wróciłaby do domu. Nie dałaby satysfakcji ojcu, który szalał z wściekłości, kiedy ich miłość wyszła na jaw.

– Zastanów się, dziewczyno! – krzyczał, gdy oznajmiła, za kogo wychodzi za mąż. – Facet mógłby być twoim ojcem!

– Nie przesadzaj! – skwitowała krótko, pakując rzeczy w torbę podróżną i starając się nie patrzeć w stronę matki, która stała, podpierając ścianę i pociągała nosem.

– Wziął sobie tanią kurewkę! – gderał ojciec, nie przebierając w słowach.

Chyba usiłował ukryć zakłopotanie i fakt, że trudno mu się pogodzić z utratą córki. Był szorstki i obcesowy. Olga go znała, ale tym razem przeciągnął strunę. Stawał się coraz bardziej agresywny i wulgarny.

– A co ty myślisz? Na dupę poleciał! Stary pierdziel! Pobawi się, a potem rzuci jak dziwkę! Myślisz, że mało miał takich jak ty? Znalazła się aktorka ze spalonego teatru! Dupą kręci i na dupie zarabia! A teraz myśli, że pana Boga za nogi złapała!

– Jak możesz? Jak możesz? – Nie mogła uwierzyć.

Wydawało się jej, że wyjaśniła ojcu, na czym polega jej praca. Zapewniał, że rozumie. A jednak! A jednak wciąż miał ją za tanią dziwkę. Kątem oka widziała matkę, która smarkała w chusteczkę, niezdolna bronić córki. Była słaba, ale Olga nie miała jej tego za złe. Nienawiść skierowała przeciwko ojcu.

– Jesteś podły! Nigdy ci tego nie wybaczę! – syknęła, z trudem powstrzymując napływające do oczu łzy.

Nie zamierzał się poddać.

– Chcesz wiedzieć kim jest twój pieprzony doktorek? Jesteście siebie warci! Kurwa i... – zawahał się, granatowy ze złości.

Był starym milicjantem, potrafił wyśledzić wszystko. Znał historię czterech chłopaków i dziewczyny. Skandal. Ojciec jednego z tych gnojków był znanym prawnikiem. Głośna sprawa.

– Chcesz wiedzieć?

Zanim zdążył dokończyć, Olga trzasnęła drzwiami i wyszła. Czekał na nią Rafał, dla którego nie liczyło się nic, poza rozsadzającym uczuciem szczęścia.

Od tamtego czasu rzadko bywała w rodzinnym mieście. Czasami tylko spotykała się z matką – zaraz po narodzinach Zosi teściowa odwiedziła ich w Gorzowie. Rafał miał wówczas długi dyżur w szpitalu. Olga powiedziała mu o odwiedzinach. Płakała. Potem zdarzało się, że wyjeżdżała. Nie pytał. Wiedział, że na spotkanie z matką. I wiedział, że wróci. Ale był też pewien, że do Ciechanowa nie wróciłaby na stałe. Nigdy nie wybaczyła ojcu, choć wymieniali zdawkowe zdania.

Rafał i Zosia

Nie potrafił żyć bez żony. Doszukiwał się jej w pacjentkach, w kobietach na ulicy. Zrozumiał, dopiero gdy odeszła.

Szklanka była gładka i przyjemnie ciepła. Przyglądał się bursztynowemu płynowi, który lśnił i sprawiał wrażenie, że płynie od niego uspokajające ciepło. Obejmował koniakówkę oburącz. Wysuwał język, by calvados płynął prosto, pieszcząc zmysł smaku.

Ta kobieta. Dzisiaj w gabinecie. Umówiła się z nim telefonicznie. Nie mógł przypomnieć sobie nazwiska, jej postać rozmywała się w pamięci. W trzewiach czuł jednak znajomy niepokój. Sączył trunek. Jak w starym kinie wyświetlały się obrazy. Sylwetki. Zdarzenia. Dźwięki. Nie umiał zatrzymać tego dziwacznego pokazu slajdów.

– Tato! – Z zamyślenia wyrwał go głos Zosi. – Dlaczego nie śpisz?

Zbliżyła się od tyłu i zarzuciła mu ręce na szyję.

Poczuł się nieco zażenowany tym dotykiem. Nieświadomie schował szyję w ramiona, jak żółw.

– Właściwie dlaczego nigdy mnie nie przytulasz? – zapytała. – Przecież to nie Norwegia, żeby cię zamknąć albo oskarżyć o pedofilię. W normalnych domach ludzie rozmawiają ze sobą, wymieniają uściski i się całują. W usta, w czoło. I nie boją się własnych rąk.

Zrobiło mu się głupio. Zamknął jej dłonie w swoich. Nie odwracał głowy. Trzymał. Dziwne uczucie. Miała rację. Rzadko ją tulił czy przygarniał. Zdarzało mu się cmoknąć ją w przelocie, ale zawsze wtedy, gdy nawinęła się sama. Olgi też rzadko dotykał, a już zwłaszcza przy ludziach. Trzymał na dystans. Irytował się, gdy chwytała go kurczowo za ramię albo ocierała się o niego niby przypadkiem.

– Przestań! – napominał. – Po co ta ostentacja?

Zawsze potem wybuchała kłótnia.

– Jesteś kaleką! – zarzucała mu Olga. – Emocjonalnie upośledzonym kaleką!

– Znasz mnie i wiesz, że nie lubię obłapiania przy ludziach – próbował się bronić.

– Nie przesadzaj! Nikt nie zwraca na to uwagi! A nawet gdyby, to co? W końcu jesteśmy małżeństwem. Wstydzisz się mnie, no przyznaj. Wstydzisz się tancerki z burdelu. Pewnie! Nie pasuję do twojego sterylnego świata!

Padały słowa. Dużo słów. Krzyczała. A potem zabierała rzeczy z sypialni i wynosiła się do innego pokoju. Czuł się winny, ale nie potrafił się przemóc.

103

Palce Zosi zacisnęły się lekko na jego palcach. Miała drobną dłoń. W ogóle wyglądała na dziewczynkę z podstawówki. Podobna do matki tak bardzo, że patrzenie na nią aż bolało.

– Wszystko w porządku? – zapytał bez związku.

Nie bardzo potrafił z nią rozmawiać, poza lakonicznym „co słychać?" albo „jak w szkole?". Wyprowadzka Olgi sprawiła, że zdał sobie sprawę, jak niewiele wie o córce. Nie zna jej koleżanek i kolegów. Ze zdumieniem przyjął wiadomość, że chodzi do gimnazjum na Taczaka.

Wręczyła mu kartkę z informacją o zebraniu.

– Trzymaj! Musisz podpisać.

Oglądał papier z każdej strony, jakby spodziewał się nadzwyczajnych informacji.

– Wychowawczyni mówiła, że to ważne, żeby wszyscy byli. Chodzi o jakąś opinię czy coś tam. Będziesz?

Skinął głową, ale po chwili uzmysłowił sobie, że nie ma pojęcia, gdzie ma być. Zrobiło mu się głupio, ale nie chciał pytać. Wieczorem, gdy była w swoim pokoju, odnalazł teczkę z dokumentami. Olga była perfekcjonistką. Umowy, karty gwarancyjne, wszystko opatrzone datami. I naturalnie świadectwa Zosi. Ze szkolną pieczątką. To Olga załatwiała wszystkie sprawy. Przedszkola, szkoły. To ona biegała na zebrania, piekła jakieś ciasta, szyła jakieś przebrania, woziła Zosię na tańce, języki. Wielokrotnie proponował, by zatrudnić kobietę do pomocy, ale uśmiechała się tylko.

– A ja co będę robić? – pytała. – Szkoda pieniędzy.

On ograniczał się do zabierania ich na koniec roku szkolnego do knajpki Bella Toscana na obiad, a potem ostentacyjnie nagradzał córkę za świadectwo, którego zazwyczaj nie oglądał.

– Nieźle! – mówiła. – Dajesz mi kasę za świadectwo z trójkami i obniżonym zachowaniem!

Lili

Słodki, kwiatowy zapach w całym domu. Z głośników rozstawionych we wszystkich pomieszczeniach, od salonu, poprzez kuchnię, łazienkę, do sypialni, dolatywały ciche dźwięki muzyki Michaela Bublé. Uwielbiała *Everything* i w ogóle uwielbiała Bublégo. Był młody, elegancki, inteligentny i na dodatek świetnie śpiewał. W domu panował półmrok, chociaż rolety nie były szczelnie zasunięte. Nie zapalała światła. Tak jak lubiła – najpierw wskoczyła do łazienki, by pozbyć się krępujących ubrań, a potem dopiero rozłożyła się z lubością w salonie. Wiedziała, że Samuel jest w domu, choć nie wyszedł jej na spotkanie. Kątem oka zerknęła w stronę gabinetu. Był tam. Zapewne siedział odwrócony tyłem do drzwi. Słyszał, że przyszła, ale ostentacyjnie postanowił ją ignorować. Lili znała te zachowania na pamięć. Ta muzyka. Ten zapach. Wymowne milczenie. Będzie się boczył, tworzył spektakle, właściwie krótkie etiudy, pełne gestów i słów.

Przez kolejne dni. Będzie jej wytykał i zarzucał. Że jest niewdzięczna. Że go ignoruje. Że nic dla niej nie znaczy. Przez szparę pod drzwiami sączyła się strużka światła. Nie zamierzała niczego tłumaczyć. Nie interesowały ją jego nerwy. Niewiele, co łączyło się z Samuelem, ją interesowało. Był dobrym kochankiem i miał pieniądze. A poza tym, po prostu był. Lili narzuciła luźny sweter. Była zmęczona.

Na ławie leżała *Suka*. Kto to widział tak zatytułować książkę? Kupiła ją, bo spodobała się jej kobieta na okładce. Z wampirzym makijażem, jakby wyrwała się z Halloween. Brakowało tylko krwi spływającej z ponętnych warg. Wyzywająca, sucza hardość! Zatem Lili nabyła książkę, ale rzuciła w kąt już po kilku stronach. Spodziewała się czegoś innego. Spodziewała się, że odnajdzie tam siebie, tymczasem tytułowa Suka była od niej kompletnie różna. Mało wiarygodna. Tymczasowa. Modna. A Lili była ponadczasowa. Przez chwilę przyglądała się okładce. Żadnej miękkości. Za żadne pieniądze nie mogłabym się z nią zaprzyjaźnić, pomyślała. Zagryzłyby się. Jak suki. Tamta była nieprzejednana; w jej oczach wypisane było wszystko. Lili? O nie! Lili potrafiła być miękka. Jak kotka. Umiała łasić się i mruczeć. Choć niezależność ceniła nade wszystko.

Odrzuciła książkę na półkę pod ławą. Bublé wciąż śpiewał tę samą piosenkę. Że ona jest spadającą gwiazdą i samochodem, którym można uciec, i linią na piasku, i basenem, i tajemnicą. I dlatego on śpiewa. Z miłości do niej.

Wyłączyła muzykę. Chciała zatrzymać tę piosenkę na dłużej. Żeby nie stało się z nią tak jak z innymi. Choćby były nie wiadomo jak świetne, osłuchiwały się po kilkunastu graniach. Kiedyś Samuel w kółko puszczał jej Cohena *Dance Me To The End Of Love*. Całymi latami musiała wsłuchiwać się w matowy głos, bo nieopatrznie zachwyciła się nim przy mężczyźnie. A on nie dawał jej żyć. Budziła się i zasypiała z tą piosenką. Tak jej ją obrzydził, że dopiero odkrycie wersji Zembatego sprawiło, że zakochała się od nowa. I w tej, i we wszystkich innych.

Ale nigdy już nie słuchała ich z Samuelem.

* * *

Przymknęła oczy. Kanapa zaszeleściła cicho. Chłodna skóra była jeszcze niewyrobiona i ów dziwny szelest wydawała przy każdym kontakcie z ludzkim ciałem. Lili rozkoszowała się ciszą, choć ta nie była absolutna. Coraz to zza okien dochodziły łączące się ze sobą dźwięki, tworząc jednostajny kojący szum. Wiatr targnął firaną, a Lili omiótł wir zimnego powietrza. Otrząsnęła się i skuliła w kłębek, jak wtedy, gdy jako dziecko opasywała się ciasno rękami i z podkulonymi pod brodą kolanami czekała, aż on odejdzie. A razem z nim natrętne obrazy, które pojawiały się znikąd i wybudzały ją ze snu.

* * *

Mężczyźni. Śnili się jej od zawsze. Nie mali chłopcy z pryszczami na nosie, ale rośli faceci z trójkątnymi
korpusami porośniętymi gęstym owłosieniem, szorstkim
i twardym jak trzydniowy zarost ojca. Stawali zawsze
nad nią. Zasłaniali jej słońce, niebo i usta. W rozkro-
ku, niczym Harvey Keitel w *Złym poruczniku*. Leżała
pośród nich. Samotna. Po przebudzeniu nie pamiętała,
czy była naga. Ale widziała ich ręce, wiszące nad nią
jak wielkie macki. Przebierające palcami, pocierające
palcem o palec, jak ogromne pająki strydulujące chelicerami i pedipalpami, wydające ostateczne ostrzeżenie
przed atakiem... Szeptali nad nią jakieś okultystyczne
zaklęcia pełne przekleństw. A ona nie mogła złapać tchu,
bo klatkę z zawiązkami piersi ugniatały obmierzłe, lepkie
łapy, które paliły, pozostawiając czerwone piekące ślady.
Zapadała się w sobie, zaciskała się szczelnie zwinięta
w niewielki kokonik. Mechaty i bezpłciowy, niegodny
uwagi. Błagała o litość. Wówczas nie posiadła jeszcze
umiejętności mimikry. Z psychologicznego punktu widzenia była dzieckiem.

Przebudzenie w mokrej plamie na prześcieradle było
ogromną ulgą. Dotykała się, centymetr po centymetrze,
sprawdzając, czy jest cała. Wyciągała z szuflady okrągłe
lusterko z wizerunkiem Brigitte Bardot i szukała czerwonych placków na piersiach. I dopiero gdy stwierdzała,

że tym razem jej ciało pozostało jasne i nienaruszone, budziła się naprawdę.

Potem zwijała zasikane prześcieradło i wrzucała do pieca w kuchni, modląc się, by zdążyło spłonąć, zanim zgaśnie ogień na palenisku. Znikanie pościeli matka i tak przypisywała ojcu, jakby nie miał w warsztacie niczego lepszego do polerowania karoserii i czyszczenia kokpitów.

– Gdzie są prześcieradła? – zastanawiała się, przewalając sterty bielizny. – Jeszcze trochę i zacznie własne koszule wynosić! – sarkała pod nosem.

Lili zawsze po takim koszmarze obiecywała sobie, że następnym razem nie przepoczwarzy się w nijaką bezpostać, ale wstanie. Po prostu. I odejdzie. Bo przecież oni są tylko wymysłem. Snem. Serialem, który nie może się skończyć.

Nieraz uciekała do pokoju rodziców, ale za każdym razem natykała się na splątane ciała. W tej plątaninie rozpoznawała jedno z koszmaru. I wracała do siebie. Skulona. Czekała do rana. Dyskretnie wyciągała kolejne prześcieradło z wielkiej bieliźniarki, która została jeszcze po babce Irce.

* * *

Październik dawał o sobie znać. Mimo że wciąż trafiały się dni całkiem przyjemnie i ciepłe, wieczory bywały chłodne i niemiłe.

Czuła, że za nią przystanął. Poruszał się jak kot – bezszelestnie, niezauważalnie. Jak lekki powiew wiatru. Była przyzwyczajona, że nie przestawał się czaić. Wychodził znienacka. Pojawiał się znikąd. Nieoczekiwanie. Wionąc owym niesamowitym tchem, przy którym trudno było skupić myśli.

– O co znów chodzi? – zapytała, nie otwierając oczu.

Milczał. Czuła, że jest tuż obok.

– Proszę. Znów ci się zebrało na teatr? Nie teraz. Jestem zmęczona.

Wciąż stał, a jej przyszło do głowy, że za chwilę podejdzie i ją udusi. Chybaby się nie zdziwiła. Mimo wszystko wolała zdecydowanie męską energię. Niechby krzyknął, walnął pięścią w ścianę, rzucił czymś w obraz albo i trzasnął w twarz! Ale nie. On stał jak cielę. Brakuje tylko, żeby się rozmazał. Tego by Lili nie zniosła. Bo Lili nie lubiła łez.

– No, chodź tu! – powiedziała miękko.

Podszedł skwapliwie, nie czekając na drugie przywołanie. Popatrzyła na jego zbolałą minę. Wciąż nie potrafiła zrozumieć tej miłości. Bezwzględnej, do końca życia. O jakiej marzą wszystkie kobiety.

Sara

Kiedyś bawiła się na dworze, podczas swojego ostatniego pobytu w Niemczech.

Dieter szalał z radości i przygotował wszystko tak, żeby mała nie chciała wracać do Polski. To, jak mniemał, dawałoby gwarancję, że jego polska żona przestanie mu się wymykać i zostanie z nim już na zawsze. Urządził zatem wspaniały plac zabaw, z bogactwem przyrządów, przewijanek, karuzel i huśtawek. Nawet okoliczne dzieciaki przybiegały, by się pobawić. Obsiadały kolorowe siedziska jak ptaki, krzyczały wniebogłosy i śmiały się głośno, śmiechem wypełniającym przestrzeń niewielkiej uliczki, przy której wtedy mieszkał. A Dieter zacierał dłonie, bo skoro im się podoba, niemożliwe, by córka Lili – jego polskiej żony – pozostała wobec tych cudów obojętna. A potem to już raz-dwa i uda mu się piękną Polkę przekonać, by tutaj, z nim, stworzyła rodzinę. Tym bardziej że przywoziła do Niemiec swoją małą dziewczynkę o smutnych oczach już kilka razy. Ale dziewczynka nudziła się, nie mając nic do roboty, toteż zaraz po przyjeździe matka zabierała ją do miasta, do wielkich centrów i muzeów, nie poprosiwszy go ani razu, by pojechał z nimi. A on czuł się jak piąte koło u wozu. Pryskało marzenie o domowym cieple, tworzone w wyobraźni obrazy zamazywały się i Dieter coraz bardziej wątpił w stałość związku z poznaną we Włoszech kobietą. W takich chwilach nachalniej żądał od Lili zapewnień o miłości i deklaracji dotyczących wspólnego życia. Uśmiechała się tylko, gładząc go dobrotliwie po twarzy i milczała, pozostawiając go w niepewności, dręczącej, niedającej spokoju. Raz zaproponował nieśmiało:

– Może pojechałbym z wami?

Obrzuciła go niechętnym spojrzeniem.

– Powiedziałam ci, Dieter! – parsknęła. – Żadnego udawania rodziny! Żadnej zabawy w mamusię i tatusia! Ustaliliśmy to już dawno. Sara to moja sprawa. Pojawia się i znika – dokończyła stanowczo.

Powiedziała o córce „sprawa", tak jak mówi się o sprawach do załatwienia, do zamknięcia, do pominięcia. Sprawa skończona! Kropka! A potem obdarowała go jednym z tych swoich uśmiechów, dla których tracił głowę. Przytaknął więc skwapliwie i wycofał się z tematu, chowając za pazuchę marzenie o rodzinnym szczęściu.

* * *

Ostatniej wizyty Sary nie planowała jednak zupełnie. Tyle że nie miała wyjścia. Plany pokrzyżowała jej choroba matki.

Zajechała do Bieżunia dosłownie na chwilę. Jak zwykle coś tam podrzucić, sprawdzić, czy wszystko dobrze. Sprawy jednak przybrały inny obrót i chciał nie chciał, musiała zabrać Sarę ze sobą. Małą niespecjalnie ucieszył taki stan rzeczy. Niewiele ją z Lili łączyło, chociaż zawsze z wypiekami na twarzy chłonęła wszystko, co udało jej się od babki, odwiedzających ją kobiet lub zwyczajnie na ulicy o matce usłyszeć. Matka była dla Sary jak piękna wróżka, o której nigdy nie było wiadomo, czy jest dobra, czy zła. Czy można do niej się przytulić, czy lepiej trzymać się z dala, jak od Królowej Śniegu?

Tamtego dnia Lili zajechała do miasteczka swoją srebrną sierrą ghią. Wpadła do szpitala do matki, ale że ta czuła się dobrze, zostawiła w białej metalowej szpitalnej szafce trochę soków, niemieckich łakoci, pachnące mydełka i zaraz się zwinęła. Jednak na korytarzu, na którym ciągnęła się za nią smuga zagranicznego zapachu, dopadł ją lekarz.

– Proszę panią na moment do siebie.

W jego głosie nie było prośby. Choć mówił grzecznie, bez problemu wyczuwało się nakaz, pod wpływem którego człowiek robił się mniejszy. Lili rozejrzała się dokoła,

114

lecz nie dostrzegła nikogo, do kogo mogłyby zostać skierowane te słowa. Z wyjątkiem jej samej.

Mężczyzna, który w ogóle na nią nie patrzył (ba, miało się wrażenie, że zaraz zderzy się z czymś, co stanie na jego drodze), wskazał ręką na drzwi z napisem „Gabinet ordynatora" i jakimiś tytułami, imieniem i nazwiskiem, które nieszczególnie zainteresowały Lili, a następnie przepuścił ją przodem. Cicho zamknął drzwi. Rozejrzała się za jakimś siedzeniem, ale lekarz nie zatroszczył się o nie. Podszedł do biurka. Z pliku papierów wyciągnął jakieś kartki, badania, prześwietlenia. Przez chwilę wpatrywał się w zdjęcie rentgenowskie.

– Nie jest dobrze – powiedział, wciąż nie patrząc na Lili. – Spróbujemy powalczyć, ale ona musi mieć spokój. Dużo spokoju.

Powiedział to takim tonem, jakby znał życiorys matki. Jakby wiedział o ojcu, o niej i o Sarze.

Nie zapytała o szczegóły. Doskonale zdawała sobie sprawę, że rozmawia się w taki sposób tylko w tej określonej sytuacji. Kiedy ma się tego cholernego raka. Nie zapytała o rokowania. Bo się bała. Bała się wyznaczania czasu. Okręciła się na pięcie i powróciła na salę. Do matki.

– Sara pojedzie ze mną – oznajmiła.

W oczach matki zapłonął niepokój. Była jeszcze słaba po operacji, ale uniosła się na łokciu.

– To tylko tydzień i wyjdę ze szpitala. – Pośpieszyła z zapewnieniem. – A potem chemia, to dam radę. Nie

115

możesz jej tam zabrać. Dziecka nie można, ot tak sobie, pozbawiać domu!

Umilkła, zerkając na Lili, czy córka się nie gniewa, ale ta wzruszyła ramionami i pokiwała głową.

– Nie zamierzam ci jej zabierać – oznajmiła. – Ale musisz wyzdrowieć. I dlatego pojedzie ze mną.

Ulgi nie sposób było nie zauważyć. Chora przyłożyła głowę do poduszki.

– Bogu dzięki – powiedziała. – Chyba zasnę. Jestem zmęczona.

Nie licząc tematów dotyczących Sary, niewiele miały sobie do powiedzenia. Od dnia, kiedy wydarzyła się tamta głupia sprawa, nie rozmawiały ze sobą. Zresztą co tu dużo mówić – nigdy nie było między nimi takiej bliskości, jak ta pokazywana w serialach. Kiedy matka i córka są jak siostry, nie przestają gadać, tulić się, kłócić, płakać. I nawet razem wychodzą do kin czy teatrów.

* * *

Był początek maja, kiedy to pierwsze słońce pozwala na pootwieranie na oścież wszystkich okien i przewianie zatęchłego zapachu, utrzymującego się od dziesiątków lat w starych meblach, podsufitowych pawlaczach, drewnianych podłogach. Mimo wietrzenia wciąż czaił się po kątach, choć dom gruntownie przebudowano, a Dieter nie skąpił środków, by wszystko było najwyższej niemieckiej jakości.

Rozłożona na fotelu, przypominającym szezlong stylizowany na któregoś Ludwika, lecz w istocie nowoczesnym wielofunkcyjnym meblu wyściełanym miękką skórą, Lili czytała jakiś niemiecki magazyn. A w zasadzie przewracała kartki, nie zatrzymując wzroku na niczym. Nie ze względu na nieznajomość języka, bo ten wyszlifowała tak, że tylko naprawdę wprawne ucho mogło usłyszeć obcy akcent. Lili miała niezwykłe zdolności lingwistyczne. I nie tylko. Również dostosowawcze. Wytwarzała w sobie wszelkie mechanizmy, które pozwalały jej na zupełne wtapianie się w przestrzeń, którą zajmowała w danej chwili.

Drażniła ją obecność Sary, która siedziała zagapiona w wielki telewizor, coraz to odwracając głowę i obserwując matkę. Bo mała zawsze, ilekroć znalazła się na matczynej orbicie, trwała zachwycona. Matka wyglądała jak na obrazie. Taką ubóstwiała. Zwłaszcza gdy nie kierowała wzroku na Sarę, a gdzieś ponad. Może na owego wyimaginowanego artystę, który ją malował? A może kogoś wyglądała? Może tęskniła? Dziewczynka układała historie, które pasowałyby do tego wizerunku. A kiedy wyczuwała, że jej wzrok może sprowokować Lili, umykała oczami, by – nie daj Boże! – nie dopuścić do skrzyżowania się spojrzeń. O tak! Sara zdecydowanie wolała przyglądać się matce z ukrycia, chyłkiem. I lubiła, gdy obydwie milczały. Wyobrażała sobie wówczas, że są szczęśliwe.

– Dlaczego wciąż mi się przyglądasz? – zapytała wreszcie Lili, nie podnosząc głowy znad magazynu. – Włóż buty i wyjdź na zewnątrz. Pobaw się.

Chociaż w głosie matki nie było rozdrażnienia, jakiejkolwiek nerwowości czy nakazu, Sara wiedziała, że musi to zrobić. Jakby słyszała jej myśli: „Nie umiem być z tobą na jednej płaszczyźnie. Nie umiem z tobą rozmawiać. Nie znam cię. Nie ja zdecydowałam o tym, że tu jesteś, ale zły, cholerny los". Ale do głowy by jej nie przyszło, by dyskutować z matką czy przeciwstawiać się jej. Bo matka nie była od dyskutowania. Była od patrzenia i od prezentów. Na to czekała Sara, nie na nią. Matka była jak święty Mikołaj, który zostawia podarunki i odchodzi. A jeśli jakimś cudem się ukaże, najczęściej pozostawia po sobie rozczarowanie i wyrzut, że czekało się niepotrzebnie.

* * *

Zanim weszły do domu, Sara zobaczyła piękny plac zabaw, na którym grupa dzieciaków, szeleszcząc gardłowym niemieckim, śmiała się do rozpuku. I tylko na chwilę zrobiło się cicho, gdy jedna mała ruda w wielkiej tajemnicy mówiła coś po kolei do ucha kompanom, wyciągając w kierunku Sary palec wskazujący. Już Sara rozprawiłaby się z nią w Bieżuniu! Ale teraz nie oglądała się za siebie, przyrzekając sobie w duchu, że za żadne skarby nie zaprzyjaźni się z małymi szwabami. Tak nazwał ich Bartek od sąsiadów babki, kiedy mu powiedziała z dumą, że jedzie do Niemiec.

– A ja jadę do Niemiec. Tam jest wielki dom i plac zabaw jak z...

– No i co z tego – sarknął, bezczelnie przerywając jej w pół słowa. – Ze szwabami będziesz się bawić. *Jawohl, jawohl, ich liebe Alkohol*! – darł się bez opamiętania.

Pewnie słyszał od ojca. Bo wiadomo było, że co drugi stąd wysługiwał się Niemcowi. A gdy wracał na weekendy do swojej żony – z niemieckimi markami, grubymi czekoladami (pełnymi równie grubych orzechów laskowych), z pieniącymi się po sufit płynami, w których wieczorami pławiono się w wyłożonej byle jak kafelkami łazience, nieraz słychać było to podśpiewywanie. I role się odwracały. W miarę wypitego sznapsa Niemiec robił się tym malutkim, któremu Polak za marne grosze udzielał lekcji. Stawał się mentorem, wyrocznią delficką, dawcą praw, autorytetem, charyzmatykiem. Do tańca i do różańca.

Jednak jeszcze tego samego dnia, skuszona kolorowymi zabawkami na placu, Sara wyszła. Zaraz też jak spod ziemi wyrosły dzieciaki, które bezpardonowo włączyły się do zabawy i okazało się, że diabeł wcale nie taki straszny. Huśtali się do nieba, które tak samo było polskie, jak i niemieckie. Kołowało im się jednakowo w głowach po zejściu z karuzeli i musieli trzymać się za ręce, by nie poupadać na ziemię. Nieważne było, kto Polak, a kto Niemiec, ale kto z kim może się huśtać na długiej belce i nie spadać twardo na podłoże. Od tego tak bolał tyłek, że trudno było siadać. Zabawy było co niemiara!

Najbardziej polubiła rudą Ritę.

* * *

– Dlaczego nie idziesz? – zapytała matka. – Po obiedzie pojedziemy do muzeum braci Grimm. Wiesz, oczywiście, kto to są bracia Grimm? – popatrzyła na córkę z niecierpliwym wyczekiwaniem.

Sara mrugnęła. Jasne, że wiedziała. To ci, których wielka księga stała na półce z innymi książkami i babcia Marylka pokazywała koleżankom, jakie to piękne bajki córka śle z zagranicy. I jakie kolorowe. Prawie takie, jak na najnowszym modelu rubina. Zwierzątka były słodkie, księżniczki piękne, czarownice z długimi nosami i spojrzeniem „jedno oko na Maroko, a drugie na Kaukaz". Żadna nie chciała wierzyć, podejrzewając, że Maria sama kupuje książki, żeby wszyscy w mieście wiedzieli, jaka to z Lili wspaniała matka i jak z dala dba o córkę. Byleby tylko obraz córki wybielić. Kręciły więc głowami z powątpiewaniem: „Ciekawe! Gdzieś za granicą siedzi i stamtąd książki śle? I to po polsku?". Matka Lili odpierała dzielnie ataki.

– A co wy myślicie? – mówiła z dumą do swoich psiapsiółek. – Bo tam za granicą to nawet polskie książki dostać można, a nie jak u nas. Wszystkiego brak i brak!

Sara za każdym razem po wysłuchaniu tych bajek zagrzebywała się w pierzyny i poduszki, byleby nie dosięgły jej okropności, o których babcia czytała jej na polecenie matki. A to zatrute jabłka, a to wiedźmy przebierające się za piękne wróżki. I zanim się okazywało, że zło zostanie pokonane, obgryzała paznokcie do samych opuszków podbarwionych krwią, za co matka gniewała się na nią, a potem słała z Niemiec „gorzki paluszek", by więcej nie skubała. Bo to i obrzydliwe, i wszystkie choróbska z tego obgryzania pazurów się biorą.

Lili i Sara

Słońce raziło w oczy, ale Sara przez rozcapierzone palce dojrzała siedzącą na przewijance Ritę, która zwinnie zeskoczyła z metalowej rurki i pobiegła w jej kierunku. Nie musiały znać języka, porozumiewały się skinieniem głowy, uśmiechem, rękami. Kto wie, słowa może by im nawet zaszkodziły. Bywają bardziej wieloznaczne niż proste gesty.

Zaczęły się akrobatyczne ewolucje. Tylko białe majtki migały, kiedy nogi fajtały w górze. W powietrzu dzwonił śmiech Sary. Aż zwabiona jego rzadkością Lili wyjrzała przez okno. Przyglądała się zabawie przez chwilę, ale zaraz powróciła do gazet.

W którymś momencie omsknęła się ręka i Sara spadła na murawę. Rita zwijała się z rozbawienia, trzymając się za brzuch. To był najlepszy punkt zabawy! Podbiegła, podała koleżance rękę. Ta podniosła się, ale widać było, że silny ból wykrzywia jej usta. Próbowała go zbagatelizować i wtórowała śmiechem Niemce, ale po chwili

122

poszła do domu, przytrzymując lewą ręką prawą dłoń. Nie płakała. Przynajmniej nie było widać łez albo w jakiś dziwny sposób płynęły do wewnątrz. Rita chyba zorientowała się, że to nie przelewki, bo rozłożyła ręce, jakby chciała powiedzieć „nie wiem, jak mam ci pomóc", i tylko machała na pożegnanie. Sara nie odwróciła się; nie chciała, żeby koleżanka zobaczyła jej słabość. Zdrowym łokciem pchnęła ciężkie, wejściowe drzwi, które poleciały do przodu, czyniąc hałas. Lili poderwała się z miejsca. Chciała zwrócić córce uwagę, ale ta stała blada jak ściana.

– Boli mnie ręka – powiedziała spokojnie, spuszczając wzrok, by matka nie dostrzegła czających się kącikach oczu łez.

– Upadłaś?

– Yhm... Na trawę – dodała Sara, jakby tłumacząc albo uspokajając, że skoro tak, nic nie powinno się wydarzyć. Wszak trawa jest miękka jak kołdra.

Lili uniosła rękę córki. Delikatnie. Raz. Dwa. Raz. Wyglądało na to, że rzeczywiście nic się nie stało, choć gdyby lepiej znała dziecko, dostrzegłaby zastygły na ustach niemy syk. Ale żadnego obrzęku. Żadnego zaczerwienienia.

– Poruszaj palcami! – nakazała, nawet nie próbując, by słowa zabrzmiały łagodnie.

Sara ze wszystkich sił starała się poruszyć palcami i nawet jej się to udało. Powoli, ale precyzyjnie. Matka uwierzyła.

– Idź i umyj się, a potem posiedź chwilę. Zaraz minie. Boli? – Lili spojrzała badawczo. Sondowała, czy zadała trafne pytanie.

Sara nieśmiało skinęła głową.

– Tak. Trochę. Wytrzymam.

Gdyby była u babci, najzwyczajniej w świecie pobiegłaby, schroniła się w jej ramionach, wtuliła głowę w obfite piersi. I pozwoliła płynąć łzom, nie bacząc na to, czy babka ma na sobie kościołową garsonkę, czy kuchenny fartuch z dederonu. Ale tutaj, w tym dużym domu i przy matce jak z baśni Andersena, nie wolno jej było być mazgajem. Zagryzła wargi, zacisnęła pięści.

Wytrzyma.

* * *

Dziewczynka spała. Skulona na fotelu. Z ręką wyciągniętą prosto jak szlaban. W nienaturalnej pozycji. Ciało musiało cierpnąć. Ręką coraz to wstrząsały drgania. Paroksyzm bólu zmieniał wyraz twarzy, ale trwał na tyle krótko, że trudno było uchwycić moment. Lili rzuciła okiem, odrywając wzrok od kolorowych stron gazety, ale nic nie wzbudziło jej podejrzeń. Spokojna poza zwiniętej w kłębuszek córki na obszernej przestrzeni fotela. Nic. Niczego niepokojącego.

Poza twarzą. Kiedy znikał histeryczny nerw bólu, była niemal taka sama. Niemal, bo na policzkach wykwitły

124

wypieki, a usta przybrały nierzeczywisty odcień. Były spierzchnięte i bardziej wyraziste niż zwykle. Lili wstała powoli, tknięta dziwnym, nieznanym dotychczas przeczuciem. Przez chwilę własna reakcja wydała jej się śmieszna i idiotycznie teatralna. Ponownie wzięła do ręki magazyn, ale nie potrafiła się skupić. Odrzuciła go niedbale. Gazeta zaszeleściła. Lili zawahała się, ale w końcu wstała ponownie. Niby nic. Przez kilka sekund wodziła wzrokiem dokoła, jakby sprawdzała, czy nikt jej nie widzi. Nie chciała, by ten niespodziany wybuch opiekuńczości komukolwiek wydał się śmieszny. Na szczęście nikt nie patrzył. Były same – matka i córka.

Lili nie pretendowała do roli troskliwej matki, ale dotknęła dłonią czoła Sary. Okazało się niepokojąco rozpalone.

– Sara! – zwróciła się do dziewczynki, lekko trącając ją w ramię.

Cisza.

– Sara! – powiedziała nieco głośniej.

Tym razem potrząśnięcie było silniejsze.

Cisza.

Niecierpliwe szturchnięcie drobnego ciała. Ruchem, w którym zaczaił się strach. A może złość? Oto ona, Lili, mówi. Nie można jej nie słyszeć!

Dziecko poruszyło się niespokojnie. Sztywno wyprostowana ręka miała już kolor kredy. O tym, że żyje, świadczyła wyłącznie niebieska siatka żył.

Lili nieśmiało obwiodła ręką łagodne rysy. Córka przypominała jej postać z fotografii komunijnej, oprawionej w tandetne ramki, wiszącej po prawej stronie nad łóżkiem rodziców. Tak. To była ona. Z czasów, które nigdy nie wrócą. Kiedy wszystko było proste i jasne. Matka. Szkoła. Nowa sukienka na święta. Zapach łąk. Babka Irka, żyjąca tak cichutko, że nikt się nie zorientował, że jest (nic dziwnego, że na jej pogrzebie pojawiła się zaledwie garstka żałobników; Irka nigdy, przenigdy!, nie zaprzątałaby sobą nikomu głowy). Lili lubiła babkę Irkę, bo ta umiała słuchać i nigdy nie zadawała pytań. Milczała wytrwale, nie reagując nawet na bezładną paplaninę kilkuletniej Lili. Wpatrywała się tylko we wnuczkę, nie mrugnąwszy okiem. Wówczas, jako dziecko, Lili robiła miny, cudowała, czekając na jakiś znak, babka była jednak jak skała.

– Potrzeba słów – dobiegło ją, gdy wychodziła. – Czasem nie ten jest ważny, do którego mówisz, ale słowa właśnie. Wypowiedziane, tracą moc.

Lili kompletnie nie miała pojęcia, o co chodzi. Babka Irka gadała jak jakiś filozof.

* * *

Lili ogarnęło dziwne uczucie. Przez głowę przemknęła jej myśl, by pochylić się nad tym dzieckiem, wyglądającym jak jej miniaturka, i by je ucałować. W czoło, w policzek. Albo w spierzchnięte usta. Ale szybko zarzuciła ten pomysł. Sama sobie wydała się idiotyczna i nienaturalna. Nie lubiła egzaltowanych gestów. Śmieszyły ją te wszystkie dziubdziające matki, które co chwila obściskiwały dzieciaki, spieszczały słowa, zmieniały tembr głosu. Dokoła opowiadały wyłącznie o dziecku i o własnym zmęczeniu. O kupkach, papkach. Albo rozpływały się nad banalnymi pioseneczkami, które ulatywały z ust dzieciaków jako dopełnienie laurek z pokolorowanymi na różowo stemplowanymi kwiatkami. Lili nie potrafiła oprzeć się wrażeniu, że te wszystkie zachwyty to jedna wielka blaga. Że tak naprawdę niejedna matka wzięłaby nogi za pas. Ale społecznie narzucona rola nakazywała im wyrzekać się siebie, rezygnować z marzeń i tkwić w sytuacji, w której się znalazły. Matki Polki rodzące dzieci swoim mężom, aspirujące do miana żon idealnych, oglądające tasiemcowe wenezuelskie seriale i z ukrywaną tęsknotą, pomieszaną z oburzeniem, spoglądające na takie jak ona.

Poddające się dekadentyzmowi, żyjące na granicy przyzwoitości.

* * *

Sara coś wymamrotała, a potem znienacka zwisła z fotela i zwymiotowała. W nozdrza Lili wtargnął kwaśny zapach rzygowin. Odwróciła głowę, z trudem hamując odruch wymiotny. Nabrała w płuca powietrza; wypuszczała je powoli, śmiesznie przymykając oczy. Oddychała miarowo. Kiedy poczuła, że kryzys minął, zbliżyła się do córki. Spojrzała. Sara wyglądała jak śpiąca ruska lalka. Była ładna. Lili przyglądała się jej uważnie. Jak wówczas, gdy położna pokazała jej małą zaraz po porodzie. Wtedy w żaden sposób nie mogła dopatrzyć się podobieństwa. Ani do siebie, ani do ojca dziecka. Ojców...

Przegnała myśl, by ta nie ulokowała się w jej głowie i nie dręczyła natrętnie. Dość! Temat zamknięty. Do policzków dotarła fala gorąca. Lili przeszył dziwny skurcz.

W domu było bardzo ciepło. Odsunęła od ciała bluzkę, by wpuścić powietrze. Czuła, jak cienką strugą spływa między piersiami pot, żłobiąc ciemnobrunatną rysę na jej ciele. Przypomniała sobie.

– *Linea negra* – oświadczyła położna, przygotowująca ją do badania.

Lili nie miała pojęcia, o co chodzi, ale zmiana na jej ciele budziła niepokój.

Kobieta musiała to zauważyć.

– To taka zmiana hormonalna – dodała szybko. – Zniknie po porodzie.

Lili pamięta, że wiele razy oglądała tę ciemną smugę w lustrze, doszukując się w niej swoistego piętna grzechu.

Na zewnątrz powietrze poruszyło się i chłodny powiew wtargnął do domu. Orzeźwiający. Otrzeźwiający.

– Sara... Sara! Obudź się natychmiast!

Pobladła twarz małej dziewczynki wreszcie wzbudziła niepokój. Lili potrząsała wątłym ciałkiem z coraz większą siłą. Przez jej głowę przegalopowała myśl, że córka nie żyje. Odganiała ją zawzięcie, ale strach robił swoje. Zbliżyła ucho do ust dziecka, przywarła policzkiem, by poczuć oddech.

– Sara! – wołała coraz bardziej rozpaczliwie. – Na litość boską! Dziecko!

Truchlała z nieznanego niepokoju. Pragnęła, by córka przemówiła. Za wszelką cenę! Ileż to razy oglądała różne reportaże, ale wtedy nie wzruszały jej ani losy małych dzieci, o których trąbiły stacje niemieckiej telewizji, ani inne wyzierające ze szklanego ekranu nieszczęścia. Owszem, złorzeczyła ich sprawcom. Bo tak trzeba. Nieczęsto jednak przesuwające się obrazy przywodziły jej na myśl Sarę.

Ona była poza jej refleksją.

– Sara! Dziecko! Otwórz oczy! Wstań!

Powieki dziewczynki uniosły się, ale zaraz cały oczodół wypełniła biała twardówka. Wyglądało to tak, jak podczas dziecięcych zabaw w upiory.

– Żyjesz! Ty masz wstrząs mózgu! – oznajmiła Lili, bardziej sobie niż dziecku.

Otarła twarz Sary chusteczką i starając się nie widzieć wymiocin, które wciąż prowokowały w niej torsje, sięgnęła po telefon. Nerwowo wybierała numer do niemieckiego męża, co chwila zerkając na wyświetlacz. Jakby w obawie, że komórka nie zadziała, a ona nie będzie wiedziała co począć.

129

Zerkała na córkę, która tymczasem zdawała się odzy-
skiwać przytomność, choć nadal pozostawała blada i senna. Lili uspokajała się. Z głębi serca nienawidziła sytuacji, które wymykały się spod jej kontroli. W życiu dążyła
do tego, by zawsze wiedzieć, co zrobić i jak się znaleźć.
Po kilku pustych sygnałach usłyszała męski głos.

– *O! Lili! Was ist passiert, Schätzehn?**.

– Dieter, przyjedź do domu! Ja muszę do szpitala!
Już! Natychmiast! – zakomenderowała, nie czekając na
dodatkowe pytania.

Odłożyła telefon i wróciła do córki. Sara patrzyła niewidzącym wzrokiem.

– Nic mi nie jest… – zapewniała, ale jej drobnym ciałem wstrząsały kolejne torsje, przecząc słowom.

Lili wycierała jej usta, odrzucając brudne chusteczki
na podłogę.

Oczy dziecka zdawały się przepraszać.

* * *

Dieter zadzwonił po pogotowie, podając adres, choć
nie potrafił udzielić jakiejkolwiek informacji na temat
tego, co się właściwie stało. Na szczęście przyjmująca
zgłoszenie wyjątkowo uczynna kobieta nie zbagatelizo-
wała telefonu i po chwili pod domem rozległ się ostry,

---

* Co się stało, moja droga? (przyp. aut.).

przenikliwy sygnał ambulansu. W progu stanęli ratownicy, a Lili odetchnęła z ulgą. Starała się wszystko wyjaśnić, ale niemieckie słowa, jak na złość, wylatywały jej z głowy, więc pociągnęła jednego z mężczyzn za rękaw do pokoju. Sara ponownie leżała nieprzytomna.

Ratownik wprawnie zbadał tętno. Drugi rozwarł powieki. Przenieśli małą na nosze.

– Może pani jechać z nami – oznajmił któryś.

W karetce Sara zwymiotowała jeszcze dwa razy. Niemiecki pielęgniarz uśmiechał się dobrotliwie, jakby zamierzał powiedzieć: „Nic się nie stało. To karetka, a nie sala w Grand Hotelu". Był rudy i brzydki, ale miał taki głos i coś w spojrzeniu, co nie pozwalało nie czuć wobec niego respektu. Lili próbowała nawet pozbierać wymiociny w chusteczkę higieniczną, ale młody człowiek tylko pokręcił głową.

– Naprawdę nic się nie stało. – Uśmiechnął się pobłażliwie. – To nie ma znaczenia.

Ambulans przemierzał szybko ulice niemieckiego miasta. Bez sygnału dźwiękowego. Raz po raz w oknach mijanych samochodów i wystaw odbijały się niebieskie światła. Poprzez szpary między cienkimi paskami na pomalowanej szybie trudno było się zorientować, którędy przejeżdżają. Droga wydawała się ciągnąć w nieskończoność, chociaż minęło zaledwie kilkanaście minut.

Pielęgniarz jakby czytał w myślach Lili.

– Zaraz dojedziemy – usiłował uspokajać.

* * *

Lekarz, który ich przyjął, był czarnoskórym mężczyzną mniej więcej w wieku Lili. Poprawnie, choć kalecząc niemiecką wymowę, zapytał o przebieg wypadku. Sara odzyskała już przytomność. Siedziała na wózku, patrząc ze zdumieniem to na matkę, to na lekarza i Dietera, który pojawił się niemal jednocześnie z nimi. Trzymał dłoń na jej ramieniu, a drugą gestykulował, wyjaśniając, co zaszło. Chociaż go przy tym nie było.

– Musimy wykonać badania – zaordynował doktor. – Mama... – spojrzał na Lili wymownie. – ...może iść z nami.

– Proszę, załatw to – zwróciła się Lili do męża. Otarła przedramieniem czoło. – Jestem wykończona tym wszystkim!

Nie patrzyła na Sarę, więc nie dostrzegła zawodu w jej wzroku. Już dawno odwykła od matkowania, choć w zasadzie nawet nie zdążyła się w tym wprawić...

* * *

Okazało się, że Sara ma złamany prawy nadgarstek, stłuczoną twarz i wstrząs mózgu. Chyba tylko dzięki Dieterowi, jego pozycji, fakt ten nie wzbudził jakichkolwiek wątpliwości wśród niemieckich służb, chociaż pielęgniarka za kontuarem w poczekalni co chwila spoglądała na Lili i nie kryjąc niechęci, szeptała coś do ucha koleżance. Może zauważyła mimikę, kiedy Lili nakazywała mężowi pójść z lekarzem, podczas gdy sama opadła na miękki fotel, a może dostrzegła brak czułości wobec dziecka. „Dziwny ten upadek", zdawały się mówić spojrzenia kolejnych ludzi, radiologa i pielęgniarek.

Widać nie dość ufano polskim matkom osiadłym w Niemczech u boku starszych mężów.

* * *

Po trzech dniach Sara wróciła do niemieckiego domu swojej matki. Żadnych łez. Bo jej matka nie lubi łez.

Samuel

Pachniał nową wodą toaletową. Bodaj Kokorico Gaultiera albo czymś bardzo podobnym. Lili lubiła zapachy. Mogła godzinami spacerować po ekskluzywnych perfumeriach, skupiających wonie znanych marek wielkiego świata. Z lubością spryskiwała cienkie blottery, a kiedy zapach ją uwodził, opisywała pasek, chowając go w kieszonce torby. Miała ich mnóstwo. Niektóre już zwietrzałe, ale niektóre, mimo upływu czasu, wciąż przechowywały aromat. Często gęsto pozwalała sobie na zakup albo wspaniałomyślnie pozwalała się obdarowywać. Jednak teraz owo połączenie paczuli, czekolady i wetywerii przyprawiało ją o mdłości. Zapach opanował cały dom. A tyle razy tłumaczyła, że nie sztuka wyszukiwać oryginalne zapachy, które chodzą za nią całymi dniami i nijak nie można ich zmyć, ale pozostawić po sobie pamięć, która nie pozwoli zapomnieć choćby na sekundę i czym prędzej nakaże powrót... Stęsknionej, spragnionej, głodnej. Samuel patrzył wówczas kompletnie zbity z tropu, nie mając zielonego pojęcia, o co jej chodzi. Zdawała sobie sprawę, że to go przerasta. A wyszukane wywody, dygresje, którymi go raczyła, nie robią na nim większego wrażenia. Albo zwyczajnie ich nie rozumie, czemu niejednokrotnie dawał wyraz.

– Nie wszyscy mają tak wyrafinowany gust jak ty – zżymał się. – O co ci chodzi? Jaka znów pamięć? Mów do mnie jak człowiek!

– Nieważne! – ucinała dyskusję nonszalanckim machnięciem ręką. – Nie chce mi się wszystkiego tłumaczyć.

Wiedziała, że takie traktowanie doprowadza Samuela do białej gorączki, ale była też pewna, że on niczego nie zrobi. Kochał ją bez pamięci, chociaż zdarzało się, że w trakcie tych idiotycznych utarczek wybuchał niepohamowaną złością i wyrzucał Lili, że jego rzekomy brak obycia nie przeszkadza jej w przyjmowaniu podarunków, których zresztą nie szczędził. Nie lubiła, gdy to wypominał, bo uważała, że to on złapał pana Boga za nogi. I w ogóle powinien się cieszyć, że ona z nim jest.

– Wiesz, gdzie ja mam te twoje prezenty? Wiesz? – krzyczała.

Zaraz potem przystępowała do pakowania walizek.

– Wynoszę się stąd! Natychmiast! Nie będziesz mi tu niczego narzucał! Zapamiętaj sobie!

Doskonale znała Samuela. Była pewna, że za moment zacznie się kajać, przepraszać, skamleć u jej stóp.

I tak było. Przynosił bukiety i drogie souveniry. Bawiło ją to. Czasem, dla fantazji, brała winę na siebie.

Bo Lili była mistrzynią w manipulowaniu ludźmi. A już zwłaszcza facetami.

– No już, nie złość się na swoją Lili... – szeptała Samuelowi do ucha, spieszczając słowa, a potem oddawała mu się, pozwalając na wiele. Bywało, że dawał się nabierać na jakieś słowa o nowym garniturze czy gadżecie, w które obrastał niczym mały chłopiec kolekcjonujący żołnierzyki, kapsle, puszki po piwie. Umiała go udobruchać szybko i sprawnie.

Samuel lubił być modny. Od czasu kiedy stał się facetem z kasą, lansował wszystko, cokolwiek zadziało się modzie. Począwszy od trendowych ciuchów, skończywszy na samochodach. Brzęczał złotymi bransoletami, podzwaniał kluczykami do samochodu z wielkim logo mercedesa – trójramienną gwiazdą.

* * *

Od dziecka był jak Mrożkowy Józefek, który nigdy nie wiedział, o co chodzi. Z początku chłopaki śmiali się z niego i trykali go, ilekroć pojawił się w ich zasięgu, ale on dzielnie odpierał ataki. Aż któregoś razu coś w nim pękło i tak przyładował starszemu od siebie Zbychowi Rębaczowi, że ten wylądował u chirurga ze złamanym nosem. Od tej pory nikt go nie wyzywał, ale i do towarzystwa nie bardzo zapraszał. Samuel trzymał się nieco na uboczu, lecz na dobrą sprawę zawsze wiedział, co w trawie piszczy. Tak było wówczas, kiedy chłopaki podglądali wygrzewającą się w słońcu wówczas jeszcze Mariolkę albo za starym dębem na cmentarzu oglądali karty z pornograficznymi aktami. On stał schowany za grubym powalonym konarem lub krył się w zagłębieniu wśród zboża, które po wielokrotnych wypalaniach nie chciało rodzić. Zawsze zamaskowany wsłuchiwał się w ich podniecone głosy pełne przekleństw, bezeceństw, kiedy w ich ręce trafiała wyjątkowo sprośna karta. Albo na polu, gdy dziewczyna prężyła młode piersi, jakby zamierzała dotknąć brązowymi sutkami chmur. Niejeden podejrzewał, że Semek czai się opodal, ale nic im to nie szkodziło. No i nie chcieli robić podglądaczowi bezsensownej afery, bo kto wie, jakby to się mogło skończyć.

Kiedyś nawet Maniek dał mu pooglądać wymiętolone karty. Samuel aż wypieków dostał od tego patrzenia i w spodniach zrobiło mu się ciasno. Nigdy nie zapomni śmiechu chłopaków, którzy lecieli za nim, wykrzykując: „Ej, Semek! Uważaj, żeby się na ciebie któraś nie nadziała, bo zrobisz jej dziurę w plecach!". A on uciekał do domu, by zamknąć się w swoim pokoju, rozładować napięcie. W jego głowie ulokował się obraz półnagiej Mariolki, której piersi widział wśród falujących zbóż, a ręka robiła swoje. Wymęczony, długo jeszcze nie mógł wyprzeć z głowy obrazu dziewczyny.

* * *

Na początku lat dziewięćdziesiątych, kiedy to większość młodych bieżunian albo brała się do roboty w miejscowych zakładach, albo na gospodarce, albo parła na renomowane uczelnie w stolicy, on zaraz po licencjacie na zaocznej ekonomii wyjechał do Niemiec. Początkowo wysługiwał się Niemcom za psie marki, ledwie rozumiejąc, co do niego mówią, potem polizał więcej niemieckiego i zorientował się, co i skąd można ciągnąć. Zaczął sprowadzać do Polski auta. Rynek był głodny zachodnich lśniących metalików z szyberdachami i elektrycznie otwieranymi szybami, przez które można było wyłożyć łokieć i szpanować na okolicę. Od dziadka wziął kawałek ziemi i ogrodziwszy go tandetnymi betonowymi przęsłami, jakimi grodzono niegdyś pegeery, parki, zakłady mięsne, otworzył interes o światowo brzmiącej nazwie KOMIS. Ojciec z matką ubolewali, bo nie taką karierę wymyślili sobie dla syna. Jeśli nie na roli, to choćby jakieś wykształcenie, coby mu pozwoliło chodzić w garniturze jak panisku. Nie to, co oni, którzy całe życie w piętkę gonią.

W rzeczywistości komis był kiepskim szrotem z całymi hałdami części samochodowych i kilkoma fordami fiesta i sierra, do których świeciły się oczy mieszkańcom miasteczka, marzącego o zachodnim blichtrze. Zarobione pieniądze Samuel inwestował w kolejne samochody.

I w kolejne. Konsekwentnie. Ziarnko do ziarnka. Aż do chwili, gdy został oficjalnym dilerem volkswagena. Z jego pierwszego salonu w samej stolicy wypuszczano samochody z ramkami pod tablicami rejestracyjnymi: VOLKSWAGEN ZIEMIŃSKI AUTO. Ludzie z Bieżunia aż wybałuszali oczy ze zdumienia i szeptali po kątach, że widać ten Semek to nie taki głupi, jak go malują. Pieniądze zaczęły się sypać jak ta manna z nieba, ale nie przewróciły mu w głowie. O nie! Znajomy Niemiec poradził mu, by dalej szedł w samochody, więc on – konsekwentnie, pomału, eksplorując pole, nawiązując nowe kontakty, dysponując niemałą gotówką, w szykownym garniturze, ze skórzaną aktówką pod pachą – otwierał kolejne drzwi. Przerzucił się na mercedesy.

Śmiano się z niego, że samochód jest przedłużeniem członka, ale w duchu zazdrościli mu wszyscy. Kiedy podjeżdżał pod dom rodziców, prostych i nieskomplikowanych. Matka z wiecznie obwiązaną kwiecistą chustką głową i ojciec w wytartym wojskowym mundurze bez epoletów, co to miał do końca życia świadczyć o jego nieudanej wojskowej karierze. I chociaż w pamięci niektórych Samuel pozostał jako usmarkany gówniarz, większość darzyła go estymą i za przykład stawiała dzieciakom.

– Popatrz na Semka Ziemińskiego, jakie to panisko! A co z tego było? Ledwie od ziemi odrośnięte. Ani to mądre, ani zdolne. A teraz? Mało kto się z nim tu u nas równać może.

A potem spoglądano, osłaniając ręką oczy, bo nie wiadomo było, czy to słońce, czy też blask od tych nowych mercedesów raził tak, że trudno było wytrzymać.

Samuel dorobił się takiej kasy, że wszystko wokół zrobiło się zielone.

* * *

Tylko z rodzicami dogadać się nie mógł. Na udry szedł, a kiedy brat mu kiedyś w kłótni, bo nie chciał mu na piwo „pożyczyć", wykrzyczał, że gównem jest, gównem był i gównem pozostanie, tak się potarmosili, że tamten wylądował w powiatowym szpitalu z połamanymi żebrami i krwiakiem w mózgu, a potem jeszcze kilka tygodni leżał podłączony do aparatur, które za niego jadły, oddychały. A matka jak psa z domu Semka przegoniła, od bandytów mu wygarniając. A kiedy wpadła do jego pokoju, by garściami brać i wyrzucać za okno wszystko, by jego noga w jej domu więcej nie postała, natknęła się na setki zdjęć Lili. Lili tu, Lili tam, Lili półnaga w zbożu, z cyckami jak dojrzałe jabłka... Taka się w niej złość wtedy zgotowała, że zakazała mu choćby na krok do tych zdjęć podchodzić, podejrzewając, że to przez tę lafiryndę, która niejednemu życie spaskudziła, jej syn się chamem zwykłym i chuliganem okazał. Bo to przecież od zawsze wiadomo, że kto z kim przestaje, takim się staje.

Po latach gniew ostygł, młodszy wyzdrowiał, ale pożytku z niego nie było żadnego. Umiał tylko piwo żłopać i godzinami pod budką wystawać, z takimi samymi jak on. Matka jednak krzywdę doznaną od starszego syna w sercu chowała.

Owszem, była dumna, gdy ludzie z zazdrością spoglądali w kierunku domu, który Samuel bez ich zgody odnowił – plastikowe okna, budyniowa elewacja i porządny płot wokół obejścia – ale mówiła do męża, że serce do syna straciła. Coraz to wymyślała niestworzone historie o nim, o tej dziewusze, dla której głowę stracił, pakt z diabłem podpisał. Bo to niemożliwe przecież, że on z prostych chłopów, a takiego majątku się dorobił. I wyglądał, i pachniał, tak jak jaki prezenter z Polsatu.

Trzeba było czasu. Ten spowodował, że matka pamięć powoli traciła i chętnie ręce wyciągała. Tylko o tej małej Czarneckiej zapomnieć nie mogła i wszystko, co złego się przytrafiało, jej przypisywała.

Lili

Była od niego o dwa lata młodsza. On w liceum, ona chodziła do ósmej. Wiele razy widywał ją na korytarzu szkoły, w której mieściła się w jednym skrzydle podstawówka, w drugim ogólniak. Ale nawet gdyby na nią wpadł, zapewne nie zauważyłaby go. Nosiła głowę wysoko. Jedyna pociecha w tym nieszczęśliwym zaślepieniu to fakt, że nie zwracała uwagi na nikogo. No, może trochę na Adama, ale tylko dlatego, że był naprawdę przystojny. Przechadzała się, czy to korytarzem, czy wąskimi uliczkami miasteczka, kołysząc biodrami, pewnie odrzucając do tyłu głowę. Zdawało się, że szydzi sobie ze wszystkich. Samotnica. Nie wystawała po kątach ani nie wysiadywała parapetów jak inne. Niekiedy przystawała z koleżankami w parku, ale zaraz wymawiała się czymkolwiek i odchodziła. Czasem widywał ją, jak z Anką Matusiakówną idą gdzieś za miasto, na rozlewiska, na łąki, ale rzadko. Nikt nie wiedział, co się kluło w jej głowie. Lili miała własny świat – wyimaginowanych historii, w których bywała wielką damą albo Bóg wie kim. Że ten świat leży jej u stóp. O jej względy zabiegano. A ona karmiła się wykreowanymi w głowie obrazkami, o tym, jak to bawi się uczuciami chłopaków, którzy w wyobraźni urastali do rangi facetów. Przystojnych i czarujących. Nie było tam miejsca dla słabych kobiet, takich jak matka, która znosiła zdrady męża. Wśród dziewcząt Lili budziła zawiść, chłopcy fantazjowali na jej temat. W zapyziałym Bieżuniu szybko dopięto jej łatkę puszczalskiej. Może przez to opalanie w zbożu, o którym w miasteczku zrobiło się głośno.

– Wstydziłabyś się! – sarkała matka. – Cycki całemu światu pokazywać! Jak jakaś dziwka!

Nie miała pojęcia, że jednym z podglądaczy jest jej własny mąż, śliniący się na widok młodych piersi. To on którejś nocy przyszedł do Lili, usiadł ciężko na brzegu wersalki. Gwałtownie zrzucił z Lili kołdrę i sapiąc z podniecenia wyciągnął ręce.

– No, pokaż tatusiowi te swoje cycule… Skoro i tak wszyscy je widzieli.

Pijany oddech budził obrzydzenie. Widziała czarne kłaki wychodzące zza poszarzałego podkoszulka. W głowie stanął obraz ojca ze wzwiedzionym członkiem, trzęsącym się między nogami matki. Przez moment wystraszyła się, ale zaraz szarpnęła z całej siły kołdrę i zasyczała złowieszczo:

– Wynoś się stąd, bo narobię takiego rabanu, że nie tylko matka się pojawi, a pół ulicy! Ty... Ty świnio!

Pomogło, bo jakby otrzeźwiał, skulił się w sobie ze wstydu i rakiem wycofał się do wyjścia. Nazajutrz uciekał wzrokiem, ale poza tym zachowywał się, jakby nigdy nic.

Takich nocy było więcej. Bała się zasypiać, i tylko wówczas, kiedy z pokoju rodziców (choć wtulała głowę w poduszkę i zakrywała się po czubek głowy, by nie dotarł do niej powracający kadr małżeńskiej sceny) dochodziły do niej stękania matki i jego sapanie, miała jaką taką pewność, że się nie pojawi. Bo potem zawsze rozlegało się w mieszkaniu głośne chrapanie.

Z czasem coraz większą niechęcią podszyta była jej relacja z matką, której Lili nie potrafiła za żadne pieniądze zrozumieć. Była pewna, że matka wie o wszystkim, więc się nie skarżyła. Nieraz miała ochotę wykrzyczeć: „Zostaw tę łajzę, która nawet własnej córce nie popuści! Kurze by nie popuścił!", ale znała matkę. Ta zaklinałaby się na wszystkie świętości, wyklinałaby córkę na czym świat stoi i prędzej by jej oczy wydrapała, niż uwierzyła w świństwa ojca. Byleby tylko nie dopuścić do siebie prawdy. Cisza. Kamień w wodę. Ślepa była i głucha, chociaż cały Bieżuń trząsł się od gadek na jego temat. O Elce, Ziucie, Kryśce czy innych, które przewinęły się przez jego warsztat i zdezelowane biurko. On sam śmiał się nieraz, że musi „na kanał wziąć jedną czy drugą". Świnia jeden!

Może to przez ojca Lili znienawidziła mężczyzn, a może po prostu lubiła się nimi bawić. Budzić pożądanie. Patrzeć, jak okrąglęją im oczy, wzrok robi się mętny, a grdyka porusza się nerwowo przy każdym przełknięciu śliny.

Samuel

Nigdy nie zapomniał dyskoteki w szkolnej stołówce.
Szyb zasłoniętych czarną bibułą, powycinanych z po-
złotek gwiazdek, które przy kolorowych dyskotekowych
światłach mieniły się iryzującym blaskiem. Głośników
porozstawianych po kątach sali, z których leciał ciężki
rock; Joey Tempest śpiewał *The final countdown*.

A na parkiecie była ona. Miała na sobie czarne
spodnie i bluzkę z ramionami na poduszkach, niczym
amerykański futbolista. Długie, skręcone dzięki papie-
rowym papilotom włosy, przeczesane na prawą stronę,
odsłaniały wielkie kolczyki. Ostry makijaż. Tańczyła.
Z zamkniętymi oczami. Wyciągnięte ręce poruszały się,
jakby pełzały po śliskiej powierzchni. Z rozcapierzonymi
palcami, które rozdrapywały pełne napięcia powietrze.
Wiła się w psychodelicznym transie, przyciągając głowę
do ramion, jakby ją kładła na barkach kochanka. Ocierała udem o udo, kołysząc biodrami. Po sali rozchodził

się szelest wąskich nogawek. Jakby była na sali sama. „Końcowe odliczanie, końcowe odliczanie!", darł się z megagłośników frontman. Wysokie tony, przechodzące w charkot, obijały się o ściany.

Otaczało ją ścisłym kręgiem kilka osób, raz po raz zerkając, próbując nieporadnie naśladować jej ruchy. Większość jednak podpierała ściany. Zza drzwi osłoniętych czarną tkaniną wyglądały głowy pilnujących nauczycieli. Zwłaszcza Ziółkowskiego, który na wuefie, nie spuszczając z niej wzroku, wykrzykiwał:

– Nie ważcie mi się przychodzić na lekcję w szerokich dresowych gaciach! Jakbyście miały kilo gruszek między nogami! Nic dziwnego, że wam się potem ruszać nie chce! Od następnej lekcji – szorty i białe koszulki! A jak nie, to pała za pałą!

Na tamtej dyskotece przykleił się do szyby jak glonojad. Zrobił niewielką szparkę w zawieszonej na skrzydle drzwi szmacie i już mógł się bezkarnie gapić na to, co podczas lekcji było dla niego owocem zakazanym. Obfite piersi dziewczyny pływały w rytm, sterczące sutki zdawały się przebijać cienką tkaninę bluzki. Wuefista poczuł napięcie w lędźwiach. Zapadłą w głęboką kieszeń dłonią czule gładził twardniejący członek.

Rozważne licealistki i nobliwe panie profesorki fukały głośno, nie kryjąc konfuzji:

– Może ktoś jej w końcu powie, że to nie burdel? – piszczała Aśka Darłowska, brzydka i piegowata prymuska.

Po słowie „burdel" zatkała usta, zetknąwszy się ze spojrzeniem polonistki.

– No, no, Darłowska! Panuj nad językiem, dziecko. Panuj!

Ale to nie Aśka była uosobieniem zła, rozpusty i wszeteczeństwa, więc belferka machnęła jedną ręką. Drugą trzymała wyciągniętą jak semafor w kierunku tancerki.

– I skąd to się takie wzięło? – wołała obruszona.

Nigdy nie lubiła Lili. Zwłaszcza tej jej hardości w spojrzeniu. Dziewczyna była zdolną i dobrą uczennicą. Poza plotkami o jej buszowaniu w zbożu do niczego nie można się było przyczepić.

Nikt nawet nie drgnął, jakby wszyscy czekali na zakończenie spektaklu.

* * *

Ale nie wszyscy byli skonfundowani występem Lili. Chłopcy z trudem hamowali erekcje, dziewczyny zaś marzyły o tym, by być jak ona. Epatować seksem, który wówczas był poza ich zasięgiem i kojarzył się zaledwie z pornograficznymi kartkami lub „świerszczykami", przelatującymi przez ich ręce „niechcący" i zawsze budzącymi zniesmaczenie. Stanowiło to pierwszy powód zagrożeń, ale nocą wyzwalało nieokiełznane fantazje.

Matki dobrych córek i porządnych chłopców przestrzegały przed Lili, jak przed zarazą.

* * *

Po tamtej dyskotece Samuel jeszcze bardziej oszalał
z miłości. Poprzysiągł sobie, że – choćby miało to trwać
całe wieki – uczyni wszystko, aby ją zdobyć. Marzył
o tym, żeby spotkało ją coś złego. Niechby gwałt, niechby
wypadek. A wówczas on będzie blisko. Rycerz. Czarny
Zorro. Nieszczęsny Quasimodo.

Życie toczyło się spokojnym małomiasteczkowym
rytmem. Mijali się na korytarzach, na ulicach. Był dla
niej przezroczysty. Albo jak element tła – znak drogo-
wy, tablica ogłoszeń przy urzędzie miasta. Nie było dla
niego miejsca w jej świecie, nawet w postaci drobnego
epizodu. Nawet gdyby umarł, nie zatrzymałaby się nad
nim choćby przez ułamek sekundy. Zapytana, musiałaby
wytężać pamięć, by połączyć jego osobę z nazwiskiem.
Ale Samuel czekał. Umiał czekać. Nic mu w życiu tak
dobrze nie wychodziło, jak czekanie.

* * *

Tamtej nocy...

Kiedy oni zabawiali się z nią, stał opodal. Rozpalony
do białości. Z zaciśniętymi pięściami.

Widział ją też wśród gości u Anki Matusiak, która
zaraz po maturze jako jedna z pierwszych wychodziła za mąż. Pół szkoły było zaproszone, ba!, pół miasta

i okolicy! Bo Ankę znali wszyscy. Była w szkole prze- wodniczącą, przyrośnięta do tej funkcji od podstawówki do liceum. Miewała różne szalone pomysły, ale przede wszystkim miała pieniądze. Ojciec był znanym biznes- menem, który szybko dorobił się majątku na budowlan- ce. Kupował za psie pieniądze przeróżne nieruchomości, remontował je i sprzedawał lub wynajmował ludziom pod ich własny interes. Nabył też starą zniszczoną po- siadłość opodal Bieżunia i urządził tam nowoczesne, jak na tamte czasy, spa.

Samuel do Anki nie został zaproszony. Nikt go nie zapraszał nigdzie. Należał do ludzkich typów, o których trudno byłoby powiedzieć choć kilka prostych zdań. Osobników nijakich, nieważnych. Wtapiających się w świat, pozbawionych cienia.

Za weselnym orszakiem w autosanie pojechał swo- im pierwszym autem. Starym volkswagenem passatem w odcieniu metalicznej zieleni, którego ryk silnika pod- czas brania zakrętów słychać było niemal w całym mie- ście. Zostawił samochód przed tablicą „Rościszewo" i poszwendał się po opłotkach. Czaił się, gdy goście, wy- sypawszy się hurmem z autokaru, pili weselnego szam- pana Russkoje Igristoje i zajmowali miejsca przy zasta- wionych na bogato stołach. A kiedy trochę się uspokoiło, wyszedł z cienia i pieszo poszedł pod dom weselny.

Muzyka dudniła na całą okolicę. Solistka zespołu sprowadzonego z samej stolicy, udająca Annę Jantar, darła się fałszywie: „Baju, baj, baju, baj, proszę pana! Ja nie jestem znowu taka zwykła...". Wyobraźnia podsuwała Samuelowi obrazy, które olbrzymiały i bolały jak jątrzący wrzód. Przystanął za pobliskimi drzewami, nieświadomy, że pnie młodych brzóz zdradzają jego obecność. Zagryzał kciuki, jakby wierzył, że zablokuje krzyk, który w nim był. Z którym walczył. By nie zawyć. By nie poderwać się do biegu.

Wyrwać ją stamtąd, porwać, zabrać...!

Co jakiś czas w oknach migała jej postać. Była rozbawiona. Wirowała, pląsała, jak w ruchomej szopce pojawiała się i znikała do kolejnego okrążenia. Wciąż ktoś się koło niej kręcił. Widział odrzuconą do tyłu głowę. Odkryte ramiona i unoszącą się przy każdym obrocie zwiewną suknię. Był pewien, że ma przymknięte powieki. Wściekłość przysłaniała mu oczy. Tańczyła. Jej ręce ciasno okalały szyje partnerów. Poznawał ich, a jakże. Nierozłączna od lat paczka kumpli. Podglądaczy. Smarkaczy śliniących się na widok dziewczęcych cycków. Onanistów. Chowających łapy pod sztywną od wytrysków pierzynę. A ona szalała, podawana z rąk do rąk jak pojednawczy opłatek czy relaksująca sziszа. Chociaż od sali dzieliło go kilkadziesiąt metrów, Samuel słyszał jej diaboliczny śmiech, gdy ręce chłopaków opasywały jej kibić, zsuwając się niezdarnie na pośladki. Ogień miłości i pożądania płonął, odbierając zmysły. Czuł, że musi uciekać, zanim uczyni jakieś szaleństwo.

To jednak jeszcze nie był ten czas.

Wsiadł do samochodu i jak wariat, na oślep, skierował się do domu.

Czekał. Aż do dnia, w którym zobaczył ją w Bieżuniu na pogrzebie ojca.

Lili

Na tablicy przybitej pordzewiałymi gwoździami do rozłożystego pnia starego dębu przy kościele wyczytał:

„Śp. Stefan Czarnecki, żył lat pięćdziesiąt dziewięć. Pogrzeb odbędzie się 31 maja w kościele Św. Trójcy, o godzinie..., o czym zawiadamia pogrążona w smutku rodzina".

Serce załomotało. Obraz Lili ożył i rozlokował się w jego głowie. Czuł niepokój, niepohamowany głód. Dreszcz podniecenia przebiegł, budząc uśpione neurony. Czekał.

Coś tam obiło się o jego uszy – ludzie w mieście gadali, że nie wiadomo, czy córka przyjedzie na pogrzeb. Ludzie w mieście pamiętali. Zawsze łatwiej i głębiej w pamięć zapadały złe historie, tragedie rodzinne, kataklizmy życiowe niż wielkie dobra wyrządzone przez kogoś, wspaniałe happy endy. Pamiętali. Nie starą Czarnecką, co to z wnuczką po parku chodziła, wystrojona jak z niemieckiego magazynu „Otto". I nie to, jak po cichu, ukradkiem umarła ze wstydu i sromoty, „bo to widzi, pani kochana, szczęścia to ci ona nie zaznała, stary, pożal się Boże!, niewart funta kłaków i córka diabła warta". Pamiętali aferę. Kto to widział! Tyle wstydu! Dziewucha spod ciemnej gwiazdy! Skąd się to takie wyrodziło? Sama zepsuta do szpiku i jeszcze innym życie zepsuła! I to komu? – samym przyzwoitym chłopakom, co to człowiek na własne oczy widział, że porządne, wychowane i z dobrego domu.

* * *

Samuel nie przestawał wypatrywać Lili. Kilkanaście razy na dzień przejeżdżał obok domu Czarneckich z nadzieją, że zobaczy Lili, dom jednak zdawał się głuchy. Zaciągnięte w oknach zasłony, które od lat nie widziały proszku do prania, przykurzone szyby z zaciekami i zastrupiałymi śladami ptasich kup zaświadczały niewątpliwie o zapuszczeniu i braku kobiecej ręki. Zarośnięty ogródek pod oknami, który za życia Czarneckiej czarował barwami przeróżnych kwiatów: od wysokich malw, poprzez dostojne róże i efemeryczne wiechy żurawki, mało co widocznej wśród zatrzęsienia innych roślin, po małe karłowate aksamitki, dopełniał obrazu nędzy i rozpaczy.

Na pogrzebie było niewielu. Na zewnątrz kilka osób, trzymających w rękach zawinięte w celofan i przewiązane fioletową żałobną wstążeczką wiechcie chryzantem, wyglądało z ciekawością kolejnych żałobników, którymi byli bardziej zainteresowani niż tym, świeć Panie nad jego duszą, nieboszczykiem. Ponoć ostatnimi czasy Czarnecki całkiem na psy zszedł. Widywano go co prawda z jedną czy drugą z dawnych jego kobiet, ale widać miejsca nie zagrzały i jak się która przekonywała, że facet groszem nie śmierdzi, puszczała go kantem. Jedna po drugiej.

W przycmentarnej kaplicy panował półmrok. Stara Kleczkowska odmawiała różaniec. Poza nią było jeszcze parę babek pogrzebowych, które uczestniczyły w ceremoniach bez względu na status społeczny umarlaka. Były kobiety Czarneckiego. Oprócz Elki, w ciemnych okularach, która trzymała chusteczkę przy nosie, pochlipując cicho, jeszcze Ziuta i Kryśka. Wszystkie spoglądały po sobie, nie kryjąc niechęci.

Młody wikary zaintonował: „Przybądźcie z nieba na głos naszych modlitw". Zapach kostnicy mieszał się z wonią kadzideł.

Właśnie Samuel ją dostrzegł.

Kroczyła nieśpiesznie. W sposobie poruszania nie było nic z dostojności żałobniczki, żadnej spuszczonej głowy, przygarbionego karku. Szła, kołysząc biodrami, jakby płynęła. Miała na sobie szary kostium, który tak idealnie przylegał do jej ciała, że miało się wrażenie, że cała postać odlana jest z miękkiej materii. Takiej, którą chce się dotykać, miętosić, żłobić. Która pozostawia w rękach uczucie niedosytu, tęsknoty. Szła, jakby wyłaniając się ze snopa światła, które nachalnie wdzierało się do kaplicy, rozgarniając dotychczasowy półmrok. A obok niej szła dziewczyna. Podobna do Lili, chociaż nie miała w sobie owych pewności i buty, wręcz przeciwnie – wyglądała, jakby wolała pozostać niewidoczna. O pół kroku za matką, której aura sprawiała, że w istocie nikło wszystko poza nią.

Promienie słońca operowały, filtrowane przez wybujałe liście akacji porastającej pobocze drogi ostatniego pożegnania, a Lili wyglądała nieziemsko. Zmieszana ze światłem traciła realność.

Zjawisko.

* * *

Tuż przed bramą zatrzymała się na ułamek sekundy, jakby chciała sprawdzić, czy aby na pewno nie pomyliła ceremonii. Nie zamierzała podchodzić do trumny, dotykać woskowej, zimnej ręki. Może ze strachu przed ożywieniem jej, a może ze wstrętu, jaki naszedł ją wraz z obrazem lepkich dłoni ojca, pełzających po różnych Elkach i Kryśkach, penetrujących najintymniejsze zakamarki ich ciał. Nie zamierzała też zatrzymywać ojca w pamięci. Wystarczały inne wrośnięte w psychikę narośle o różnej genezie, które rozrastały

156

się w niej jak korzenie baobabu, przenoszące pamięć kilku tysięcy lat.

Przystanęła przy drzwiach, wsparła o rzeźbioną dębową framugę, nadgryzioną przez korniki i czas. Na funeralny spektakl patrzyła bez zaciekawienia. Trzymała w dłoniach niewielki bukiet, który oplatała wstążeczka z ostatnim pożegnaniem. Lili nie uczestniczyła w żadnych żałobnych obrzędach od śmierci matki. Wówczas zresztą była tak zdumiona i rozeźlona jej śmiercią, że nie przyszło jej do głowy roztrząsanie teologiczno-egzystencjalnych zawiłości. Pamiętała tylko, że rozpłakała się na tępy odgłos spadających na trumnę zwałów ciężkiego piasku, bo pomyślała, że to ostateczne odcięcie drogi na zewnątrz. Któż by miał tyle siły, by podnieść ciężkie dębowe wieko obciążone setkami kilogramów? Ta niemoc nieżyjącej matki tak ją wtedy rozrzewniła, że Lili spłynęła łzami, jak prawdziwie żałująca straty córka. Na swój sposób kochała matkę, lecz w jej myśleniu nie było towarzyszącego miłości roztkliwienia. Nie było chęci przytulania się, szukania bliskości, nie było tęsknoty. Najczęściej, kiedy matka pojawiała się w jej głowie, Lili była zła, że ta pozwoliła omamić się ojcu. Że pozwoliła sobie na wyzbycie się siebie, że straciła do siebie serce i skończyła jako kura domowa, w monotonnym rytmie wyznaczanym przez niedzielne rosoły i swojskie makarony, poniedziałkowe prania. Czy sobotnie jęki pod naporem jego ciała.

* * *

Ksiądz, ubrany w żałobny ornat, mamrotał coś, coraz to wznosząc ręce do nieba. Przez niewielkie witrażowe okienka wpadało rozszczepione światło, które igrało z pozostającym w rytualnym ruchu trybularzem i innymi znajdującymi się w kaplicy nielicznymi przedmiotami.

Kilka osób odwróciło się, bezpardonowo omiatając ją wzrokiem i nieco dłużej zatrzymując go na Sarze. Zaraz też po tych oględzinach przez pomieszczenie przeszedł pomruk. A potem ubrani w tandetne uniformy, togi z fioletowymi pelerynkami, mężczyźni wytargali trumnę. Sprawnie uformował się kondukt. Właściciel firmy pogrzebowej „Niebo" rozejrzał się w poszukiwaniu najbliższych nieboszczykowi żałobników.

Lili ustawiła się tuż za karawanem. Ona i Sara. Czuła wbite w swoje plecy spojrzenia. Byle jak najszybciej mieć już za sobą ten cyrk! Pożałowała przyjazdu na ten pogrzeb.

W zeszłym tygodniu dotarła do niej swoimi kanałami ciotka Ludka. Trzęsąc się nad komórką, którą sprezentowała jej córka, powiedziała szybko:

– Mariola, twój ojciec zmarł. W piątek pogrzeb. Chyba wypadałoby przyjechać, bo jeszcze się okaże, że nawet pies z kulawą nogą go nie odprowadzi.

Lili nie zamierzała pytać o okoliczności.

– Niech ciocia tak do mnie nie mówi – odpaliła.

Ale ciotka Ludka, która bała się horrendalnych rachunków za komórkę, przerwała.

– Daj spokój, Mariola, nie czas na głupoty! Zbieraj się i przyjeżdżaj! Bo matka się w grobie przewróci! Jaki był, taki był, ale to w końcu twój ojciec!

I zaraz się rozłączyła.

Zdumiona Lili spojrzała na wyświetlacz. Nic jej to nie obeszło.

Tamtej nocy znów jej się śniły wielkie mechate pająki z głowami mężczyzn. Obudziła się, boksując w powietrzu rękami, jakby rozgarniała zawieszone nad nią kotary. Zapaliła światło. Szafa, wiklinowe łóżko, takie, na jakim spała w Toskanii, niewielkie biurko i kojący zmysły obraz Moneta *Maki z Argenteuil*, który nieustannie przywodził na myśl ciepło i zapachy łąk dzieciństwa. Uspokoiła się i zagarnąwszy pod siebie poduszkę zasnęła, próbując wymusić pod powiekami jakiś przyjemny obraz. Może bieżuńskich pól z czasów młodości? Albo toskańskich krajobrazów, które opornie, ale z czasem coraz wyraźniej roiły się w jej głowie, wolne od koszmarnych wspomnień zapachu uryny, trzęsących się i pomarszczonych jak krepina rąk starych Włoszek? Aleksa już nie było. Nie zdziwiła się. Coraz częściej budziła się sama. Postanowiła nie mówić mu o pogrzebie. Da sobie radę. Zadzwoniła do Sary.

– Musisz przyjechać. Zmarł mój ojciec.

Nie miała pojęcia, dlaczego nie powiedziała „twój dziadek". Może to byłoby jej bliższe? Co dla Sary znaczy słowo „ojciec"? Nie nauczyła jej go. Nie było możliwości.

Sara przyjechała nocnym pociągiem.

Porannym autobusem udały się do Bieżunia. Już wówczas Lili zaklinała się w duchu, że kupi samochód. Nie będzie dłużej ociągała się z tym pomysłem. Dosyć! Nie będzie już zdana na łaskę żadnego faceta!

Lili i Samuel

Szedł za nią. Dzieliło ich kilka osób, które znał z widzenia. Jakaś kobieta półszeptem opowiadała najnowsze wieści o Lili: mieszka gdzieś w Polsce, na garnuszku u jakiegoś bogacza, bo ponoć cały majątek odziedziczony po Niemcu, którego owinęła sobie wokół palca, przepuściła. Ale, jak to lafirynda, kolejnego frajera sobie przygruchała, co na nią robić będzie, a bo to cwane, że nie daj Boże! Już od dzieciaka widać było, że z tej mąki chleba nie będzie, więc nic dziwnego, że Czarnecka tak szybko się zawinęła, ze zgryzoty. Żeby na córkę wyrodną nie patrzeć, bo to dla matki największa przykrość, jak się dziecko zbukiem cholernym okazuje. A poza tym, to ten jej mąż, to też diabła wart i w ogóle cała rodzina, pani kochana!, taka pokręcona, że żal.

Samuel obrzucił plotkarę ponurym spojrzeniem, a ta odwzajemniła się pełnym gniewu: „Ty się lepiej nie odzywaj, bo z ciebie też dobre ziółko!". Przeszedł na drugą stronę żałobnego korowodu, usiłując obserwować Lili Czarnecką zza pleców uczestników.

Ksiądz rozpoczął ceremoniał nad grobem i wtedy zerwała się ulewa. Wiatr targał konarami, szarpał namiotem. Co niektórzy chowali się nierozważnie pod drzewa, inni zakrywali głowy torebkami, foliowymi reklamówkami. Kobiety wyciągały składane parasolki z powyłamywanymi lub powykrzywianymi drutami, które ledwie rozłożone od razu poddawały się porywom nieoczekiwanej wichury. Ksiądz przyśpieszył, pomijając antyfonę: „Jam jest zmartwychwstaniem i życiem", szybko rzucił grudkę ziemi, odśpiewał „Witaj królowo", a potem już błogosławił krzyż, kwiaty i znicze, które w takiej ulewie nie dawały się zapalić. Zdążył jeszcze poprosić Boga o dopuszczenie Czarneckiego do wiekuistej światłości, a potem zawinął się i uciekł przez tnące ostro igły deszczu, nieudolnie osłaniany przez ministranta.

* * *

Samuel nabrał powietrza. Wypuścił głośno. I jeszcze raz. I jeszcze. Czuł, jak krew przyśpiesza bieg. Tu i ówdzie wprawione w ruch żyły odezwały się nagłym pulsowaniem.

Na to czekał. Na ten łut szczęścia. Na tę mannę z nieba. Na ten cud przemienienia, kiedy marzenie zmienia się w fakt.

– Może was podwieźć? – zapytał, siląc się na swobodę.

Mężczyzna wyrósł jak spod ziemi. Lili podniosła wzrok.

– Tutaj, zaraz przy bocznym wyjściu, mam samochód! – dodał.

Zanim zdążyła ogarnąć sytuację, ciągnął:

– Nie poznajesz mnie? Chodziliśmy razem do szkoły...

– Z przyjemnością – przerwała.

Nie miało dla niej żadnego znaczenia, czy go zna, czy nie. Nienawidziła moknięcia. Strug deszczu spływających po twarzy, rozmazujących perfekcyjny makijaż, niszczących misternie ułożone włosy. Wdzierających się nieprzyjemnie w ciało przez nasiąkniętą wilgocią odzież. A poza tym chciała już stamtąd pójść. Wystarczy? Spełniła powinność wobec dawcy życia. Pokój jego duszy albo czort z nim!

Nawet nie zdążył się przedstawić. Lili pochwyciła jego łokieć.

– Pośpiesz się! – rzuciła do Sary. – Wyglądasz jak zmokła kura!

Deszcz zdawał się nieco łagodnieć, więc Samuel pomodlił się w duchu, by nie ustał całkowicie. Ukradkiem zerknął na niebo, ale niebo, zasnute ciężkimi stalowymi chmurami, wcale nie zamierzało się uspokajać. I rzeczywiście, wkrótce ulewa przybrała na sile. Ściana wody ledwie umożliwiała poruszanie.

Dotarli do mercedesa. Migoczące pomarańczowe światełko pilota zakomunikowało otwarcie drzwiczek.

Mężczyzna wyprzedził Lili o krok i otworzył je, przytrzymując, bo pod wpływem wichury stawiały opór.

Wsunęła się zwinnie do wnętrza, moszcząc się wygodnie. Pachniało skórą i lasem. Przez chwilę przyszło jej do głowy, że mokre ubranie pozostawi zacieki na tapicerce. Bo Lili była przemoczona do szpiku kości. Czuła chlupotanie wody w butach. Mokre strąki przyklejone do twarzy drażniły ją. Wydymała dolną wargę, chcąc zwiać włosy.

Sara usiadła obok, spokojna i stonowana, jakby ulewa nie stanowiła dla niej jakiegokolwiek problemu. Wyciągnęła z torebki *Spóźnionych kochanków* Whartona i pogrążyła się w lekturze.

* * *

Samuel ujął kierownicę. Poprawił lusterko. Ich spojrzenia zetknęły się i wówczas Lili wydało się, że rozpoznaje – w tym facecie ze staranne wygoloną brodą, o tak przeciętnej urodzie, że mógłby wmieszać się w tłum i żyć nierozpoznany przez nikogo, w facecie nieposiadającym absolutnie żadnej wyróżniającej go cechy, jak jeden z serii tysiąca żołnierzyków odlanych według jednej matrycy – w sekwencjach następujących po sobie z niewielkimi przerwami, jak w animacji poklatkowej, postać niewielkiego pokurcza, czającego się w krzakach na cmentarzu albo wyzierającego sponad zarośli odgradzających jedną miedzę od drugiej. Kiedy ona świadomie, igrając z młodzieńczą chucią, unosiła się na łokciach, chroniąc na niby w dłoniach zawiązki wybujałych piersi, cała chmara gnojków uciekała z szaleńczym piskiem, wieńczącym zwycięstwo, którym było wówczas ujrzenie jej półnagiej. Pamiętała niespokojne kołysanie kępy zboża w bezpiecznej odległości od tamtej zgrai i przycupniętą sylwetkę.

Tak, to był on. Jeden z majaków przeszłości. Na tyle nieznaczący, że hipokamp Lili nawet nie drgnął.

* * *

– Dokąd was zawieźć? – zapytał mężczyzna, włączając silnik.

– Na kawę! Na dobrą gorącą kawę. Potem może być obiad, bo jestem strasznie głodna – rzuciła swobodnym tonem. – Nie zmarzłaś? – zwróciła się do córki, która milczała uparcie. Nieznaczne skinienie głową mogło oznaczać zarówno „tak", jak i „nie".

– Nie ma sprawy!

Jeden Bóg wiedział, że Samuel nie marzył o niczym innym. Teraz miał pewność, że jego czekanie miało sens. Zaciskał dłonie na kierownicy. Trzyma ją w garści i nie popuści! Choćby nie wiadomo co!

Przydusił pedał gazu i z piskiem opon ruszył ulicami miasteczka. Szczęśliwy jak nigdy dotąd.

Lili rozparła się na samochodowej kanapie. Za oknami migały ulice, zmienione przez lata, podporządkowane regułom. Wyrównane. Obrane z bezładu. Rozkwitłe kwiatami posadzonymi w rzędach, według koncepcji rodzącej się gospodarki zarządzania zielenią miejską. Białe obok czerwonych, przeplecione zielenią. Miastowa tandeta i sztampa. Co jakiś czas przystawali na światłach, a Lili uśmiechała się pod nosem. Oto jej miasteczko goniło pomysły wielkich miast! Europeizowało się za sprawą zorganizowanych dróg, wypieszczonych fasad gnuśniejących przez dziesięciolecia kamienic, chodników prostych, równych, licowanych, pozbawionych dziur i wyżłobień, w niczym nieprzypominających betonowych płyt, wyszczerbionych jak nieleczone zęby.

Za rynkiem skręcili w lewo, a potem znajomymi uliczkami pomknęli tam, gdzie kończyła się asfaltowa droga. Nieco na prawo, tuż na skraju rosnącego dziko zagajnika, w niewielkiej odległości od rzeki stała piękna nowoczesna willa, schowana przed wścibskimi oczami.

Samuel zerknął w lusterko. Wydało mu się, że w oczach pasażerki zauważył lekki ślad zdumienia.

Samochodowa szyba osunęła się, a trzymany w wyciągniętej ręce pilot otworzył bramę. Auto powoli wtoczyło się na podjazd wyłożony kostką, imitującą antyczny bruk.

Dom był przestronny i gustownie urządzony. Jednak mimo detali i niemal perfekcyjnego zorganizowania każdej przestrzeni, Lili od razu zorientowała się, że brak mu kobiecej ręki. Ten dom nie miał duszy. Był idealną kopią propozycji, wyzierających z modnych czasopism wnętrzarskich.

– Mieszkasz sam. – Bardziej stwierdziła niż zapytała. – Pięknie.

– Kawa czy herbata? – Skierował pytanie do Sary, która bez wahania poprosiła o herbatę.

Lili nie spuszczała z niego wzroku. Czekała na inne propozycje.

– A może coś do kawy? Whisky, wino, likier?

Uśmiechnęła się kącikami ust, przymrużyła prowokacyjnie oczy.

– Na początek kawa! – odparła. – Mocna – dodała, patrząc przenikliwie.

Sara

Podniosła wzrok znad książki. Chciała, by Lili wreszcie ją dostrzegła. By miała świadomość, że ona, Sara, wie, że jej matka właśnie zastawia sieć i za moment przypuści atak. Wie, że przędzie swą pajęczą nić. Elastyczną, lepką, wytrzymałą. Sieć łowną. Gotową na przyjęcie nieświadomej zagrożenia ofiary. Samuel. Sara była pewna, że stanie się dla matki łatwym kąskiem. Lili niewiele będzie musiała się napracować, by go zwabić.

Wystarczą błyszczące czerwienią usta, przeciągłe spojrzenie.

Sara i Lili

Rzadko przyjeżdżała do Warszawy. Przygotowywała się do matury. Potrzebowała spokoju. A od pewnego czasu wciąż słyszała kłótnie między matką a Aleksem. Kolejny chłopak jej matki. Sara już dawno przestała liczyć tych kochanków. Życie Lili obchodziło ją niewiele. Nauczyły się mijać bezszelestnie, nie ocierając się o siebie, nie babrząc we własnych życiach. Po śmierci babki zostały zdane na siebie, ale ani jedna, ani druga nie kryła, że jest im to najzwyczajniej nie na rękę. Nie po drodze. Argument „krew z krwi, kość z kości" w przypadku Sary i Lili zdawał się nie mieć zastosowania. Prosta koniunkcja: matka i córka, w ich przypadku Lili i Sara, nie niosła konsekwencji.

Kiedy Lili uregulowała sprawy spadkowe po Dieterze, w czym pomógł jej Frank Richte (zachowując dla siebie honorarium, którego zrzekłby się z ochotą, gdyby była bardziej skłonna do wdzięczności), wróciła na stałe do

Polski. Miała teraz dużo. Bardzo dużo. Świadomość posiadania fortuny łechtała ją przyjemnie, jednak Lili nie zamierzała naruszać rezerw. A przynajmniej dopóki jest piękna. Dopóki zabiegają o nią mężczyźni. Może kiedyś. Wielokrotnie w tygodniu wchodziła na stronę banku, powoli wklepywała numer klienta – 342474 – i hasło. A później wpatrywała się w ekran, delikatnie gładząc go dłonią.

Za nic nie chciała wracać do Bieżunia. Szaleństwa i okrucieństwa młodości wciąż powracały, odbijając się nieprzyjemną czkawką. Poza tym, nie bardzo miała dokąd. Do ojca, który pozostawiony przez wszystkie kochanki staczał się po prostej, ledwie utrzymując się na powierzchni? Całe dnie spędzał w tym swoim, pożal się Boże, warsztacie, wyglądającym bardziej na złomowisko, wśród pordzewiałych drzwiczek od starych samochodów z popękanymi oponami, błotników należących do modeli, które już dawno znikły z szos.

Postanowiła zakotwiczyć w Warszawie, wielkiej i anonimowej. Pozwalała sobie na nowe życie. Z początku wspólnie z Sarą zamieszkały w niewielkim mieszkaniu na Grójeckiej, a potem dopomógł los. Pewnego dnia, po iluś tam rodzinnych latach, młoda zdecydowała się na gorzowskie liceum. Ani jedna, ani druga nie cierpiała (chyba?) szczególnie z tego powodu. Sara niewiele potrzebowała od matki. Fatałaszki i książki, które kochała nade wszystko i bez których nie potrafiła się obejść – bez ograniczeń. Miała wszystko, bo Lili nie skąpiła. Pod tym względem Sarze mogło pozazdrościć wiele koleżanek. Natomiast mrzonki o cudownych relacjach matki i córki, rodem z ckliwych melodramatów, zarzuciła już dawno temu. Może nawet wtedy, kiedy po nieszczęsnej zabawie z Ritą wróciła ze szpitala do niemieckiego domu matki. Po raz kolejny zobaczyła wówczas piękną i obcą kobietę, w której zachowaniu nie odnalazła tej bliskości, która pojawiła się znienacka, kiedy Sara rzygała na kosztowny dywan i obity drogą tkaniną fotel. Nauczyła się filtrować życie, przepuszczając tylko to, co niezbędne, by żyć, uczyć się, spotykać ludzi, poznawać. Może i w pewnym sensie kochała matkę, ale nigdy nie myślała kategoriami „kocham", czy „jesteś mi potrzebna". Było, jak było. Nie zamierzała uczyć się nowego, zabiegać o względy Królowej Śniegu. Dorosła i wiedziała, że baśniowy happy end w jej przypadku nie doczeka realizacji.

* * *

Pod koniec trzeciej klasy gimnazjum, w sobotnie popołudnie, w przerwie pomiędzy tuszowaniem rzęs w jednym i drugim oku Lili zapytała córkę:

– Co zamierzasz dalej ze sobą robić? Zaraz koniec szkoły. Myślałaś już o czymś konkretnym?

Była skupiona na makijażu. Precyzyjnymi ruchami pociągała cienką szczoteczką po długich zakręconych rzęsach. Metodycznie, by każdy włos pozostał oddzielony od innych. By rzęsy nie kruszyły się, osadzając czarnym pyłem w kącikach oczu.

Sara zerknęła na matkę. Wzruszyła ramionami. Pytanie ją zaskoczyło. Wówczas nie miała pojęcia o tym, co chce robić. Jej świat był tak niestabilny, że wszystko, co przyszłe, było wielką niewiadomą.

Naraz, wiedziona przekorą, powiedziała:

– Chcę się uczyć w liceum w Gorzowie – oznajmiła.

Nie spuszczała z matki wzroku, szukając w twarzy Lili śladu znaku zapytania, niezrozumienia. Prowokowała. Sama nie bardzo wierzyła w to, co powiedziała, ale kiedy matka przyjęła wiadomość z absolutną obojętnością, Sara zdecydowała. Tak – Gorzów. Tylko Gorzów! Żeby nie wiadomo co! Żeby waliło się i paliło! Żeby grom z jasnego nieba! Nie miała pojęcia, dlaczego tam. Gorzów przyszedł jej do głowy z głupia frant. Równie dobrze mógł być to Strzegom, Olsztyn czy Włocławek, ale nagle okazało się, że z nieodgadnionych powodów padło na Gorzów. Ulokował się na trwale i już nie mogło być inaczej. Zrodzona mimochodem myśl zapuściła korzenie.

Po wielu latach będzie rozpatrywać ów przypadek jako potwierdzenie myśli, że nic nie dzieje się bez przyczyny, ot tak, a wszystko jest zaplanowane z góry. Sara nigdy nie nazywała owej siły sprawczej Bogiem, Fatum, Opatrznością czy Zrządzeniem Losu, bo Sara po prostu nie używała definicji. One wymykały się spod jej kontroli. Pojęcie matki, rodziny, domu – puste nazwy. Sara nie miała prywatnego mikroświata z ustalonymi pozycjami. Wszystko pozostawało ruchome i niewiadome.

I to była stała, którą umiała przyjąć.

* * *

– A gdzie będziesz mieszkać? – zapytała Lili.

Związane z Gorzowem zdziwienie nie pojawiło się ani przez chwilę. Jakby rzucone zdanie nie dotyczyło sprawy ważnej, a było zaledwie bagatelną informacją.

Sara ponownie wzruszyła ramionami. Nie miała pojęcia, ale rozwiązanie spłynęło na nią niemal w tej samej sekundzie. Oczywiste i proste.

– W internacie. Pewnie mają tam jakiś internat czy bursę – odparła rzeczowo.

Na tym zakończyła się rozmowa o przyszłości.

Po egzaminach Sara wysłała podanie, plik wymaganych dokumentów i została przyjęta na Przemysłową.

Z internatem nie było problemu.

Sara

Kiedy we wrześniu zobaczyła gmach szkoły, ucieszyła się – porośnięta bluszczem monumentalna bryła wyglądała majestatycznie. Sara od pierwszego wejrzenia polubiła ten budynek. Taka impresja. Był jak podstawówka w Bieżuniu, do której babcia prowadzała ją niemal przez całą pierwszą klasę. Szły po ulicy, splecione dłońmi, odpierając dzielnie kiepsko maskowane, ironiczne spojrzenia mijanych po drodze kobiet. Za bramą babka wypuszczała ją spod skrzydeł, całując siarczycie oba policzki i kreśląc znak krzyża na jej czole, co to miał ją ustrzec przed złem (jakiekolwiek by ono było), a choćby i przed głupotą ludzką w postaci pytań nauczycielek, kiedy to osobiście matka Sary raczy szkołę nawiedzić.

Budynek liceum był może nieco większy niż ten, który jawił się w jej pamięci, ale zdawał się nieść ten sam spokój i poczucie bezpieczeństwa. Chociaż trudno porównywać Gorzów z taką mieściną jak Bieżuń, gdzie wrony zawracają, a diabeł mówi dobranoc. A z drugiej strony Sarę od początku przytłaczały wielkie miasta, takie jak Warszawa czy niemieckie Kassel, gdzie ludzie mijali się obojętnie, nie znając się choćby z widzenia. Wszechobecny pośpiech i ruch. Anonimowość, nieznajomość miejsc. Wymuszone przestoje ukrytych przed wszystkim godzin, kiedy jest zbyt mało czasu na odpoczynek, refleksję. Na cokolwiek. Idiotyczne wpatrywanie się w światła. Czerwone. Żółte. Zielone. Stała sekwencja, wpisująca się w umysł bez woli.

A tu gorzowskie Zawarcie. Trochę zapomniane przez wielkomiejskość, zionące nudą, niekiedy ciągnące zapachem roszarni, oddalonej dość znacznie od Przemysłowej, choć nie na tyle odległej, by pozwoliła o sobie zapomnieć na amen. I nie powodować odruchów wymiotnych, zupełnie tak jak smród ciągnący od szeregu bieżuńskich zabudowań farm drobiowych czy popegeerowskich obór, skąd dochodził nieustannie, zatykając nos, wtłaczając się w głąb ciała. Nie szło go zutylizować żadną siłą. Zawarcie. Zielone i prowincjonalne. Z upośledzonymi arteriami ulic rozchodzących się przypadkowo. Z małymi pokrzywionymi uliczkami, krótkimi jak nic nieznaczący epizod. Skrytymi alejkami, zapomnianymi ławkami, koślawymi bramami podwórkowymi, trącącymi szczynami bezpańskich i domowych psów, wymiocinami nabzdryngolonych gówniarzy pooblewanymi moczem, wylatującym z ledwie uchylonych rozporków w tanich dżinsach lub odchylonych naprędce szarych nieosobliwych dresów. Zawarcie, tchnące zapachami dalekimi od tych wołających aromatów z wielkich miast Europy i Nowego Świata. Zawarcie. Odległe. Z dala od trakcji tramwajowej. Od wielkomiejskiego huku, pośpiechu. Do którego powróciła po latach, ale już nie jako szukająca miejsca w życiu nastolatka, lecz pani profesor od niemieckiego.

Wokół szkoły rosły wielkie lipy, które latem zakwitały na jasnożółto, pyląc okolicę lekką powłoką i przyoblekając wszystko wokół płaszczem zielonożółtawej mączki, osadzającej się na szybach samochodowych i w deszczowych kałużach. Wraz z kierunkiem wiatru wydzielała intensywną woń, drażniącą nozdrza i powodującą drażliwość skóry. Natomiast we wrześniu te same lipy jawiły się jako piękne drzewa z regularną koroną, zrzucające – sygnalizując koniec lata – coraz to lekko pożółkłe sercowate liście, ścielące się dywanem na wąskich uliczkach alei, po których śpieszyli każdego ranka adepci sławnego miejskiego liceum.

Wielki gmach zbudowany z czerwonej cegły. Z pozornymi ryzalitami, z oknami licowanymi czerwienią. Z czteropołaciowym dachem z naczółkami. Korytarze pomalowane lamperią do dwóch trzecich wysokości. Wąskie schody, na których siłą rzeczy młodzi ludzie ocierają się o siebie, smagając się nawzajem ciekawskimi spojrzeniami. Wyrobione i wyślizgane od dłoni dębowe poręcze, pozbawione przez lata choćby najmniejszych sęków i zadziorów. Wytarte kamienne stopnie. I wieloletnie tableau z uśmiechniętymi twarzami abiturientów, którzy wnukom i prawnukom opowiedzą kiedyś o własnej świetlanej przeszłości. Z czasów prosperity, kiedy to w głowach mieli jeszcze mgławe ideały.

* * *

W internacie zamieszkała z Izą i Darią. Z początku patrzyły na nią niechętnie, bo wydawała im się wyniosła. Co niektórzy spekulowali, dlaczego to z wielkiej stolicy przyjechała do takiej pipidówy jak Gorzów. Banitka? Ćpunka? Szybko jednak zajęli się swoimi sprawami. Zresztą szkoła nie pozwalała na czcze trawienie energii. Trzeba było przeć do przodu.

* * *

Do Warszawy jeździła rzadko i niechętnie. I w ogóle – wszystkie miejsca zasiedlone przez matkę zdawały się być coraz bardziej obce.

Matka systematycznie wysyłała pieniądze, jakby się bała, że opóźnienie będzie skutkować wizytą w domu. Dzięki temu Sara nieustanie miała kasę.

Potrzebowała niewiele.

* * *

Trzy lata minęły wypełnione nauką, sporadycznymi randkami i podróżami Gorzów – Warszawa. Czasem zajeżdżała do Bieżunia, głównie do ciotki Ludki, ale zaraz wracała, zmęczona gderaniem i ciągłymi pretensjami do matki.

Całe dnie spędzała, krążąc po Warszawie. Uwielbiała spacery po uliczkach. I to nie tylko tych znanych, na Starym Mieście, gdzie przystawała co krok obserwując nieustający ruch, przewalające się wielojęzyczne tłumy, rozgadane grupy ludzi sprawiających wrażenie, jakby niczego innego w życiu nie robili, tylko chodzili z głowami zadartymi do góry. Jeżeli miała możliwość, niedzielne przedpołudnia spędzała w Łazienkach. Przychodziła wcześnie, lokując się niedaleko pomnika Chopina. Siadywała z książką na ławce, ale czytała rzadko, zazwyczaj pochłonięta podpatrywaniem przygotowań do koncertu. Rozbijanie jasnego brezentowego dachu nad fortepianem i pianistą na okoliczność deszczu lub palącego słońca, rozprowadzanie kabli do nagłośnień. Rozglądała się po parku, zabawiając się w liczenie gromadzących się słuchaczy. Im bliżej południa, tym więcej osób. Ludzie przysiadali na ławkach, kucali przy stopniach schodków. Nie sposób było zliczyć wszystkich. Sara z wypiekami na twarzy czekała na artystę. Przymykała oczy, wyobrażając sobie, że to ona jest tam, na scenie i w tym magicznym parku, niosącym zapach róż. Że siedzi przy fortepianie i gra. A wszyscy patrzą na nią w zadumie i zachwycie, w głębi serca podziwiając jej kunszt. Gdzieś, na którejś ławce, siedzi jej matka z aktualnym chłopakiem i ściskając jego dłoń mówi z dumą: „To moja córka Sara. Prawda, że pięknie gra?".

W rzeczywistości Sara nigdy w życiu nie miała w ręku żadnego instrumentu, nie licząc fletu, którego nie znosiła od początku szkoły, bo piszczał i fałszował. A nade wszystko brzydziła się brać do ust drewniany, mokry i miękki ustnik, który przy próbie zadęcia albo pluł śliną, albo się zatykał.

* * *

W trzeciej klasie przyjechała do domu na Boże Narodzenie. Już na Dworcu Centralnym z daleka zobaczyła matkę. Wśród tłumu śpieszących się lub czekających z wyrazem wielkiej koncentracji w oczach zobaczyła właśnie ją. Wytworną i piękną. Królową Śniegu. W pięknym futrze. Emanującą chłodem. Wyniosłą i niedostępną. Wydawało się, że wszyscy oczekujący skupieni byli blisko, ocierając się w trakcie owego nieustającego ruchu, a ona wytworzyła wokół siebie nietykalną przestrzeń. Kiedy Sara wysiadła z pociągu, to nie matka ruszyła z miejsca, by ją powitać, ale ona, ciągnąc zdezelowaną walizkę, podążyła w stronę Lili. Z daleka podziwiała kamienne piękno, na próżno doszukując się choćby śladu uśmiechu.

– Mam dla ciebie niespodziankę – powiedziała matka na powitanie. – Zmieniłyśmy lokum – oświadczyła, nie czekając na dopytanie.

– My? – W głosie Sary dało się wyczuć ironię. – A co z moimi rzeczami?

Lili spojrzała na córkę, udając, że nie dostrzegła sarkazmu.

– Wszystko zabrałam. Aleks przygotował pokój specjalnie dla ciebie. Powinien ci się spodobać.

W tej samej chwili twarz matki rozbłysła. Naprzeciwko szedł mężczyzna, mniej więcej w wieku Lili. Na pierwszy rzut oka było widać, że nieźle sytuowany. Szedł po prostej, centralnie zapatrzony w matkę. Iskry wzniecone podczas zetknięcia się ich spojrzeń kłuły i raziły, niczym ostre przecinki lodowatego deszczu.

Sara stała tuż obok obojga, splecionych w pocałunku. Dyszących i obrzydliwych w przepełnionym perwersją akcie powitania. Zlizując smak ust mężczyzny Lili dokonała prezentacji.

– Sara, Aleks. Aleks, Sara.

I tyle. Dopełnił się ceremoniał.

Mężczyzna zdawał się być zupełnie niezainteresowany osobą Sary. Objął matkę ramieniem, zagarniając ją do siebie. Była od niego dużo niższa. Rozprawiała o czymś żywo. Zawsze, ilekroć pojawiał się w jej życiu nowy facet, ożywiała się i młodniała. Sara nie cierpiała szczególnie z tego powodu, ani nawet dlatego, że nie jedzie na Grójecką, na której – jakby nie patrzył – był jej dom. Jednak fakt, że matka nie powiedziała wcześniej na ten temat ani słowa, budził w niej cholerny gniew. Po raz kolejny w życiu została potraktowana jak mebel, który przeprowadza się i stawia w określonym miejscu. Nie pozostawiając mu prawa wyboru.

* * *

Weszła do przygotowanego przez Aleksa pokoju. Gustowny. Może nawet mogłabym go polubić?, pomyślała. Sary nie opuszczała jednak myśl, że jest tutaj obca. Choć dom był na tyle duży, że miała możliwość zniknięcia na wiele godzin – czy nawet dni – niezauważona przez nikogo.

Z czasem relacje jej i Aleksa ustaliły się. Nauczyli się ze sobą rozmawiać. Niekiedy wydawało się, że Aleks więcej rozmawia z Sarą niż z jej matką.

Tak czy siak, do Gorzowa wracała z ulgą. Tak jak wraca się do prawdziwego domu. Kiedy człowiek rzuca się bezwładnie na łóżko i mówi się do siebie: „Jestem". Chociaż Sara nie pamiętała (a może i wcale tak nie było), żeby któryś z jej domów miał swoje zapachy i smaki. Chyba że za czasów babki, a i to tylko wtedy, kiedy babka bywała uśmiechnięta, wolna od pamięci o zdradach męża i żalu za utraconą młodością.

* * *

Wakacje po maturze były jak katorga. Najpierw ta Warszawa, która ją męczyła niezmiennie, później ów niewydarzony Toruń. Odwykła od wielkomiejskiego huku, pośpiechu wymuszonego przez rytm miasta. Kilka razy zdarzyło jej się wpaść do Poznania, kilka razy wyjechała do Bieżunia do ciotki Ludki. Po śmierci ojca Lili relacje nieco się zacieśniły, bo Sara obiecała ciotecznej babce, że będzie się pokazywać od czasu do czasu i dawać o sobie znać. Ludka, która wciąż mieszkała na obrzeżach miasta i czuła się straszliwie samotna, bo mąż zmarł, a dzieciaki po świecie, była strasznie trudna do życia, a ponadto nie przestawała nastawać na siostrzenicę. Ale Sara jeździła do niej, głównie starając się odtworzyć dzieciństwo. Przychodziło jej to z trudem i po dwóch, góra trzech dniach wracała do Warszawy.

* * *

Już wtedy między matką a Aleksem zaczęło się coś psuć. Sara widziała, że Lili chodzi coraz bardziej niespokojna. Nie znajdowała już owego zachwytu i błysku w oczach mężczyzny. Znudził się jej. Bywała rozdrażniona i kapryśna, zatem Sara usuwała się z pola rażenia. Coraz częściej, kiedy znajdował się w jego zasięgu Aleks, wybuchały walki. Wytaczano coraz cięższe działa.

Sara zamykała się w pokoju, chowała głowę pod poduszkę i błagała Boga, by spuścił na nią sen, bo z czasem polubiła Aleksa. Dziwiła się szczerze, co taki facet jak on, robi przy takiej kobiecie, jak jej matka. Wyrachowanej, zimnej, bezkompromisowej. Był bogaty i przystojny. Znosił fanaberie bez sprzeciwu. Niekiedy Sara myślała, że gość ma cierpliwość rosnących drzew. Nigdy nie ingerowała w ich życie, choć nieraz chciało jej się krzyczeć. „Zostaw ją! Zanim cię oplecie i wchłonie. Zanim wsączy w ciebie jad", powtarzała w myślach. „Uciekaj! Uciekaj! Ona poza sobą nigdy nie kochała nikogo! Nikt nie zasługuje na jej miłość! Nikt! Uciekaj, Aleks! Zanim wsączy jad, umartwi twoje wnętrze, a potem wessie cię na raz, pozbawi resztki życia, wypluje i uda się na kolejny żer. Uciekaj, Aleks! Bo moja matka to pajęczyca, przyczajona, szukająca ofiary. Czeka na seksownego samca. Z mieszkaniem i kontem. A gdy go dostrzega, a on okazuje się interesujący, skrada się, śledzi, produkuje feromony – lepkie i uwodzące jak Chanel nr 5 – naśladujące inne samice. Z wybiegów, tabloidów, z «Playboyów». Zaczyna wówczas prząść swoją nić, huśta nią, kręci biodrami, potrząsa bujnymi włosami, aż ofiara przylepi się, wpadając w zasadzkę. Ona zatapia w nim swoje szczękoczułki pomalowane czerwoną szminką, oplata odnóżami w drogich szpilkach. I niszczy. Do ostatniej kropli krwi. Do ostatniej złotówki. Uciekaj, Aleks!".

Kiedy kłótnie pomiędzy matką a nim przybierały na sile, Sara podejrzewała siebie o szarlatańskie sprawstwo, które myśli zamienia w czyny.

– To już koniec! – Coraz częściej wykrzykiwał Aleks. – Najwyższy czas się rozstać! Nie zniosę dłużej twojej ignorancji!

I podejmował mozolną próbę wyswobodzenia się z zastawionych sideł.

A ona składała ręce jak do modlitwy, jak na zdjęciu od Pierwszej Komunii, i dziękowała Bogu, że jej wysłuchał, choć rzadki miała z Nim kontakt. Tyle o ile. Jakiś pogrzeb albo przypadkowe spotkanie na okoliczność poznawania zabytków, które matka wbijała jej do głowy i uwieczniała na niezliczonej ilości zdjęć.

Lili natomiast, gdy tylko mijała jej wściekłość, szykowała się na kolejne poszukiwania, niczym pajęczyca do kolejnej wylinki, po której zawsze piękniejsze. Ożywały kolory, wyostrzały się kształty. Roztaczała wokół wabiący samca zapach.

Samuel

W domu unosił się aromat dobrej kawy.

Po chwili Samuel, sunąc powoli krok za krokiem, przyniósł ostrożnie na tacy filiżanki, wpatrzony w podzwaniające cicho łyżeczki.

– Nic się nie zmieniasz. Odkąd pamiętam, wyglądasz tak samo... Tak samo pięknie.

Śmiesznie zabrzmiało to w ustach faceta, który nie miał żadnego doświadczenia z kobietami, poza nieliczącym się incydentem w Niemczech. Za sprawą Edyty, pracującej na czarno Polki, którą poznał w jednym z podrzędnych barów i która już na pierwszym spotkaniu zaciągnęła go do łóżka. Od samego progu wiedziała, co ma robić – zsunęła mu spodnie, bełkocząc coś, wzięła w usta jego członek i wypychając policzki jak chomik, wywołała erekcję. Umęczony i obolały agresywnymi pieszczotami Samuel zasnął. Gdy obudził się następnego ranka, znalazł spodnie z powywalanymi na zewnątrz kieszeniami. Otrzeźwiał. Wstał i zajrzał pod łóżko, pod którym w walizce, dosuniętej pod samą ścianę, zamkniętej na szyfr, trzymał zarobioną na saksach kasę. Odetchnął z ulgą. Pal sześć! Poszedł dzienny zarobek? A niech tam! Tyle samo zapłaciłby za dziwkę, gdyby miał śmiałość wybrać się do nocnego klubu. A niech tam! Tak czy siak, czuł pewną ulgę w lędźwiach i coś na kształt rozkoszy na wspomnienie nocy. Nie będzie się wypierał dziewczyny, jeśli ją jeszcze spotka. I nie będzie się przed nią bronił. Tylko musi baczniej pilnować kasy. Tylko to.

Ale teraz to nie była Edyta. To było ona. Czekał na nią tyle lat. Tyle długich lat. I los tak pokierował jego życiem, że właśnie teraz, kiedy jest obrzydliwie bogaty, kiedy ma furę i dom, kiedy nie jest już zasmarkanym karakanem, podglądaczem, piątym kołem u wozu, kiedy nikt nie parska mu śmiechem w twarz, nie drwi szyderczo – przez wzgląd na jego pieniądze, jego status – teraz, kiedy… gdyby tylko zechciał, mógłby zostać burmistrzem tej zapyziałej miejscowości.

Teraz się doczekał.

Lili

Pochyliła się nad parującą kawą. Złożyła usta w ciup i delikatnie wzięła łyk. Czerwony półksiężyc pozostał na filiżance. Otarła palcem rant. Czuła na sobie lustrujące spojrzenia, jego i córki, mimo że Sara zdawała się nie odrywać wzroku od książki, pochłonięta losami nieszczęsnej Mirabelle i jej kochanka Jacques'a.

Gospodarz włączył telewizor. Kolorowe obrazy przesuwały się po ekranie z towarzyszeniem dźwięków. Sara podniosła wreszcie głowę. Bynajmniej z zainteresowaniem, ale dlatego że telewizja najzwyczajniej w świecie dekoncentrowała ją, przerywała wątek.

– To może ja wyłączę... – zaproponował skwapliwie Samuel, dostrzegłszy niezadowolenie, ale dziewczyna zaoponowała. Powróciła do lektury. Lili tylko wzruszyła ramionami. Zapytała go, czym się zajmuje, potem o rodziców, zgrabnie omijając przeszłość. Zresztą nastawiła się bardziej na słuchanie niż mówienie. Była jednak swobodna i kontrolowała sytuację. Wyczuwała narastające wibracje. Z rozmysłem układała splecione dłonie na zgrabnych kolanach, spoglądała przeciągle spod nieco spuszczonych rzęs, odrzucała do tyłu włosy. Doskonale odgrywała rolę słuchaczki doskonałej. Gdy dostrzegła, że on ukradkiem spogląda na zegarek, zapytała:

– Pewnie już późno? Musimy zdążyć na autobus. A potem na pociąg! A już jutro Sara musi jechać do Gorzowa. Przed nami szmat drogi. Chyba mnie diabeł podkusił... – zaśmiała się, szukając w torebce telefonu.

Samuel obserwował ruchy. Słuchał, jak dźwięczą przewalane pomadki, lusterka, pudry.

– Sara! – krzyknęła teatralnie Lili do córki. – Ty wiesz, która jest godzina? Dlaczego nic nie mówisz? Zaraz się okaże, że będę kwitła na jakimś przystanku albo.... – Udała zagubioną.

Sara wzruszyła ramionami. Ganc pomada. Już dawno przejrzała matczyne sztuczki.

Lili wstała i zmysłowo obciągnęła spódnicę.

– Czy możesz nas odwieźć na przystanek? Czy w tej pipidówie cokolwiek kursuje? Sara, wstawaj.

Samuel rozłożył ramiona. „Sorry, ale nie mam pojęcia. Ja jeżdżę mercedesem".

Sara niechętnie zamknęła książkę, wkładając między kartki ręcznie zrobioną zakładkę. Pozaginane rogi kolorowych wycinanek wystawały z pliku kartek. Nie śpieszyła się. Była pewna, że matka zarzuci sieć skutecznie. Tej nocy.

– Dziś już chyba nic nie jedzie w kierunku Warszawy. Tu wciąż jeszcze koniec świata, wrony zawracają. Nie chcę się, oczywiście, narzucać, ale... – Samuel okrągłym gestem objął przestrzeń. Przestrzeń do zajęcia od zaraz. – Możecie u mnie przenocować. – Skłonił się teatralnie. – Do usług!

Sara dojrzała ten błysk! *Victory dance*! Widziała już Samuela uwięzionego w pajęczym oprzędzie. Bez woli. Bez siły. We władaniu jej matki.

– Nie, nie – krygowała się Lili. – Może jest tutaj jakiś hotel?

– Niestety. To znaczy owszem, podrzędny, ale to nie miejsce dla takich kobiet jak wy. Ale naprawdę nie ma sprawy. Dom jest duży. Pomieścimy się z zapasem.

Sara przysiadła z powrotem na wygodnej kanapie. Naprawdę ją znam, pomyślała.

* * *

– Jestem! – wyszeptała, wślizgując się pod szeleszczącą kołdrę.

– Jesteś – odpowiedział, z trudem hamując paroksyzm tłumionego przez lata pożądania.

Sara

Leżała z głową wciśniętą w poduszkę, starając się zagłuszyć dolatujące zza drzwi dźwięki. Pokój, w którym spała, pachniał nowością. Odkąd pamiętała, chciała mieć taki. W którym wszystko byłoby nowe i tylko dla niej. A tymczasem jej pokoje wciąż się zmieniały i wciąż pachniały przeszłością, kryjącą obce historie. Bywało, że niemal udawało się jej zadomowić, ale zaraz trzeba było pakować manatki. Nic dziwnego, że kiedy nadarzyła się sposobność posiadania własnego kąta, Sara nie wahała się ani chwili. Potrzebowała domu. Gdzieś w zakamarkach umysłu przetrzymywała pamięć o wielkim domu Dietera; była bliska, bardzo bliska polubienia tego Niemca, może nawet nazwania go ojcem, on jednak umarł. Tak po prostu. A wspomnienia stały się odległe. Jawiły się jako strzępki, co do których Sara nie miała pewności, czy są prawdziwe, czy wyobraźnia płata jej figle. Tamten dom i Rita, i bajeczne huśtawki unoszące ją wprost do nieba. Wspomnienie delikatnego dotyku matki, w połowie Królowej Śniegu, w połowie – cudownej wróżki. Wszystko to graniczyło z wyssaną z palca fantazją.

Ewa

Stała przy lustrze. Jej twarz oświetlała nisko zawieszona lampka. Przyciskała palcami wskazującymi kości policzkowe, naciągając skórę do tego stopnia, że oczy robiły się karykaturalne, jak u gejszy. Brakowało tylko trzystrunowego *shamisen* i dziwacznej *wareshinobu*, z mnóstwem szpilek i grzebieni. Wydęła pogardliwie usta – nadmiar skóry przyprawiał ją o rozpacz. Zmarszczki! Dopiero po spotkaniu z Lili dramatycznie uświadomiła sobie starość. Wierzchem dłoni przejechała po szyi, dostrzegając skrzyżowane linie na dekolcie. Ciało wydawało się wysuszone, pozbawione koloru. Zaschnięte. Pozbawione życiodajnych soków. Wycisnęła z tubki strużkę balsamu i leniwymi, pozbawionymi wiary w cud ruchami rozprowadziła maź po ciele. Tak, oto rytuały, którym poddają się kobiety w walce o wieczną młodość!

Balsam wchłaniał się, pozostawiając na powierzchni lepką powłokę. Ewa przyglądała się sobie uważnie. Na piersiach wciąż widniały blizny po rozstępach, choć synowie byli już dorośli. Przypomniała sobie wielkie zdumienie, kiedy okazało się, że ciąża jest bliźniacza; nic jej wówczas tak nie przerażało, jak próba wyobrażenia sobie niemowląt przy piersi. Nieustannie widziała siebie z ssącymi jednocześnie dziećmi pod pachami. Na samą myśl odczuwała ból, a z pobrązowiałych brodawek wyciekał przezroczysty płyn. Potem piersi przybierały, skóra robiła się napięta i błyszcząca, a gdzieniegdzie pękała, pozostawiając sinofioletowe nitki. Takie same pojawiły się na pośladkach, na brzuchu i kilka na udach. Mimo wszystko Ewa szybko oswoiła się z myślą o bliźniętach, zwłaszcza że Adam szalał z radości. Nawet perspektywa totalnego wywrócenia świata do góry nogami, czym straszono go, ilekroć była mowa o dzieciach, nie była w stanie zburzyć tej ogromnej radości. Od chwili, gdy dowiedział się, że Ewa jest w ciąży, miał tylko jedno pragnienie: wyjechać z Bieżunia na zawsze. Odciąć się od przeszłości. Zabrać żonę i dzieci, i zapaść się pod ziemię.

Ewa i Adam

Poznali się na studiach. Ona była na pierwszym roku architektury, a on na trzecim elektroniki. Mieszkali w zielonogórskim akademiku na Piastowskiej. Mijali się wielokrotnie na korytarzu lub w windzie, ale żadne z nich się nie odzywało. Ewę zajmowało studiowanie i zależało jej na dyplomie. Chciała się wykazać. Marzyła o wielkiej karierze. Nie dostała się na architekturę w Warszawie, bo zabrakło jej zaledwie kilku punktów, ale na Zieloną Górę wystarczyło. Pojechała z postanowieniem przeniesienia lub ponownego startowania w stolicy.

– Wyluzuj trochę, bo się spalisz – radziła jej Basia, z którą dzieliła pokój.

Baśka. Rozrywkowa studentka filologii rosyjskiej. Śmiała się, że należy do wymarłego gatunku, któremu nie zohydzono *ruskogo jazyka* śpiewaniem rosyjskich ballad. Bo Baśka śpiewać lubiła. Język jej się podobał, i ona językowi, więc została laureatką olimpiady, co zapewniło jej wstęp bez egzaminów na studia.

– A co ja się będę szczypać! – mawiała, gdy wszyscy załamywali ręce, bo co ona po takiej filologii rosyjskiej będzie robić, kiedy ruski wycofano ze szkół i wszyscy rzucili się na Zachód. – Skończę studia, a potem wyjadę do Moskwy i zostanę tłumaczką rosyjskich oligarchów.

Niewiele się pomyliła, bo w rzeczy samej zaraz po studiach została tłumaczem symultanicznym. Najpierw na konferencjach prasowych koncernu gazowego, potem podczas negocjacji. Jeździła po całym świecie. Na koniec wyszła za mąż za bogatego Ruskiego, Konstantina Siergiejewicza Antonowa, z którym wyjechała do Portugalii, skąd Ewa co roku na wszystkie święta otrzymywała kartki podpisane „Basza i Kostia". Z bajecznymi widokami na zachody słońca albo szafirowe tafle oceanu. Z piaszczystymi plażami, skalistymi klifami i malowniczymi wioskami, ukrytymi na porośniętych lasami zboczach. Wpatrywała się w nie długo, a potem szybko, jakby bojąc się zrodzonych pragnień o fantastycznych miejscach, romantycznych wieczorach i gorącym seksie na plaży, wsuwała kartki w książki. Lubiła ot tak, przypadkiem, natrafiać później na te tandetne obrazki, wyidealizowane, obrobione przez wprawnego grafika.

Kilka razy Antonowowie zapraszali ich do siebie, ale Ewa, po pierwsze, nie miała śmiałości pakować się do bądź co bądź obcych ludzi. Po drugie, jak diabeł święconej wody bała się latać samolotem i na samą myśl robiło jej się niedobrze.

Dobrze pamiętała tamten piątek, kiedy wróciła ze szkoły. Jak nigdy wcześniej, nie było obiadu, a mama siedziała przy stole w podomce i z ukrytą w dłoniach twarzą głośno płakała. Ewa wystraszyła się, że coś się stało ojcu, ale po chwili dostrzegła zdjęcie Jantarki na obwolucie płyty, której matka słuchała niemal dzień w dzień, przewiązane czarną pogrzebową wstążeczką.

– Straszna tragedia! Cholerne samoloty! Tyle ludzi! I na domiar złego Ania... – Przy imieniu piosenkarki matka rozpłakała się od nowa i wytarła mokry nos w pikowaną podomkę.

Znała na pamięć wszystkie piosenki i w zależności od nastroju nuciła albo *Tyle słońca w całym mieście*, albo *Nic nie może wiecznie trwać*. I chociaż Ewa nie podzielała tej fascynacji, zatrzymała się na chwilę przed telewizorem, w którym podawano rozmiary katastrofy. W tamtej chwili wyhodowała w sobie lęk przed lataniem, który mimowolnie pielęgnowała przez lata. Ilekroć temat wypływał w rozmowie, wzdrygała się i obiecywała sobie, że do samolotu to ona nigdy, przenigdy. Zwłaszcza że Adam nie chciał słyszeć o siedzeniu na karku obcym ludziom, nie przestając obiecywać żonie prawdziwej egzotycznej wycieczki.

Nigdy jakoś nie przepadał za Baśką. Miała w sobie coś z frywolności i swobody Lili.

* * *

Tamtego dnia, w czasie juwenaliów, całe szóste piętro zmówiło się na imprezę. Wymieszana ekipa zielonogórskich uczelni. Baśka śmiała się, że to wyjątkowy miszmasz intelektualno-estetyczny. Chłopaki na wszelki wypadek myknęli do dozorcy, żeby przymknął oko na ekscesy; facet był do życia, więc sprawa imprezy stanęła na jednej zaledwie flaszce krakusa i rakiecie carmenów. Łącznik na szóstym piętrze przystrojono zwisającymi paskami krepiny, pod sufitem „specjaliści elektrycy" podwiesili zmontowane własnoręcznie dyskotekowe kule, które przy równie eksperymentalnych światłach błyskały tysiącem kolorowych żarówek. Z głośników, poustawianych w kilku miejscach, dochodziła głośna muzyka.

Baśka wyciągnęła Ewę znad *Historii architektury dla wszystkich*, nad którą za diabła żywego i tak nie mogła się skupić. Na tych wszystkich maswerkach, pastoforiach i wimpergach. Co chwila klęła w żywy kamień i przyrzekała sobie solennie, że rzuci w cholerę te studia.

Było trochę osób. Część kłębiła się w kółku, podrygując, kilka sczepionych par bardziej kołysało się, niż poddawało rytmowi. Ostre światło zakłócało obraz.

– Chodź zatańczyć – usłyszała Ewa nad uchem, ledwie weszły.

Nawet nie zdążyła zorientować się, kto mówi, a już poczuła stanowczą dłoń obejmującą ją wpół. Baśka

197

szybko uległa nastrojowi i wprawiła ciało w ruch. Uniosła znacząco kciuk, jakby chciała dać do zrozumienia, że Ewę wyrwał całkiem niezły chłopak. Sama omiatała salę wzrokiem, próbując wśród feerii świateł wyłowić kogoś równie interesującego jak Adam Niebieszczański.

On prowadził. Ewa dość szybko zgrała się z jego krokami. Tańczył dobrze. Jego uda ocierały się o nią, przy obrotach jego noga wchodziła zdecydowanie między jej nogi, a silne ręce przechylały ją nieznacznie. Wtedy tuż nad sobą Ewa miała jego twarz. Przez chwilę trwało milczenie, ale kiedy muzyka zelżała nieco, chłopak powiedział:

– Mieszkasz tutaj, na pierwszym. Często cię widuję. Jesteś na pierwszym roku?

Przytaknęła ledwie słyszalnie. Starała się nie zgubić kroku.

– Jakoś się nazywasz? – zapytał i zanim zdołała odpowiedzieć, dodał: – Ja jestem Adam. Niebieszczański.

Czuła jego ręce ciasno opasujące jej kibić. Słuchała, jak nucił razem z Różami Europy: „...Lubię, kiedy miękko ląduje. Ona zmysłowo na mojej twarzy. Tak, tylko ona, jak jedwab...". Odsunęła się delikatnie, bo wydało się jej, że piersi, które nagle okazały się zbyt duże, przylegają do jego torsu.

– Ewa – odparła po chwili.

– No nie! Nie rób sobie jaj! – roześmiał się. – Adam i Ewa! To banalne.

Zakołysał nią, przechyliwszy tym razem tak mocno, że znalazła się tuż nad ziemią. Nie bała się. Czuła się pewnie. Przez moment widziała jego twarz. Cały czas się uśmiechał.

– Może i banalne, ale jestem Ewa. I brak mi fantazji, by wymyślić dla siebie coś innego.

– Ewa, Ewa... – powtórzył poważnie, jakby chciał się nauczyć. – Niech będzie.

Tamtej nocy nie rozstawali się nawet na moment. Kiedy daleko po północy zaproponował, by pospacerowali, nie protestowała.

Wyszli z akademika. Noc była chłodna, więc Ewa pozwoliła, by objął ją ramieniem. Tamtej nocy pozwoliłaby mu na wiele. Na wszystko. Była zakochana po uszy. Ale on po długim spacerze odprowadził ją do pokoju. Nie zapytał, jak w amerykańskich filmach, czy może wejść, ona nie zaproponowała herbaty ani drinka.

Następnego dnia czekał pod akademikiem.

– Jeszcze chwila, a poszedłbym. Sterczę już pół godziny – oznajmił i chwycił jej dłoń.

Przez chwilę zawahała się, czy aby nie zapomniała, że się umówili, ale dłoni nie wycofała.

– To my się umawialiśmy? – zapytała kokieteryjnie.

Poczuła, że silniej ściska jej palce. Było jej dobrzc.

– Nie – powiedział. – Czekałem na ciebie. Takie jak ty nie pozwalają sobie na spóźnianie się na zajęcia, więc wiedziałem, że w końcu wyjdziesz, ale dzisiaj czas dłużył mi się wyjątkowo. Nie mam cierpliwości, więc żeby mi to było ostatni raz – zażartował.

Ewa uśmiechnęła się. A gdy stanęli przed uczelnią, wiedziała już, że ze sobą będą.

Z okien sali wykładowej na drugim piętrze roztaczał się widok na uczelniany plac, na którym maj rozszalał się na dobre. Kasztanowce porastające czworokątny plac wyglądały jak przystrojone na biało panny. Szerokie cylindryczne korony urzekały mrowiem kwiatów, zebranych w dumnie sterczące wiechy. Profesor Dargobądź przedstawiał schemat zaawansowanych systemów instalacyjnych, uwarunkowań i współzależnych technologii, ale ona go nie słyszała. Wciąż czuła dotyk. Oglądała dłonie, jakby spodziewając się, że znajdzie na nich jakiś ślad. Wszystko, co się zdarzyło w ciągu ostatniej doby, wydawało się jej nieprawdopodobne.

A potem wszystko potoczyło się szybko. Niczego nie planowała, nad niczym nie sprawowała kontroli. Będzie, co będzie.

* * *

Kiedy okazało się, że jest w ciąży, nie dramatyzowała. Rodzice przyjęli oświadczyny Adama. Sprawił się, jakby w życiu niczego innego nie robił, tylko się oświadczał. Był pierścionek – z ruskiego złota, z wielkim rubinem (który po latach okazał się wielką cyrkonią, a nie „barwnym

200

ekstraktem z krwi matki Ziemi", jak go określano) – były kwiaty dla mamy i była peweksowska brandy Capa Negra dla ojca. Był ślub w Sierpcu. Ze strony Adama przybyła garstka gości, o którą zresztą Ewa stoczyła wielką batalię. Adam upierał się przy cichej uroczystości.

* * *

W jakiś czas po ślubie Ewa chciała pojechać do rodzinnej miejscowości męża.

– Zobaczyć, gdzie mieszkałeś – powiedziała.

Leżeli w pokoju w akademiku, który dostali po wielu staraniach. Była niedziela. Lubili ten leniwy czas, kiedy to niczym niegnani mogli bezkarnie wylegiwać się na starej, zakupionej okazyjnie kanapie, a potem pół dnia snuć się w piżamach, dopóki nuda nie wygoniła ich na spacer lub do kina.

Oczy Adama błysnęły nieprzyjemnie. Zmarszczył czoło. Zrzucił jej ramię.

– Tam nie ma nic do oglądania. Dziura zabita dechami. Psy dupami szczekają.

– Ale przecież masz tam przyjaciół – upierała się. – Mógłbyś mnie przedstawić.

– Ja tam nie mam nikogo – zaoponował. – A ty co? Mało ci przyjaciół stąd? O co ci chodzi? – zapytał zaczepnie.

Rosła w nim agresja.

Nie rozumiała tego rozdrażnienia.

– O nic – starała się załagodzić. – Ja tylko tak... Nigdy nie byłam w Bieżuniu. A może masz tam drugą żonę? – roześmiała się, próbując rozładować napięcie. Wyczuwała niepokój, ale nie chciała drążyć tematu. Mimo wszystko słowa Adama wytrąciły ją z równowagi.

– Nie pojedziemy do Bieżunia, rozumiesz? Ani teraz, ani za miesiąc, ani nigdy! Nigdy! I nie pytaj już więcej dlaczego! Nie i koniec!

Zanim zdążyła zareagować, wyskoczył z łóżka. A potem, jak w filmie, usłyszała trzaśnięcie drzwi i szum windy.

Tamtego dnia wrócił późnym wieczorem. Nie pytała. Czekała, aż opowie sam.

Nie opowiedział.

* * *

Kilka miesięcy po ich ślubie ojciec Adama został przygnieciony wielką betonową płytą. Była to ogromna tragedia; o zdarzeniu rozpisywały się krajowe media. Puściły wiązania i źle zabezpieczony blok spadł wprost na starego Niebieszczańskiego. Na miejsce wezwano pogotowie, zastępy straży pożarnej, aby z pomocą specjalistycznego sprzętu podnieść płytę i wyciągnąć mężczyznę. Ojca Adama przewieziono natychmiast do szpitala w Warszawie, ale na oddziale okazało się, że doszło do przerwania unaczynienia części obwodowej kończyn, na skutek zniszczenia pęczka naczyniowo-nerwowego. I trzeba dokonać amputacji.

Młodzi pojawili się w Bieżuniu na Boże Narodzenie. Ewa nie chciała zostać z bliźniakami sama, a ponadto teść bardzo chciał zobaczyć wnuki. Przez cały świąteczny czas Adam nie wychodził z domu, tłumacząc, że chce jak najwięcej czasu spędzić z ojcem. Gdy ona zaproponowała, by pomógł jej przygotować wózek do spaceru, szybko odwiódł ją od tego planu. Bo jest zbyt zimno. Bo to poroniony pomysł. Bo tutaj nie ma gdzie spacerować. A potem, wymówiwszy się obowiązkami, zostawił ją samej sobie.

Wieczorem Ewa długo rozmawiała z Niebieszczańską. Kiedy uśpiła dzieci, teściowa skinęła na nią ręką.

– Chodź, Ewuś, napijemy się herbatki. Pogadamy. W dzień nie mam czasu, wciąż jest coś do roboty. Tadeusz... – zamilkła, bo Adam właśnie wwiózł ojca do kuchni.

– A co wy tu tak siedzicie? – zapytał, obrzucając matkę podejrzliwym spojrzeniem. – Może wszyscy pójdziemy do dużego pokoju? Ojciec chce obejrzeć telewizję.

Ewa poderwała się, ale teściowa lekko przytrzymała ją za ramię.

– A to idźcie sobie – powiedziała. – A my tu z Ewusią coś przygotujemy do zjedzenia. Zaraz Piotrek z Wandzią przyjdą i ciotka Hela się zapowiedziała.

Adam zmarszczył brwi. Nie podobało mu się, że matka chce zostać z Ewą sam na sam.

Od wyjścia ze szpitala ojciec mało co się odzywał. A jeśli już, był zły o byle co, przeklinał, że lepiej by było, gdyby zginął pod tym betonem, a nie jak ta sierota na cudzej łasce. Matka nie miała lekko. Raz, że nie dawała rady oporządzać wszystkiego, dwa, że co chwila ojciec wpadał w złość – rzucał czym popadło, krzyczał, że bolą go odjęte nogi. A matka nie potrafiła zrozumieć, jak może boleć coś, czego nie ma. Dopiero gdy druga synowa, Wanda, przyprowadziła koleżankę po psychologii, która zajmowała się w szpitalu ludźmi po ciężkich wypadkach, dowiedziała się, co to są bóle fantomowe. I poznała terapię lustrzaną, która mogła pomóc w łagodzeniu owych iluzorycznych dolegliwości.

Z pokoju dobiegły dźwięki jakiegoś programu rozrywkowego, przerywane rozmową mężczyzn. Stary Niebieszczański mówił tylko o śmierci i o tym, że któregoś dnia nałyka się tabletek, bo nawet powiesić się nie ma jak. Adam wypominał ojcu, że wbija matce nóż w serce, a ona i tak jest już strzępkiem nerwów, chuda i roztrzęsiona, na co usłyszał wzburzony krzyk, że serce to Adam matce podziurawił już wcześniej. Więc teraz niech sobie nią gęby nie wyciera!

Ewa nasłuchiwała z kuchni, wzruszając ramionami i spoglądając w kierunku teściowej, jakby oczekiwała wyjaśnień co do tego pokiereszowanego serca, ale teściowa zakręciła się na pięcie i zajęła szykowaniem jedzenia. Po chwili rozległ się dźwięk dzwonka i dom Niebieszczańskich wypełnił się gośćmi.

Na drugi dzień z samego rana Ewa i Adam wsiedli do pomarańczowego golfa, który kupili. Matka z odszkodowania po wypadku dała pieniądze synowi, by „choć trochę polepszyć mu życie".

Zaraz po wyjeździe z miasteczka Ewa zapytała:

– Adaś, o co tu chodzi? Mam wrażenie, że wszyscy coś przede mną ukrywają.

– Przestań. Wydaje ci się. O! Piotrek się przebudził.

– Nie, Piotruś śpi. To Pawełek.

Zagarnęła dzieciaki do siebie. Ilekroć jednak zerkała we wsteczne lusterko, napotykała czujne spojrzenie męża. Uśmiechał się, ale Ewa czuła, że coś jest nie tak.

Długo nie wracała do tamtej rozmowy. Adam robił dyplom, przygotowywał się do egzaminów. Zależało im, żeby szybko znaleźć pracę i mieszkanie.

Ewa

W lustrze odbijało się światło z pokoju, w którym był Adam. Kątem oka widziała przemykający do kuchni cień męża. W domu panowała cisza. Poza nimi nie było nikogo. Piotr wyjechał tydzień temu. Miał wielkie oczekiwania związane z pracą na platformie wiertniczej. Nie widział dla siebie przyszłości w Polsce. Chociaż Ewa załamywała ręce, bo przecież miodu nigdzie nie ma, a tu – w Gorzowie – zawsze coś się znajdzie, choćby w zakładzie Volkswagena albo przy telewizorach, zawziął się i tyle. Angielski znał, bo od dziecka w szkole językowej się uczył. Skorzystał wiele z piosenek i gier.

– Mamo, platformy to jak małe miasteczka! Jest tak rozwinięta infrastruktura, że głowa mała. Zacznę od najprostszych robót, a potem... Potem zostanę menedżerem i kasa sama będzie wpadać. Spoko. Przyjedziecie do mnie. A poza tym zostaje wam przecież Pawełek! – mówił, siląc się na żart.

Chciał rozładować napięcie, które narastało od podję-
cia nieodwołalnej decyzji. Trudno było przewidzieć, kiedy nastąpi apogeum. Był młody, pełen energii, dla której
nie potrafił znaleźć ujścia na miejscu. Ogarniał go coraz
większy marazm. Trawił dni na bezsensownym pykaniu
w gry komputerowe. Nic go tutaj nie trzymało. Paweł to
chociaż miał dziewczynę, z którą niemal się nie rozsta-
wał. Zakochany bez pamięci. Pojawiał się w domu na
chwilę, szybko wskakiwał do lodówki, aż Adam żarto-
wał, by nie zapomniał podpisać listy, i zaraz, spakowaw-
szy naprędce jakieś rzeczy, uciekał.

– To kiedy nam ją przedstawisz? – dopytywała Ewa. –
Nawet nie wiem, jak ma na imię.

– Wszystko w swoim czasie – Paweł uspokajał matkę
cmoknięciem w policzek i znikał.

Od małego trudno było od niego wydębić najprostszą
informację, ale Ewa nie martwiła się o syna. Nigdy, ale
to nigdy, nie zawiódł jej zaufania. Mówił mało, fakt. Ale
rozumiała, że tak ma. Ani ona, ani Adam nie zaliczali
się do gaduł.

* * *

Zapragnęła, by Adam zapukał do drzwi. Śliskimi
od balsamu rękami eksplorowała swoje ciało; białe smu-
gi po płynie wchłaniały się szybko. Łazienka pachniała
olejkiem migdałowym i czekoladą. Czuła, jak jej skóra

nabiera życia, jak ożywają umartwione brakiem dotyku tkanki. W pomieszczeniu było gęsto od pary. Włosy, ciężkie wilgocią, skręcały się niesfornie, burząc zamierzony porządek. Bo Ewa nie pozwalała sobie na swobodę. Za żadne pieniądze nie wyszłaby z domu bez makijażu, choć był tak subtelny, że wręcz niezauważalny. Nigdy też nie wyszłaby w domowym stroju, nawet do osiedlowego sklepu. Dbała o siebie, dla niego. Ostatnio jednak coś w niej pękło. Odechciało jej się wszelkich zabiegów, mizdrzenia się przed lustrem w oczekiwaniu na powrót męża do domu. Przychodził zmęczony, sfrustrowany i po formalnym „co słychać" zasiadał do obiadu, a potem zapadał w fotelu, niemal z miejsca zasypiając. Czasem wychodzili do kina albo na spacer odnowionym bulwarem. Swoją drogą dziwne, że ani razu nie wstąpili do restauracji, w której była z tą kobietą – Lili – choć mijali ją wielokrotnie. Albo zwodziły ich romantyczne wystroje witryn, albo najzwyczajniej nie byli zainteresowani, bo szli prosto, niemal do końca bulwaru. Gdy mijali czerwoną kamienicę Herzoga, zatrzymywali się na moment.

– Kiedyś wygram w totolotka i kupię ten dom. Zrobimy tu hotel, a na górze mieszkanie dla nas. Wieczorami będziemy patrzeć na Wartę – marzył Adam.

Potem przechodzili pod wiaduktem i udawali się do nieciekawej knajpki na rogu Obotryckiej, w której przesiadywali bywalcy. Po wypitym piwie wracali jedynką do domu. Czasami Adam otwierał słodkie wino, czasem ona

208

pozwalała się skusić na drinka. Chłopcy spali u siebie, a oni przymykali drzwi do tak zwanej sypialni, i uważając, aby nie rozdzwoniła się ornamentowa szyba, kochali się namiętnie. Ewie szumiało w głowie i z trudem artykułowała słowa, więc pozwalała Adamowi na wszystko, nawet gdy jego usta z niecierpliwym pożądaniem zaczynały muskać jej ciało. Centymetr po centymetrze. Zaciskały się mocno na udach i podążały coraz zuchwalej.

Rano budziła się naga. W popłochu, w obawie przed chłopcami, którzy nad ranem wędrowali do rodziców, szukała bielizny, którą przed pójściem do łóżka wygrzebywała z dolnej szuflady szafy, schowanej za kompletami piżam, za niemodnymi halkami, flanelowymi podomkami.

Wstawali z łóżka obojętni, udając, że minionej nocy nic się nie zdarzyło. On swoim zwyczajem parzył kawę i zasiadał przed telewizorem, który na cały regulator podawał najnowsze informacje z kraju i ze świata, ona sposobiła się do kolejnego dnia powszedniego życia. Czasem rzucali na siebie trudne do zinterpretowania ukradkowe spojrzenia.

Od pewnego czasu coś się jednak popsuło. Nie było spacerów nad Wartą ani marzeń o pokoju z widokiem. Życie wpadło w rutynę. Od poniedziałku do niedzieli. Bez szału. Trudno było odróżnić jeden czwartek od drugiego. Powszedniało. Wiało nudą. Adam nie rozumiał, że nie liczą się możliwości, a chęci. Ewa potrzebowała deklaracji miłości. Żeby mąż zobowiązał się do rzucenia pod jej nogi gwiazdki z nieba. Niepotrzebna była jej ani gwiazda, ani inne rzeczy, ale chciała usłyszeć od niego tę banalną sekwencję: „Dałbym ci... niebo, słońce..., ale mnie nie stać". Adam tymczasem trzaskał drzwiami, wykrzykiwał, że nie ma niczego, że tonie w długach. Że ma dosyć zrzędzenia żony i jej ciągłego szukania dziury w całym. Że jej nie rozumie. Jego koledzy trzepali kasę, jeździli furami, latali po świecie. A on? Gołodupiec z tytułem magistra inżyniera. Nieudacznik. O kant dupy potłuc całe to życie!

A potem stały się noce spędzane osobno. Ona w małym pokoju od strony ulicy, gdzie zasypiała zapatrzona w uparcie migające światła przejeżdżających samochodów. On przy włączonym telewizorze, w którym od pewnego czasu wieszczono same końce świata.

A mimo to, przeoczył ich własny.

* * *

Owinęła się ręcznikiem; ze zwoju wymykał się niesforny koniec tkaniny. Nagie ramiona, pokryte gdzieniegdzie czerwonymi plackami po szorowaniu, lśniły od nadmiaru balsamu.

Ewa przetarła zaparowane lustro. Wklepała krem, ledwie muskając opuszkami okolice oczu, by nie zetrzeć innego, cudownie regenerującego specyfiku. Bała się pieczenia i szczypania pod powiekami. Dawno nie

210

spędziła tyle czasu w łazience. Nie pamiętała już, jak wielkiej przyjemności można doświadczać dzięki prostej ablucji i innych towarzyszących jej czynności. A może to spotkanie z niezwykłą Lili obudziło w niej przemożną chęć poczucia własnej kobiecości? Chciała być jak tamta. Zmysłowa. Prowokująca. Pragnęła epatować seksem. Wyprostowała się. Wciąż jędrne piersi odpowiedziały bezwstydną gotowością. Pod niegrubym ręcznikiem sterczały odważnie twarde sutki.

– Ewa! – usłyszała.

A potem szczęknięcie klamki obwieściło obecność męża.

Adam wszedł do łazienki, teatralnym gestem odgarniając obłoki pary. Ogarnął spojrzeniem pomieszczenie, napotykając w lustrze wzrok żony.

– A co ty tutaj tak długo robisz? – zapytał, zniżając głos.

Jego ręce ruszyły na wprost, rozsupłując prowizoryczny węzeł.

– Przestań... – wyszeptała, ale przymknęła powieki.

Byle zgubić obraz własnej postaci, który nie nabrał cech ideału.

– Jezu! Jaka ty jesteś... – Nie dokończył i przylgnął do niej ustami, zachłannie obejmując brązowc sutki.

Nie odpowiedziała.

Przemykał po niej niecierpliwymi rękami. Chaotycznie i pośpiesznie, jakby w strachu, że za chwilę schroni

211

się za frotowymi ręcznikami albo za warstwami ubrań, które wdziewała na siebie codziennie, coraz bardziej przed nim ukryta. W ciągu tych wszystkich lat nie zauważył, że umyka przed jego oczami, odwraca się, by zapiąć biustonosz, że sprytnie obciąga zsuniętą koszulkę, by czym prędzej zasłonić odstający brzuch. On tego nie widział. W ogóle widział niewiele. I trudno mu się było przyznać, nawet przed sobą samym, że Ewa stała się dla niego aseksualna. Niekiedy budziła się w nim żądza, ale była raczej podświadomą potrzebą zaspokojenia niż czymkolwiek innym. W kłótniach Ewa zarzucała mu brak miłości, nieustannego kokietowania się, dwuznacznych szeptanek, ale on tego nie rozumiał. Robił wszystko, by mogli żyć jak ludzie. Szału nie było. Ale przecież, na miły Bóg!, czasów się nie zmieni. Jest jak jest. Może teraz nawet i wybudowałby dom, jak Rafał albo Dzidka, ale po co? Zostali sami. Chłopaki porośli. Na cholerę im wielka chałupa, której ani posprzątać, ani zostawić?

Patrzył na żonę. U jej stóp pałętał się ręcznik. Była zawstydzona. Jak wówczas, przed ilomaś dekadami, kiedy pozwoliła mu pozostać na noc. I gdy przepraszała go, łykając łzy, że zrobiła to po raz pierwszy i dlatego jest tak nieporadna w tych sprawach. W duchu dziękował Bogu, że ją spotkał, bo pozwoliła mu się wyzwolić z pamięci o tamtej. Zapomnieć zapach. I oczy. Zimne. Pozbawione wyrazu. Niewidzące. Jak szklane oczy ruskiej lalki, mrugającej bez sensu; wystarczyło poprzechylać w przód i w tył, by zatrzepotała czarnymi sztywnymi rzęsami. Czasem wydawała z siebie sztuczny jęk. Takie lalki były droższe, bo uprawdopodobniały. Stawały się namiastką rzeczywistości.

Adam poczuł narastające pożądanie. Członek drgnął niespokojnie.

– Chooodź... – szepnął przeciągle, obracając ją gwałtownie.

Wszedł w nią. Zagarnął ją silną ręką. Wziął szybko. Bez próby tłumaczenia. Bez słowa. Bez względu na wszystko.

Tęskniła za nim. Wciąż nie wystygła w niej miłość, choć coraz trudniej znosiła napady mężowskiego rozdrażnienia, jego milczenie. Nie broniła się. Poczuła kilka szarpnięć i rozlane wewnątrz ciepło.

W lustrze zobaczyła drwiąco wykrzywioną twarz. Wzdrygnęła się.

„I co? Gardzisz mną? Bo znów mu pozwoliłam?", pytała kobiety naprzeciwko. „Bo się poddałam! A tak! Kocham tego faceta! I nie oczekuję ani aplauzu, ani gwizdów".

* * *

Leżała z szeroko otwartymi oczami. Nie mogła zasnąć. Od strony męża dochodziło ciche pochrapywanie. Szturchnęła go lekko.

– Adam!

Wymamrotał coś niezrozumiale, przekręcił się na bok i spał dalej.

Z korytarza dobiegł ostry dźwięk windy. Przyzwyczaiła się już do niego, choć przez długi czas było ciężko. Bo spokój ceniła sobie od zawsze; tak się jakoś składało, że wszędzie tam, gdzie mieszkała, była cisza. Nawet w akademiku wszystkie pokoje, w których zamieszkiwała, najpierw z Baśką, a potem z Adamem, mieściły się od strony dziedzińca, dokąd tylko nieznacznie dolatywał szum miasta. Dziedziniec ze wszystkich stron otaczały budynki; był jak studnia, z dostępem poprzez niewielkie wnęki w murach domów. I prowadziła nań tylko jedna brama. Aż strach pomyśleć, co by się działo, gdyby nagle rozgorzał tu pożar lub inny kataklizm. Ale na razie żadne z nieszczęść się nie przydarzyło, a Ewa cieszyła się swym ukochanym spokojem. Nocami lubiła wystawać w oknie i obserwować studenckie życie. Czasem zdarzało się, że w naprzeciwległych oknach pojawiały się postacie. W rozmaitych sytuacjach: uczące się, kłócące, półnagie, często uprawiające seks bez jakichkolwiek oporów, czy snujące się po pokojach w zwyczajnej codziennej krzątaninie. Ewa porównywała te okienne kadry do puzzli. Gdyby je złożyć w całość, mogłyby stanowić niezły obraz scen małżeńskich. Niekiedy liczyła w myślach światła, wymyślając dla owych świetlnych sekwencji różnorakie wróżby. Na przykład: jeśli na drugim piętrze zapalą się żarówki w trzech kolejnych oknach, stanie się to czy tamto. Jeżeli światła ułożą się w kolumnę, wydarzy się jeszcze coś innego. Wprawdzie nie ustalała żadnej reguły „na zawsze", bo już następnego dnia nie pamiętała o przepowiedniach, ale w chwili, gdy stała przy parapecie, głęboko wierzyła w ziszczenie owych życzeń.

* * *

Kiedy przeprowadzili się na Dolinki, nie sypiała całymi nocami, bo ledwie przysnąwszy, wybudzała się przy każdym przejeżdżającym tramwaju. Nie pomagały szczelnie zamknięte okna ani zasunięte żaluzje. Dopiero po latach założyli zewnętrzne rolety, które stłumiły nieco uliczny hałas, choć w ciepłe i duszne letnie noce problem powracał.

Ewa czuła wewnętrzny niepokój. Gdzieś, w głębi, dokładnie potrafiła określić jego źródło. Lili. Kobieta piękna. Intrygująca. Perfekcyjna w wyglądzie, obyciu. Gdyby Ewa pogrzebała w pamięci, zapewne znalazłaby niejedną taką, a choćby i Torbicką, na którą zawsze patrzyła z przyjemnością. Gdy późnym wieczorem siadywali z Adamem – każde w swoim fotelu – i czekali na dobry film, zaczepiała męża.

– Zobacz! Ona jest starsza ode mnie, a jak wygląda. A raczej: jak ja wyglądam? Jak jej matka.

– Przestań! Jest zrobiona. Cała rzesza ludzi pracuje nad tym jej wyglądem. I... nad twoją reakcją.

Ewa kończyła temat, choć długo jeszcze nie umiała wyzbyć się mrzonek o elegancji, urodzie i wielkim świecie Grażyny T.

W prezenterce telewizyjnej była jednak pewna łagodność, może nawet uległość. A kobieta spotkana przypadkiem w gabinecie Dobrzyńskiego nosiła w sobie buńczuczność. Pewność, że człowiek kuli się pod jej spojrzeniem, truchleje i robi się mały.

* * *

Spotkanie z Lili Czarnecką powracało echem, przeganiając wszystkie inne myśli. Ewa wywoływała w głowie obrazy ze swoim wizerunkiem. Na wszystkich była wypalona, nijaka, bezbarwna, jak na wyblakłej fotografii. Pozbawiona konturów. Rozcieńczała się w przestrzeni, zlewała z nią w jedną bezpłciową materię. Szukała w pamięci sytuacji, kiedy zwróciła uwagę jakiegoś napotkanego faceta. Bodaj cień zainteresowania. Nie znalazła. Jej świat skurczył się do minimum niezbędnego do realizacji prymarnych życiowych funkcji. Przemykała przez życie niepostrzeżenie, poddając się ustalonemu, niezmiennemu i nudnemu rytmowi: dom, dzieci, mąż, dom, dzieci, mąż... Poniedziałek nie różnił się od środy... Pewnie wiele razy, gdyby ktoś ją wychwycił, wyrwał z tego trybu i zapytał o dzień tygodnia, nie odpowiedziałaby z marszu. Czasem mówiła do męża:

– Nawet nie wiem, kiedy chłopcy porośli!

Zbywał ją milczeniem. A ona naprawdę nie wiedziała, kiedy to się stało. Kiedy przestali się kochać, kiedy oduczyli się nawzajem się wabić, jak wtedy, gdy byli młodzi i czarowali się, tiurlali, umizgiwali. Ona przed każdym spotkaniem przerzucała szafę, spryskiwała się currarą, a on ćwiczył przed lustrem obejmowanie, badał ścisk palców. Wystarczyły same przygotowania do owych randek, by oboje głośno przełykali ślinę i niecierpliwili się, kiedy wreszcie znajdą się jak najbliżej siebie.

I naraz wszystko ustało. Spowszednieli sobie niczym chleb. Pozostali dla siebie niezbędni, choć mało smakowici. Może to przez rutynę, w którą niepostrzeżenie wpadła ona? Zaniedbała się. Wygasł żar. Może trzeba na nowo wykrzesać iskrę, rozniecić ogień? Zapragnęła zmiany. Przecież zawsze lubiła dbać o siebie. Jeszcze w liceum koleżanki zazdrościły jej włoskich butów kupowanych w ekskluzywnych butikach i szałowych ciuchów z Mody Polskiej. Potrafiła ciułać miesiącami, aby uzbierać więcej kasy, a potem wymuszała na ojcu wyprawę do Warszawy. Wysłużonym fordem jechali na cały dzień. Ojciec dekował się na kilka godzin u swojego najstarszego brata Stacha, z którym od dawna miał rzadkie kontakty, bo jakoś od początku między ich żonami nie zatrybiło. Kiedy zmarł teść, dziadek ze strony ojca, stary Cieplicki, ubzdurały sobie obydwie, że zostawił wielki majątek, jeszcze sprzed wojny, pochowany po piwnicach i schowkach. I zarówno matka Ewy, jak i żona warszawskiego Stacha zaczęły podejrzewać się nawzajem o konszachty; nakręcały się nawzajem tak, że jedna na drugą nie mogła patrzeć. Podczas gdy poza polisą, podzieloną równo pomiędzy synów i jeszcze dawno wyklętą córkę, do podziału nie było wiele. Ciotka Ewy była czarną owcą, bo odważyła się niegdyś odwinąć ogonem i nie odwróciwszy się za siebie, umknąć sobie tylko znanym sposobem za granicę. Na początku lat osiemdziesiątych była już w Kanadzie. Tam zresztą, po kilku miesiącach wysługiwania się rodowitym Kanadyjczykom o swojsko brzmiących nazwiskach Giminsky czy Lewicky, została na stałe, wziąwszy sobie za męża rodowitego autochtona McCromwella. Miała daleko i głęboko polskie uposażenia z tytułu śmierci, wypadków i innych okoliczności, bo cieszyła się kasą po uszy, którą jej kanadyjski mąż posiadał, nie czyniąc z tego faktu żadnego aj-waj, obdarowując żonę, gdy tylko zachodziła taka potrzeba i dogadzając jej kanadyjskimi dolarami, co to tylko są niewiele lichsze od tych amerykańskich. Jednak pozostałe pretendentki do spadku miały w głowach, każda swoją, wersję wydarzeń, która summa summarum za nic nie pozwalała jednej zbliżyć się do drugiej.

Ewa chwytała wieści o owych animozjach kątem ucha, gdy podczas eskapad do Warszawy ojciec półgębkiem opowiadał o rodzinnych „zadrażnieniach". Słuchała, skwapliwie potakując, co miało oznaczać, że trzyma z nim sztamę i traktuje te wyjazdy po partnersku – on zrobi swoje, ona swoje. Nie przeszkadzało jej, że ojciec, tłumacząc się zewem krwi, wymykał się chyłkiem do brata. Ona, z dorzuconymi ekstrastówkami, buszowała po sklepach.

Wracała do domu bogatsza o nową wiedzę o rodzinie i nową kolekcję fatałaszków.

* * *

Adam przewracał się w pościeli. Przez chwilę obserwowała, jak plecy męża poruszają się miarowo. Przesunęła delikatnie dłonią po jego karku.

Zamruczał nieświadomie i powrócił do swojego snu.

Olga i Rafał

T rzymała w dłoni kartkę z adresem. Wpatrywała się w nią uparcie, jakby nie mogła rozpoznać kodu, choć w rzeczywistości znała adres na pamięć. Rycerska 3. Nietrudno zapamiętać. Pełczyce znała jako tako. Z nazwy, strzępków zdań, dla których nigdy nie szukała kontekstu. Znajdowały się zaledwie trzydzieści kilka kilometrów od Gorzowa.

Bywali w tej okolicy wiele razy, na daczy u przyjaciela Rafała. Dzisiaj to domek letniskowy albo willa za miastem, ale wtedy pobrzmiewająca z ruska – dacza. Wśród kolegów męża słowo bardzo popularne. Po raz pierwszy bodaj zetknęła się z nim na jednym z towarzyskich spotkań, na których uczyła się koligacji Who's who w nobliwym gronie lekarzy wszelkiej maści, wśród których obracał się Rafał. Tutaj, w Gorzowie.

* * *

Zaraz po ślubie zabrał ją ze sobą na jedno z owych legendarnych lekarskich *parties*. Wzbraniała się, ale uparł się, że bywać muszą, bo od tego zależy wiele. Bardzo wiele. Między innymi jego pozycja w środowisku.

Sala u Anny wypełniona była po brzegi. Grupkami, niczym skupione po kątach chomiki, trwali przedstawiciele medycznego świata. Wszelkiej maści specjaliści od ciała. Obserwując owe grupki, miało się nieodparte wrażenie, że nikt nikogo nie słucha, a wszyscy mówią, żywo gestykulując. Co niektóre twarze zdradzały działanie szybko wypitych ekskluzywnych drinków o słodkich nazwach. Mai-Tai (cokolwiek to znaczyło) albo Sex on the Beach.

Od razu podeszła do nich elegancka, choć trochę już dźgnięta kobieta. Przesunęła mętnym wzrokiem po Rafale, a potem, zapatrzona w przestrzeń gdzieś pomiędzy nimi, powiedziała:

– Musicie koniecznie odwiedzić mnie w daczy nad jeziorem.

Ćwierkała, starając się artykułować nader wyraźnie, ale efekt był kompletnie przeciwny od zamierzonego. Rafał, wciąż zachowując staranną dyskrecję, szepnął żonie do ucha, że to pani doktor Jagodzińska. Która właśnie zamierzała się stuknąć z Olgą lampką wina. Chwiała się przy tym niepewnie, więc istniało uzasadnione niebezpieczeństwo, że czerwień wystrzeli z kieliszka niczym gejzer i poplami ekskluzywne suknie. Perlisty dźwięk szkła naznaczył akt poznania i Olga szybko wycofała rękę na bezpieczną odległość. Jeszcze tylko tego brakuje, żeby opryskała szkarłatem tę ważną personę! I tak czuła się w tym zadufanym towarzystwie wystarczająco niezręcznie. Wszyscy zadęci, wszyscy na wdechu. „Panie doktorze", „pani doktor", „pani ordynator" rozbrzmiewało na sali. Jakby wszyscy naraz zostali pozbawieni imion.

Pod wpływem coraz większej ilości trunków ów obraz nabierał cech groteski. Nawet kobieta w gustownej sukni i z perfekcyjnym makijażem – wynoszona przez Rafała pod niebiosa doktor Jagodzińska – która na co dzień wyglądała, jakby na siłę wdziała za ciasny gorset, teraz była lekka i gibka jak plastelinowy ludzik.

– Szkoda, że doktor Rafał ukrywał dotychczas taką żonkę... – mówiła lekarka, upierając się przy starannej dykcji. – Taką smakowitą żonkę – dodała.

Sformułowanie to wydało się Oldze co najmniej dziwne. Czuła zażenowanie tą dwuznacznością, tym bardziej że już od pewnego czasu miała wrażenie, że Jagodzińska lgnie do Rafała. Pamiętała, że ilekroć zdarzyło jej się znaleźć szpitalnym gabinecie męża, zastawała tam również Jagodzińską. Wyraźnie zadomowiona kobieta siedziała rozparta na wysłużonej sofie, nie kryjąc niezadowolenia z obecności gościa. Do opuszczenia miejsca skłaniała ją dopiero stanowcza prośba Rafała, by raczyła wyjść na chwilę. Czyniła to z pewnym ociąganiem, obrzucając przy okazji doktorową Dobrzyńską niechętnym spojrzeniem.

Tymczasem na imprezie, usilnie starając się mówić absolutnie wyraźnie i poprawnie, zapraszała ich na swoją daczę.

Dopiero jakiś czas później, w owej zapadłej wsi – oddalonej od wielkich aglomeracji, podpiętej do Pełczyc, równie nic nieznaczących na mapie – w Ługowie, Olga zrozumiała znaczenie tego określenia. Zobaczyła wywalone z rozmachem i przepychem budowle, zaprojektowane według najnowszych trendów i mód. Postawione niby obok siebie, ale w bezpiecznej odległości, tak aby jeden drugiemu w garnek nie zaglądał. Ich posiadacze zajeżdżali czasami do pobliskich Pełczyc, aby uzupełnić zapasy albo dopełnić jakichś formalności w gminie.

Olga

Któregoś dnia siedziała bezmyślnie przed ekranem nowego komputera. Klikała mechanicznie w klawisze, bez większego entuzjazmu czytając pojawiające się informacje. Wiele zupełnie nieistotnych: głupie galerie zdjęć celebrytek z krzyczącymi nagłówkami, wytłuszczone leady zapowiadające nieziemską sensację, w istocie pozostające banalnymi artykulikami karmiącymi ludzi dziennikarską toksyną. Z głupia frant kliknęła w ogłoszenia lokalne, choć nie potrzebowała niczego – żadnych psów, kotów, opiekunek do dziecka, pralek, lodówek i polis ubezpieczeniowych.

„Wynajmę pokój osobie samotnej. Wymagane: spokój, moralne prowadzenie się i terminowość…". Podane numery telefonów.

Olga przyglądała się anonsowi z rosnącym zainteresowaniem. Pełczyce! Tak. A jednak czegoś potrzebuję, zdała sobie sprawę. Niepokojąca myśl o porzuceniu

Rafała, która zagnieździła się w jej głowie, gdzieś w cichym zakamarku hipokampu, teraz czaiła się tuż pod powierzchnią czaszki, gotowa wychynąć na światło dzienne. Natarczywie domagała się realizacji. Choć zalęgła się zaledwie kilka tygodni temu. Tak, Olga była zdecydowana. Żyła w złotej klatce. Dom. Pieniądze. Ludzie z tytułami. I nuda. I Rafał. Coraz mniej znany. Ze swoim osobistym archiwum z przeszłości, której bronił jak lew. Wtedy zapragnęła wolności po raz pierwszy, szybko jednak wyparła myśl o niej z głowy. Co z tego, jeśli powróciła boleśnie? I to za sprawą ogłoszenia. Pełczyce. Olga była pewna, że to nie przypadek, a fatum. Konieczność. By móc żyć dalej. Bo już dawno straciła orientację, co jest naprawdę, a co jej wymysłem. Poczuła przemożną chęć natychmiastowego działania. Musi odejść! Ma dokąd! Pełczyce! Miejsce ucieczki! Punkt docelowy! Mekka! Oaza! Musi, zanim samotność uniemożliwi jej oddychanie. Zanim ona sama odnajdzie sens w postaci powtarzalności tych samych punktów życia. Zanim odpowie sobie na tysiące pytań, które tłoczą się w kolejce do jej głowy, wijąc podstępnie jak żmije, sącząc trujący jad. Zanim będzie za późno. Dostosuje się, dorobi filozofię. A na końcu stwierdzi, że nie ona jedna tak ma.

Wyłączyła komputer. Była w domu sama. Zosia dopiero co wyszła, w drzwiach zapowiadając, że wróci później. Z Rafałem było jak co dzień – nie słyszała, kiedy opuszczał dom. Cicho wyśliznął się z łóżka. A może wcale go w nim nie było?

Niczym majordomus na frankijskim dworze Olga obeszła dom, wciąż pachnący świeżością: chemią ścian, chemią mebli. Jak zwykle miała cały czas dla siebie. Snuła się bez celu, zaglądając chyłkiem do wszystkich pomieszczeń jak intruz. Pełczyce. Nazwa miejscowości kotłowała się w jej głowie, szukając w niej stałego miejsca. Pełczyce, kołatało. To stamtąd wiodła jakaś „ileśrzędna" pod względem odśnieżania droga do Ługowa, naznaczająca miejsce stygmatem końca świata. I tyleż istotna, że w magicznym czasie zauroczenia, czasie adoracji, czasie bez zarysowanej przyszłości, Rafał, odurzony alkoholem, był tam tym szaleńczo zakochanym w niej chłopakiem, facetem, mężczyzną, a nie zesztywniałym jak nakrochmalona pościel panem doktorem od kobiecych spraw. Pełczyce. Słowo było jak znak. Olga czuła wewnątrz ów podniecający niepokój, kiedy zjeżdżali z głównej drogi i już po kilkunastu minutach byli na miejscu. Zaraz po zatrzymaniu silników zrzucali z siebie pancerze z wyrytymi na złotawych tabliczkach tytułami doktorów, ordynatorów, dyrektorów i czort wie kogo jeszcze. Powietrze wibrowało tą niesamowitą aurą wyzwolenia, która początkowo deprymowała Olgę, ale po kolejnych razach budziła w niej uśpione tęsknoty. Pozwalała jej tańczyć. Wić się i giąć. Zapadać się w muzyce. Oddawać się Kosmosowi, powracać do swojej Istoty. Po takich

226

spektaklach stawała się lekka, uległa. A Rafał wodził za nią rozgorączkowanym wzrokiem.

* * *

Ogłoszenie wdrukowało się jej w głowę i tkwiło tam uparcie. Musi odejść od Rafała. Bez pytań. Bo nagle poczuła, że brak już żaru i że ona nie potrafi tak żyć. Może ów żar gasł powoli, kiedy Zosia rosła, a Rafał budował dom. A może zgasł nagle, a ona, zatopiona w codziennym życiu, nie zauważyła tego faktu? Bez znaczenia. Nie odróżniała dnia od dnia. Wszystkie środy, piątki i niedziele były takie same.

Jeszcze wtedy, kilka tygodni temu, nie wiedziała, czy to ma być taki definitywny *the end*, czy po prostu musi sprawdzić. Siebie. Jego. Jeszcze była Zosia. Ale o nią Olga bała się najmniej. Bo córka jej i Rafała była mądra i przenikliwa. I rozumiała więcej, niż życzyłaby sobie tego matka.

– Mamo! – zwróciła się kiedyś do niej. – Dlaczego wy tak niewiele do siebie mówicie? I prawie w ogóle się nie przytulacie? Na filmach ludzie całują się, przytulają i uśmiechają, a wy to tak jak obcy.

Zmierzyła Zosię spojrzeniem. Zdziwiła się, że mała nie przejęła się milczącą reprymendą i natychmiast zrozumiała, że ma do czynienia z bardzo bystrym obserwatorem.

– W filmie reżyser ma wpływ na losy człowieka, a w życiu nie ma reżysera. Życie toczy według własnego scenariusza – odparła Olga.

Jakkolwiek enigmatycznie to brzmiało, a Zosia nie zrozumiała, o co chodzi, przytaknęła skwapliwie.

– Aha.

Olga i Rafał

Idę spać – powiedział.

Siedziała skulona w fotelu. Na wprost przelatywały obrazki z ciekłokrystalicznego telewizora o szerokokątnym monitorze. Wszystkie postaci miały zarysy równie krystaliczne. Były najprawdziwiej żywe i idealistyczne. Mężczyzna, mniej więcej w jej wieku, spoglądał na Olgę świdrującym wzrokiem z jasno określonym komunikatem: „Jestem dla ciebie". Zajmował cały ekran i sprawiał wrażenie, jakby za moment miał zamiar wyjść z tego plazmowego świata i stanąć z nią twarz w twarz.

W tym domu wszystko było nowoczesne i drogie. Współczesny design, inspirowany pokazami haute couture, o których na bieżąco informował Rafała projektant wnętrz, Andrzejewski, polecony przez Jagodzińską. Konsultacji z Olgą nie było, bo dom miał być niespodzianką, a Rafałowi do głowy nie przychodziło, że żonie mogłoby się coś nie spodobać. Być może różnica wieku między nimi przyczyniła się do tego, że traktował żonę nieco protekcjonalnie, chociaż nie raz i nie dwa dawała mu do zrozumienia, że oczekuje od niego włączania jej do ważnych spraw, że nie podoba jej się jego nadopiekuńczość, że rola domowej archiwistki, odpowiadającej za segregowanie rodzinnej dokumentacji – aktów małżeństwa, metryk urodzenia, Zosinych świadectw i dyplomów – to dla niej trochę za mało. Zazwyczaj następowała obietnica zmiany tego stanu rzeczy. Zawsze od następnego razu. Tego, że Rafał buduje dom, Olga domyślała się i miała nadzieję, że na etapie wykończenia i aranżacji poinformuje ją o tym fakcie. Ale nic takiego się nie zdarzyło. O wszystkim zdecydował sam. Choć w rzeczywistości zdał się absolutnie na wyczucie i gust kreatora, nie mając czasu na tak błahe sprawy. Przecież szpital, gabinet, szkolenia, sympozja, zjazdy...

Świat Rafała kręcił się wokół pracy, więc pan doktor do swojego luksusu wracał zmęczony. Zazwyczaj zapadał się w fotel i przysypiał. Od czasu do czasu ożywało w nim pożądanie, a coraz częściej było jak uczucie głodu. Jak potrzeba snu. Fizjologiczne. A wtedy oczekiwał od Olgi, że ona bezbłędnie odczyta jego intencje. Że przyjdzie do niego. Że zapomni o jego nieobecności. Że wznieci w sobie żar, którym sycili się na samym początku. Że w tym wielkim łożu za kilka tysięcy przylgnie do niego i podda się jego rytmowi, biologii silniejszej niż rozum. Do końca. Do ulgi, która uspokoi jego neurony, załagodzi spięcia na synapsach. Pozwoli mu ponownie na jakiś czas znów zaprzęgnąć się do codziennego kieratu, w którym traci rachubę, nie pamiętając, kiedy poniedziałek czy sobota, kiedy urodziny żony, pokaz Zosi.

– Idę spać – mówił powoli i dobitnie.

Przez chwilę czekał w progu na jakikolwiek odzew, choćby skinienie głową, ale Olga siedziała nieruchomo.

– Nie dzisiaj! – oznajmiała cicho, jakby do siebie.

Szyfr był mu znany doskonale, niezmienny od dawna. Była pewna, że on słyszy. I liczyła w duchu, że spasuje. Nie musiała odwracać głowy, by czuć jego obecność. Rozpostartego na framudze wielkich salonowych drzwi. Ziewnęła przeciągle. Może nieco za głośno, ale w sposób dający do zrozumienia, że nic na siłę. To od niego nauczyła się tych wyświechtanych fraz. „Nic na siłę". „Nie można kopać się z życiem". „Trzeba być konsekwentnym". „Na wszystko musi być czas i miejsce". Raczył ją i Zosię owymi szablonami nieustannie. Olga często wymieniała z córką porozumiewawcze spojrzenia. Z trudem hamowały salwy śmiechu. Niekiedy śmiał się z siebie razem z nimi, ale zasadniczo należał do ludzi o niezbyt wysublimowanym poczuciu humoru.

– Chodź już do sypialni! – ponaglał.

Nie był tak dobrym aktorem, by ukryć zniecierpliwienie i irytację.

– Idź! Ja jeszcze chwilę pooglądam. Idź! Jest już prawie pierwsza, a rano musisz wstać – dodawała ze sztuczną troskliwością, posiłkując się argumentem nie do odparcia.

– A ty nie zapominaj o Zosi. Ona też wstaje wcześnie. Trzeba ją obudzić. Potem możesz wrócić do łóżka. Masz cały dzień.

Olga udawała głupią i nie reagowała. Znała te teksty na pamięć, lecz tym razem postanowiła się nie poddawać. Nie gasić światła. Nie wyłączać telewizora i nie iść za nim. Nie kochać się z udawaną namiętnością i nie zasypiać każde pod własną kołdrą.

– Wiem, wiem. Zosia doskonale radzi sobie beze mnie. Nie muszę wstawać co rano – powiedziała tylko.

– Ale ja muszę! Jutro mam ważne spotkanie w sprawie rewitalizacji starego szpitala na Warszawskiej – w głosie Rafała drgało napięcie.

Olga dokładnie rozpoznawała ten ton, ale zaparła się. Nie wstanie i nie pójdzie.

Na ekranie przewalał się właśnie idiotyczny blok reklamowy.

– To idź spać – skwitowała krótko.

Nie odwracała głowy, jakby bała się napotkać spojrzenie męża. I jakby lękała się, że ugnie się pod naporem jego wzroku.

– Żebyś się nie spóźnił – dodała, nie kryjąc sarkazmu.

– A ty? – zapytał.

– Czekam na film – powiedziała, choć nie miała pojęcia o programie.

Zapewne jakiś film będzie leciał. Przycisnęła klawisz na pilocie, żeby ściszyć głos.

– Idę spać – powtórzył Rafał po raz kolejny.

Z głębi domu dobiegały odgłosy trzaskania drzwiczkami od szafek, głośnego szurania, ostentacji, na którą starała się nie zwracać uwagi, zapadnięta wygodnie w miękkim fotelu.

Olga

Wyciągnęła spod wielkiej poduchy kopertę. Szarą. Miękką. Dotyk budził wątpliwość co do wytrzymałości. Czy nie rozejdzie się w rękach jak stara tkanina? Czy nie rozsypie się w pył niczym zatrzaśnięty w dłoniach niechciany mól? Rano porządkowała dokumenty. To już ostatnie – reszta stoi dumnie w rzędzie na regale w garderobie – te, które od lat złożone były w wymiękłym kartonie. Rafał wielokrotnie obiecywał zająć się nimi, ale wciąż tkwiły w szarym pudle, przesuwanym z miejsca na miejsce. Jakieś świadectwa z podstawówki, broszury medyczne, notatki ze studiów. Nawet pożółkły album ze zdjęciami, z którego wypadło sfatygowane tableau. Przyglądała się miniaturom, próbując znaleźć zdjęcie męża. Był obok Adama. Poniżej dziewczyny ze śmiesznymi fryzurami à la Trojanowska. Niektóre zamazane. Fotografia była o tyle dziwna, że wycięta na prawym skraju. Ktoś zmarł albo zginął tragicznie, pomyślała Olga, odkładając zdjęcie do albumu.

Właśnie wśród tych papierzysk natrafiła na kopertę. Nie miała pojęcia, po co ją wyciągnęła z całej sterty przetrzymywanych od lat szpargałów. Może gdyby nie rozmazana plama czerwonej pieczęci z wizerunkiem orła, nie zwróciłaby na nią uwagi, ale ta plama... Jak drogowskaz. Znak, którego nie można bagatelizować.

„Akta sprawy wytoczonej przez Lili Czarnecką, córkę M. Czarneckiej z domu Przybylskiej oraz...".

Zażółcone, zadrukowane wielkimi literami kartki, nieznające czcionki Times New Roman albo Arial, świadczyły o wysłużeniu dokumentu.

Ręce Olgi drżały. Ona sama skuliła się w sobie, zaciągnęła ciaśniej poły szlafroka, by odgonić ziąb. Nie, to nie chłód, to ekscytacja, która ostatecznie pozbawiła ją senności! Uwagę przykuł napis wytłuszczonym drukiem. „Wyrok w imieniu Rzeczypospolitej...". I mnóstwo paragrafów i artykułów. Wielka pieczęć, nazwiska sędziów, protokolanta. Litery skakały do oczu.

Czytała pobieżnie, co któryś wers. Potrzebowała rekonesansu, zanim na nowo wczyta się w treść. Przewróciła kartkę. Nazwiska. Lili Czarnecka. Rafał Dobrzyński. Adam Niebieszczański. Michał Jaśkiewicz... Odłożyła kartki. Złożyła starannie. Zawahała się, nie wiedzieć czemu. Czytanie sądowych dokumentów? To bez sensu. Po co wkraczać w przeszłość? Po co w niej brodzić? Taplać się w nie swoim świecie? Trafić na coś, co wywróci ten świat do góry nogami? A może to jakieś bagatelne sprawy? Bez znaczenia? Nie potrzebuje innego pretekstu, ponad ten, który ma! Odejdzie od Rafała. Odejdzie, bo straciło sens bycie razem. Bo musi nabrać dystansu. I pewności. Albo razem, albo osobno.

Tajemne pismo, wsunięte do koperty, wylądowało obok innych szpargałów w pudle.

Klapa laptopa była oporna. Charakterystyczny dźwięk oznajmił gotowość sprzętu do pracy dopiero po kilkunastu sekundach. Kilka kliknięć doprowadziło Olgę do tablicy ogłoszeń lokalnych. „Wynajmę pokój osobie samotnej. Wymagane: spokój, moralne prowadzenie się i terminowość...".

Olga i Rafał

W sypialni unosił się intensywny zapach przebrzmiałej męskiej wody perfumowanej Ultraviolet. Załaskotał w gardle. Rafał pomrukiwał cicho.

Położyła się, starając się jak najdelikatniej odzyskać swoją kołdrę.

Zaraz na początku małżeństwa zawarli niepisaną umowę, dotyczącą zasad sypiania w jednym łożu. Na mocy owych ustaleń nie dopuszczano osobnych kołder, a uwzględniano płachtę o rozmiarach dostosowanych do różnych potrzeb użytkowników. Można się nią było otulić na własną rękę, tłumiąc w chłodne noce nieprzyjemną nieszczelność.

Jednak od jakiegoś czasu sypiali pod osobnymi.

Teraz Rafał spał pod jedną, lecz drugą zagarnął do siebie, jakby obejmował kobietę. Jego plecy unosiły się i opadały. Wyczuwało się spokój i rytm.

Oldze wystarczyło siły. Skulona, z przyciśniętymi do brzucha kolanami, leżała pod własną kołdrą z otwartymi oczami, wyostrzając wzrok. Jakby chciała zapamiętać topografię wnętrza. Na ścianie pełgały nitki świateł przedostające się z zewnątrz pokoju. Na karku czuła lekki powiew powietrza. Rafał przysunął się, oddychając wprost w jej szyję, ale zirytowana trąciła go delikatnie.

Obudził się. Odgarnął pościel. Poczuła jego ręce, jakby na w pół świadomie wędrujące po jej ciele. I eksplorujące je rozcapierzone palce. Centymetr po centymetrze.

– No widzisz. Jednak przyszłaś – usłyszała szept.

Poczuła, że silne ramię przyciąga ją do siebie.

– Nie chcę. Śpij! – zaoponowała.

Tylko nie prowokować żadnych rozmów. Żadnych ruchów.

– Chcesz, na pewno chcesz... – droczył się. Był przytomny i zdeterminowany. – Choć trochę... – szeptał. Miękko i zachęcająco.

Kto wie, może gdyby Olga częściej miała okazję wysłuchiwać owego ciepłego tembru, pozwoliłaby się uwieść. Ale nie mówili do siebie od dawna. Wyłącznie krótkie zdania. Co słychać? Nic szczególnego. Co na obiad? Nic szczególnego. Co robiłaś cały dzień? Nic szczególnego. Mało kiedy rozmawiali jak kiedyś, kiedy to czasem i nocy było mało, i jedno drugie poganiało do spania. A i tak potem jeszcze się kochali. Często gęsto zastawał ich świt. Zasypiali w ledwie rozwidnionym pokoju, nie myśląc o tym, co rano.

Czasami Olga miała ochotę powiedzieć mu, że czuje się osamotniona. Że brakuje jej przyjaciół. Pracy. Że Zosia rośnie i coraz częściej umyka do koleżanek albo na zajęcia.

Kiedy jednak dostrzegała zmęczenie w jego oczach albo to znajome zafrapowanie pacjentkami, diagnozami, zabiegami, odkładała rozmowę na potem. Tyle że „potem" zazwyczaj nawarstwiało się tyle rzeczy, że Olga, nie wiedząc od czego zacząć, milkła. Rafał zaś nie mówił o pracy, niejednokrotnie napominany, że żona nie lubi tych jego opowiastek, zwłaszcza że w każdej pojawia się nazwisko Jagodzińskiej albo innych lekarek, których nie znosiła. Była zazdrosna. O rozmowy. O czas. O bliskość. Wciąż zdawało się jej, że ilekroć pojawia się na horyzoncie środowiska, pozostaje pod obstrzałem. Wyobrażała sobie, że wszystkie te baby wiedzą o jej „dokonaniach zawodowych".

Kiedy na suto zakrapianej imprezie w Dalii, dobrze już wypite koleżanki męża wiły się wokół filaru w rytm muzyki z *Dirty Dancing*, rozbawiony Rafał zawołał:

– Skarbie! Dawaj! Pokaż im jak się to robi!

Zesztywniała. Wydawało jej się, że ściąga spojrzenia obecnych. Jakby mieli prawo wiedzieć, że tańczyła w klubie.

Mężczyźni skandowali:

– Ol-ga! Ol-ga! Ol-ga!

Rafał stał pośród nich jak zaczarowany. Przed mętnymi oczami stał mu obraz żony w ciechanowskim przybytku. Rozkołysane biodra, oplatające ramiona, piersi unoszące się synchronicznie w rytmie elektryzującej transowej muzyki. Nieobecne spojrzenie, niezatrzymujące się na nikim, zabłąkane w przestrzeni znanej wyłącznie jej.

Nie słyszał namolnego skandowania. Szukał żony.

Siedziała przy stoliku. Sama. Zaraz potem poprosiła, by wrócili do domu. Przez całą drogę tłumaczył jej, że przecież wszyscy wiedzą, że była tancerką. I że nikomu nie przychodzi do głowy, że chodzi o taki taniec.

Tamten wieczór tkwił w niej jak drzazga. Uwierał tępo pod czaszką. Przestała chodzić na lekarskie imprezy, zazwyczaj wymawiając się bólem.

Bywało, że mówiła Rafałowi wprost, że nie lubi jego towarzystwa.

* * *

Oddech Rafała stawał się coraz szybszy, uchwyt silniejszy. Przewrócił ją na wznak. Starała się powrócić do poprzedniej pozycji, ale poczuła go na sobie. Uniosła biodra, żeby się wydostać, ale głaskał ją po twarzy, mierzwił włosy. Dyszał ciężko tuż nad nią.

– Przestań! Nie chcę! – powtórzyła z naciskiem.

Wiedziała, że może pomóc tylko podniesiony głos. Będą się kochać. To znaczy: ona po raz kolejny będzie biernie przyjmować jego pieszczoty. On przerwie w połowie, zarzucając jej oziębłość, a potem wejdzie w nią ponownie i przyśpieszy, jakby się bał, że mu ucieknie. A po wszystkim zostawi ją z lepkim nasieniem na udach; po krótkim prysznicu przeniesie się na kanapę w salonie i tam przekoczuje do rana. Ona już nie zaśnie, znowu żałując, że nie potrafiła mu odmówić. Wstanie. Pod natryskiem spłucze z siebie jego zapach, a potem, ze wzrokiem wbitym w sufit, przeczeka do świtu.

Uniósł się na łokciach. W ciemności dojrzała błyszczące oczy. Był wściekły. Znała ten wyraz twarzy na pamięć: ściągnięte brwi, napięte mięśnie i drgający w kącikach ust grymas.

– Co się z tobą dzieje? Lodowiec ma więcej ciepła niż ty!

– Po prostu nie chcę. Czy to tak trudno zrozumieć? Jestem zmęczona – próbowała się tłumaczyć.

– Nie! Ty nie jesteś zmęczona! Ty jesteś znudzona! Najzwyczajniej nudzi cię życie ze mną! Brakuje ci tego nocnego blichtru, głodnych oczu, lepkich łap...

– Rafał! – przerwała. – Za moment powiesz zbyt dużo...

– Za dużo! Za dużo! – przedrzeźniał.

Cóż za groteska! Gdyby nie fakt, że przed chwilą została dotkliwie zraniona, Olga może by się nawet roześmiała. Ale nie teraz. Nie, gdy po raz kolejny wytoczył ciężkie działo i ją pokiereszował.

– Za dużo to ty masz w tyłku! Gdyby... Gdyby nie ja, do usranej śmierci usługiwałabyś facetom! Już dawno podawana z rąk do rąk jak smakowity kąsek! Gdyby...

– Nie kończ! – Czara była pełna.

Brakowało chwili.

– Bo co? Bo się panienka pogniewa? Rzeczywiście! Pląsy, dąsy księżniczki... Od dupy-Mańki! – roześmiał się ironicznie. – Patrzcie ją! Bułkę przez bibułkę, a...

– Jesteś zwykłym chamem! – przerwała, z trudem hamując łzy.

Za żadne skarby nie pozwoliłaby sobie rozpłakać się przy nim. Pokazać, że jest słaba.

– Chamem? Ja chamem? To kim byli twoi wielbiciele? – Czuł, jak narasta w nim gniew pomieszany z pożądaniem.

Zapragnął wziąć ją siłą. Jak wówczas, wiele lat temu, tamtą dziewczynę...

– Spier-da-laj! – wysyczała, oddzielając wyraźnie każdą zgłoskę.

Szarpnęła się, wstała. Trzasnęła drzwiami. Szyby zadzwoniły, przecinając ciszę. Zerknęła w kierunku pokoju Zosi, przez chwilę nasłuchując, czy córka nie wyjdzie, nie zapyta, co się dzieje.

Spała.

Olga ciężko opadła na fotel, pewna, że nic nie wyprze z jej głowy sceny, która rozegrała się w sypialni.

Telewizor szumiał nierozpoznawalnymi dźwiękami, obrazy – miraże – zmieniały się jak w kalejdoskopie.

Przypomniała sobie o kopercie. Zawahała się, lecz tym razem ciekawość okazała się silniejsza. „Wyrok w imieniu (…). Sąd Rejonowy w składzie (…), na rozprawie w sprawie zbiorowego gwałtu na (…)". Olga nerwowo przerzuca kartki. „Powódka L.C. wniosła o zasądzenie kary dla pozwanych (…). W uzasadnieniu podała, że jest ofiarą gwałtu (…). Powołując się na art. (…), paragraf (…) k.k (…). Pozwani w odpowiedzi na pozew powołali świadków (…). Następnie, po rozpatrzeniu sprawy i przesłuchaniu świadków oraz biegłych lekarza i psychologa (…), sąd wydał wyrok (…)".

Nie mogła uwierzyć. Wściekłość, oburzenie pozbawiały oddechu. Jak mogła dać się tak oszukać! Tak zwieść. Tyle lat! Przypomniała sobie, co usłyszała po awanturze z rodzicami, którzy nie zgadzali się na ślub.

– Nie masz pojęcia, co to za typ! Już ja o nim wiem…

Wybiegła wtedy z klatki, nie pozwalając, by słowa ojca ją dogoniły.

* * *

Otwarta klapa laptopa. Klik, klik. „Wynajmę pokój osobie samotnej. Wymagane: spokój, moralne prowadzenie się i terminowość…".

243

* * *

Zadzwoni. Raz kozie śmierć.

Po kilku taktach marnego disco polo w słuchawce odezwał się kobiecy głos. Olga kilka razy upewniała się, czy dodzwoniła się do właściwej osoby. A gdy nareszcie kobieta po drugiej stronie zaskoczyła, że chodzi o wynajęcie pokoju, kategorycznym tonem powtórzyła treść ogłoszenia. Głos był stary, zrzędliwy i apodyktyczny. Zanim Olga dała do zrozumienia, że jest zainteresowana ofertą, baba przeczołgała ją przez wszystkie personalizacje: kim jest, ile lat, skąd, po co, na co. Na koniec umówiły się na spotkanie w sprawie „ewentualnego odmiejscowego zakwaterowania".

* * *

Odeszła. Stało się! Musztarda po obiedzie! Kamień w wodę. Szlag trafił.

Olga

Stara Rytwińska obrzuciła Olgę krytycznym spojrzeniem.

– A więc to pani... – stwierdziła, nie zdejmując dłoni z framugi.

Była jak żywa zapora przed wtargnięciem intruza. W jej głosie wyczuwalny był zawód. Zapewne spodziewała się swawolnej dzierlatki, co do której będzie mogła podjąć pewne kroki, zmierzające do nawrócenia delikwentki na praworządną drogę. Sądziła pewnie, że będzie mogła nią dyrygować i w razie czego w każdej chwili wymówić stancję. A tu przed jej oczami stanęła dama. Kobieta skromna, ale elegancka. Niestara, ale stateczna. Piękna, ale niewyzywająca. Taka, w stosunku do której człowiek z gruntu czuje wielką estymę.

– Pani na długo? – zapytała z czającą się w głosie nadzieją na pikantne szczegóły.

– Jeśli to nie przeszkadza, na jakiś czas. Ale zapewniam, że jeśli się porozumiemy, dotrzymam warunków umowy. Mniemam, że przygotowała pani stosowną – odparła Olga.

„Jakiś czas" został wypowiedziany z dwuznacznym naciskiem. Gospodyni skuliła się pokornie i ucichła, momentalnie spuszczając z tonu.

– Oczywiście... – zająknęła się, jednocześnie otrzepując dłonie z drobin postarzałej farby, sypiącej się ze zniszczonej ościeżnicy, i gestem zaprosiła Olgę w głąb domu.

W pomieszczeniu czuć było naftaliną wymieszaną z tanim odświeżaczem powietrza, ale niewątpliwie było czyste. Szyby w prostokątnych wąskich oknach lśniły, filtrując światło przez krystalicznie białe stylonowe firany. Na dworze świeciło słońce. Rozbuchana na dobre wiosna panoszyła się wszędzie.

Rytwińska wprowadziła lokatorkę do pokoju na piętrze.

– Tu jest pokój, łazienka i niewielka kuchenka. Prawie osobne mieszkanie. Zięć zrobił je na cacy. Złota rączka z niego. Mówię pani. Wszystko chłopak potrafi. Nie dziwota, że wszyscy go z otwartymi ramionami witają. Teraz wyjechali z córką i wnusią do Anglii. Wynajmij mieszkanie, mamo, powiada moja Milenka, bo my zostajemy na stałe, a szkoda, żeby marniało. A i tobie, powiada, przyda się parę groszy do renty. I to ona, pani kochana, stamtąd, aż z Anglii, to ogłoszenie puściła. Bo ja to, kochana moja, za Boga nie wiem, co z takim komputrem się robi.

246

Wygląd pokoiku mile zaskakiwał. Pomieszczenie było niewielkie i niskie, ale znać było młodego właściciela. Nowe meble, stonowane ściany, nieliczne, ale gustowne detale. Antyramy z pięknymi fotografiami wielkich miast: Paryża, Londynu, Nowego Jorku. Wszystkie czarno-białe i na każdej kolorowy akcent. Auto. Czerwony londyński autobus, żółte taxi w NY. Takie samo żółte w Paryżu.

Olga wyjrzała przez okno. Kościół. Jak mogła go po drodze nie dostrzec? Być może, zajęta życiową zmianą, tak bardzo skupiła się na projektowaniu nowego, że przestała zwracać uwagę na otoczenie.

– Biorę – oznajmiła zdecydowanie.

– To się paniusia łaskawic rozlokuje, a ja w tym czasie zaparzę herbatki. Bo pewnie pani z daleka? – Rytwińska zatrzymała wzrok na lokatorce, czekając na potwierdzenie.

Olga zignorowała spojrzenie.

– Jeśli pani pozwoli, chciałabym z góry uregulować należność. Herbatki, niestety, muszę odmówić. Może innym razem. Mam jeszcze trochę do zrobienia, a jestem nieco zmęczona.

Posłała właścicielce jeden ze swoich uroczych uśmiechów i starając się nie dostrzegać zawodu wyrażonego kilkakrotnym wzruszeniem ramion i lekkimi pufnięciami, poprosiła o klucz do drzwi wejściowych.

– Może jutro powie mi pani o warunkach. O zwyczajach i tak dalej? – zaproponowała.

– No dobrze. Ale jakby pani czegoś potrzebowała, to ja już dzisiaj nigdzie nie wychodzę. Wieczorem ino na majowe, ale to rzut beretem...

– Dziękuję, dziękuję – powiedziała Olga, nie mogąc się doczekać, kiedy zostanie sama.

* * *

Zerknęła na walizkę, ale postanowiła rozpakować ją później. Wysunęła telefon z etui. Nieodebrane połączenia. Od niego. Jeszcze nie wie, że się wyprowadziła. Jeszcze spokojnie pracuje, zajmując się tysiącem ważnych spraw. Jeszcze jego świat jest ułożony, nieskomplikowany. Jeszcze wciąż ludzie zazdroszczą mu szczęścia, stabilności, pięknej żony i udanej córki.

Zosia. Na tę myśl Olgę ścisnęło w dołku. Czy rzeczywiście jest na tyle dojrzała, że sobie poradzi? Przypomniała sobie ich ostatnią rozmowę. Zosia przysiadła obok z własnej inicjatywy. Rozmawiały długo. Jak dwie kobiety. Córka była mądra. Gotowa.

– Mamo! Kiedy patrzę na ciebie, wyglądasz jak ten ptaszek w złotej klatce. Zupełnie tak jak on przestałaś radośnie świergotać – powiedziała pewnego dnia.

Wówczas Olga udała, że puszcza tę uwagę mimo uszu, ale nic z tego.

– Siedzisz sama w tym wielkim domu. Prawie nigdzie nie wychodzisz. A razem z tatą... – Zosia machnęła ręką w powietrzu. – ...to już zupełnie. Zachowujecie się jak stare ramole.

Olga próbowała się uśmiechnąć, ale wyszedł z tego jakiś idiotyczny grymas. A na koniec się rozpłakała. Trwało to chwilę, ale zaraz otarła łzy i przeprosiła córkę, zrzucając słabość na karb zmian hormonalnych przed okresem.

Zosia nie dała się nabrać. Pokiwała ze zrozumieniem głową.

– Widzisz w tym jakiś sens? – zapytała. – Już wychodziła, ale zatrzymała się w progu, podniosła dłoń, pstryknęła palcami i dodała, niemal sentencjonalnie: – Czasu nie cofniesz, mamo. Co się stało, to się nie odstanie. Ale zawsze mówiłaś, że na to, co będzie jutro, mamy wpływ.

* * *

Przed odejściem Olga powiedziała do córki:

– Być może będę musiała wyjechać na jakiś czas... Być może nawet na długi. Chcę, żebyś wiedziała, że nie zostawiam ciebie. Będę dzwonić. O wszystkim będziesz informowana na bieżąco.

Strasznie to było trudne. Ale musiała. Nie mogła wyjść, ot tak. Zniknąć. Zosia była dla niej wszystkim, tyle że Olga nie miała pomysłu, jak to zrobić, aby się z nią nie rozstawać. Przecież szkoła. Tańce. Języki. To wszystko nie takie proste. W żadnym razie nie chciała narażać córki na biedę, brak pieniędzy, tułaczkę.

– Mamo! Dam radę! Ogarnę wszystko. Musisz zrobić porządek ze sobą – powiedziała Zosia, starając się, by jej głos zabrzmiał jak najbardziej dorośle.

Olga szukała w wyrazie twarzy córki, w oczach jakiegoś znaku. Może smutku, może łez, czających się w kącikach, lecz nie znalazła. Zosia przylgnęła do niej. Poklepała pokrzepiająco po ramieniu.

– Wszystko będzie dobrze. Zobaczysz.

* * *

Zdjęła buty i położyła się na łóżku.

Było to wygodne małżeńskie łoże, które zajmowało niemal pół pokoju. Obok stały gustowne szafki nocne. Przez półotwarte okna wpadało chłodniejsze powietrze. Było na wyciągnięcie ręki; wprawdzie zamknięcie ościeżnicy nie wymagało wysiłku, ale Olga chciała tego podmuchu. Powiewu, targającego firanami jak żaglami. Nadymały się, tworząc ogromne brzuszyska, a potem nagle opadały, poddając się zrywom wiatru. Na wprost łóżka stał telewizor. Jeden ze starszych modeli, z wielkim kuprem wypełniającym kąt, w którym ustawiono szafkę RTV w tym samym stylu co łóżko. Jeszcze szafki, duża szafa i niewielka witryna z podświetlanym sufitem. Za szybą połyskiwały kieliszki, wazy oraz porcelanowe figurki: gęsiareczek, królewien, pastereczek. Stały w szyku od największej do najmniejszej, jak na szkolnym apelu.

Było przyjemnie. Olga nie mogła uwierzyć, że znalazła się w obcym świecie, oddalonym zaledwie o ponad godzinę jazdy. Tak bardzo różnym od tego, w którym żyła dotychczas. Czuła jednak, że zna osobliwości małych miasteczek. Leżała, mając nad sobą nisko zawieszony sufit, który robił wrażenie, jakby za moment miał się osunąć i ją przygnieść. Nie przeszkadzało jej to jednak. Ba! Była zaskoczona tym odczuciem, pewna, że mimo obcości łatwiej jej się tutaj oddycha.

Nie myślała o niczym. Dotychczas nie sądziła, że tak można. Leżeć ze wzrokiem utkwionym na wprost. Oglądać zaszpachlowane ściany, na których mimo nałożonej gładzi wciąż można było dostrzec zarysy belek, zapewne elementów powały.

Była szesnasta trzydzieści. Rafał na pewno jeszcze w pracy.

Zasnęła.

* * *

Obudziły ją jakieś dzwonki, inkantacje, była jednak przekonana, że to dalszy ciąg dziwnego snu, w którym mieszały się postaci, miejsca i czas. Była w nim i ciotka Mańka, po której pozostały ledwie ślady wspomnienia z dzieciństwa, kiedy to z matką jechały do niej na wieś, do Poddębia. Oldze podobał się zapach pól, brodzenie w zbożu, kosmate wyki, które wplatała w kolorowe bukiety i zasuszała w przypadkowo wyciągniętych z biblioteczki książkach. Potem, po latach, wysypywał się spomiędzy kartek kolorowy susz, a matka krzyczała, że „pokruszone wiechcie walają się po całym domu". Ale ciotka Mania umarła nagle i wycieczki na wieś ustały.

Teraz przetarła zaspane oczy. Była w ubraniu. Zdziwiona własnym twardym snem, zerwała się z łóżka. Zaskrzypiała podłoga. Głosy za oknem zdawały się przybliżać. Zerknęła na telefon. Osiemnaście nieodebranych połączeń od Rafała i jeden esemes. Od Zosi. Rafał nie pisał esemesów. Uważał je za głupią zabawę i stratę czasu. Jeżeli chciał się z kimś porozumieć, po prostu dzwonił. Wściekał się również, kiedy ktoś puszczał mu strzałki. Zwłaszcza córka.

– Nie po to opłacam abonament, żebyś nie mogła zadzwonić! – napominał surowo.

Olga sądziła inaczej. Obie uważały esemesy za fajną rzecz. Kiedy na przykład Zosia siedziała w szkole, a poczuła wibrujący telefon, po kryjomu odpisywała, że ma lekcję. A jak Lewicka zobaczy, że się bawi telefonem, to zabierze i matka będzie musiała przyjść do samej dyrektorki, żeby odzyskać komórkę. Dobrzyńska często słała do córki kolejne wiadomości albo same buźki, na nauce których (i jeszcze serduszek) spędziły kiedyś kilka godzin. Zosia tłumaczyła, która buźka co oznacza i jak się ją robi. Było to nauka mocno niepoważna, ale sprzyjająca skracaniu pokoleniowego dystansu.

Rozumiały się świetnie.

„Nic się nie martw. Jest okej. Ojciec wrócił późno, a rano wyszedł do szpitala na dyżur. Kocham cię i jestem z tobą. Buziaki. ☺".

* * *

Tak. Zrobiła to. Odeszła.

Znienacka do Olgi dotarła bolesna świadomość sytuacji. Za oknem przetaczała się bożociałowa procesja. Sięgające niemal parapetów jej pokoju głowice wszelkich weksyliów, wyglądały jak wyrastająca z błękitu miedziana armia krzyży, orłów, gołębi, koron. Całą ulicę wypełniał łopot pięknie haftowanych, obszytych różnobarwną frędzlą płacht sztandarów, chorągwi, proporców, z których spoglądały oczy Matek Boskich – od Świętego Różańca, Nieustającej Pomocy, Bolesnych – oraz innych świętych. Wyhaftowanych misternie, z bladymi obliczami i nieruchomymi oczami zwróconymi w stronę nieba. Kobiety poubierane jak podstarzałe bizneswomen, w sztywne białe garsonki przepasane kolorowymi szarfami, trzymały w urękawicznionych na biało dłoniach sprawiających wrażenie obandażowanych, każda po jednej, kolorowe wstęgi rozchodzące się od drzewca. Za kordonem sztandarów, chorągwi i proporców mężczyźni, poprzebierani za strażaków, nieśli feretrony. Czterech innych dźwigało na ramionach wielką błękitną Matkę Boską, która ze swych wyżyn zachwycała się uroczystością. Nieco dalej niesiono piękny, niczym królewski, lśniący złotem baldachim, pod którym, prowadzony pod ramię, szedł proboszcz trzymający nabożnie monstrancję z zamkniętym Jezusem w hostii ukrytym. Co w wielogłosie wyśpiewywał na całą Rycerską wielobarwny pełczycki tłum. „Jezu miłości Twej, ukryty w Hostii tej. Wielbimy cud, Żeś się pokarmem stał, Żeś nam Swe Serce dał, Żeś skarby łaski zlał, na wierny lud...". W powietrzu unosił się kwietny zapach z płatków sypanych przez śliczne pierwszokomunijne dziewczęta, pomieszany z wonią kadzideł. Dzwonki dzwoniły.

Olga obserwowała, jak orszak, zmieniając trajektorię, kołysze się powoli i odpływa – jak Wielka Armada – w kierunku Staromiejskiej, na której po obydwu stronach porozwieszano kolorowe trójkąty. Im bliżej było do polowego ołtarza, tym gęściej od wstążek, bukietów, wystawionych w oknach Matek Boskich. A w końcu i zieleniej od młodych brzózek, które później wierni odzierali z gałązek, wierząc święcie w magiczną siłę roślinek, co to miały zachować od powietrza, wody, ognia, wojny i nudnych mężów oraz roztytych żon.

Śledziła widowisko zza ciężkich stor, zauroczona, żałując, że nie uczestniczy w owej mistyfikacji, za sprawą której człowiek jednoczy się z Kosmosem. Poczuła pustkę. Lata minione. Poza nielicznymi epizodami, podobne do siebie. Zmieniała się sceneria, ale im bardziej była luksusowa, tym ona gorzej się w niej czuła.

* * *

Telefon dygotał. Na wyświetlaczu pojawił się napis. Rafał.

Sara

Jechali samochodem Ziemińskiego. Miał je tylko odwieźć na pociąg, jednak znienacka zmienił zdanie.

– Pojadę z wami do Warszawy – oznajmił. – Mam coś
do załatwienia, więc i tak mi po drodze.

Sara wiedziała, że kłamie. Widziała, jak patrzy na
matkę. Przy śniadaniu zauważyła, że stopa matki prze-
suwa się po udzie mężczyzny, smyrając je prowokująco.
Przez twarz Samuela przebiegł skurcz, wzrok mu znieru-
chomiał. Lekko uniósł się na krześle, z trudem panując
nad podnieceniem

– To bardzo miłe z twojej strony. Strasznie nie lubimy
tłuc się autobusami. Ten smród! Ci obcy ludzie, ociera-
jący się o ciebie – powiedziała Lili z nieukrywaną niechęcią.

Taka właśnie była. Nieznani ludzie, jeśli ponadto
prości, spracowani, od których ciągnął zapach potu, od-
stręczali ją. Jadąc na pogrzeb ojca, spędziła jakiś czas

w autobusie wiozącym robotników po nocnej zmianie w wielkich zakładach w stolicy. Podróżowała pekaesem, ponieważ po ostatniej kłótni Aleks znikł, a ona sama pozbyła się akurat swojego wysłużonego clio i znajdowała się na etapie rozglądania się za czymś innym. Wymodliła to sobie. Prawdopodobnie Aleks wyjechał do matki pod Białystok, a ona, Lili, była zbyt dumna, by dzwonić i prosić go o cokolwiek. Zresztą od pewnego czasu w ich związek wkradła się nuda, która wyzwalała w niej nerwowość. Miała dość. Aleksa, jego pracy, która odrywała go od niej i nie pozwalała mu na ciągłą adorację. Nie umizgiwał się do niej, nie zabiegał. A ona nie znosiła i jego zmęczenia, i chwil, kiedy po powrocie do domu zamykał się w swoim pokoju, by pracować nad projektem. Była wściekła. Odeszłaby. Oj, odeszła. Ale dokąd? Pracowała dla międzynarodowego konsorcjum, mającego przedstawicielstwa w wielu polskich miastach, w którym ostatnio przebąkiwano o wakacie na menedżerskie stanowisko w Toruniu. Prezes Garlicki coraz częściej zerkał dwuznacznie w stronę Lili. Zwłaszcza że od jakiegoś czasu relacje między nimi wyraźnie ochłodły. Domyślała się przyczyny tego stanu rzeczy, ale mimo że broniła się przed kolejnym exodusem, teraz, kiedy jej czas z Aleksem się kończył, ewentualna zmiana miejsca pracy nie przysparzała jej większych zmartwień.

– Prawda, Saro? – zwróciła się do córki, oczekując potwierdzenia.

Dziewczyna spojrzała i wzniosła oczy do góry. Cień ironii mignął w spojrzeniu. Zawahała się.

– Mnie nie przeszkadza – odparła. – Lubię jazdę autobusem czy pociągiem. Bez różnicy. – Wzruszyła obojętnie ramionami.

* * *

Przez całą drogę siedziała na tylnej kanapie mercedesa Ziemińskiego, usiłując skupić się na losach Mirabelle. Ale nawet fragment, kiedy bohaterka, siedząc na podłodze odzyskuje wzrok, zapatrzona jak sroka w gnat w zawieszone na ścianach obrazy, nie był w stanie przykuć jej uwagi. Co chwila natykała się na spojrzenie matki, która jednak nie wyglądała na zainteresowaną tym, co robi Sara. Nie było to również spojrzenie szukające córki. Najbardziej trafne wydawało się określenie, że Lili sprawdza czujność córki. Czy aby Sara nie przejrzała jej zamysłów. Nie rozszyfrowała jej.

Lili i Sara

Najdłuższe wakacje w życiu Sary, naznaczone na samym początku pogrzebem dziadka, którego wspominała bardziej jako odwiedzającego babkę Marylę gościa, czekającego na podanie obiadu i ewentualne wskazanie miejsca na spoczynek, niż kogoś, kto huśta wnuki na rękach, aż krzyczą z zachwytu pomieszanym ze strachem. Albo zabiera je do najbliższego sklepu Społem, gdzie kupuje szklistego wiśniowego lizaka na patyku. Bolą po nim zęby, a usta są soczystoczerwone i klejące. Zatem wakacje, w samym ich rozkwicie, w lipcu, zdominowała przeprowadzka do Torunia.

Matka z hukiem wyprowadziła się od Aleksa i przyjęła propozycję prezesa – objęcie wakującego etatu w Toruniu. Pierwsze dni miała spędzić w komfortowym hotelu o egzotycznej nazwie Heban, w obrębie Starego Miasta, a później obiecano jej „niewielkie, ale przytulne mieszkanko" w samym sercu miasta, „z widokiem na Wisłę i rzut beretem od biura".

259

– Jakoś się pognieździmy razem. Przeniesiemy się, jak tylko przygotują nam lokum – oznajmiła Lili, ledwie Sara przekroczyła próg.

Nie odpowiedziała. To przecież tylko kolejna przeprowadzka. Sara niemal przywykła do ciągłej zmiany miejsc. Nauczyła się nie gromadzić rzeczy, bibelotów, wazoników. Nie miała ściany z fotografiami, szuflad wypełnionych skarbami i pamiątkami, żadnych pudeł ani niczego, co musiałaby ze sobą nosić, jak żółw skorupę. Cały dobytek mogła spakować w walizki.

– Dam sobie radę! Mną się nie przejmuj – zadeklarowała po chwili.

Wiedziała, że raczej nie zamieszka z matką. Już załatwiła sobie pracę w Gorzowie, która czekała tylko na zdanie matury. Judyta zaproponowała, że może u niej zakotwiczyć. Chociaż mieszkanie niewielkie, ale nie ma sprawy.

Lili na nowych śmieciach nie było łatwo. Wprawdzie doskonale wiedziała, co robić, ale to bądź co bądź świeże miejsce i ludzie. Samuel starał się ją wspierać, ale mógł niewiele. Był zbyt daleko.

* * *

Mieszkanie okazało się ciasnym pudełkiem, w którym Lili dusiła się już od kilku tygodni. Zgodnie z zapowiedzią prezesa Garlickiego istotnie mieściło się w ścisłej zabudowie Starego Miasta, ale urokliwe widoki z okna: spacerujące pary, obfotografujący wszystko turyści, chodzący z głowami zadartymi do góry, przystający przy grajkach dających koncerty: smyczkowe, gitarowe, akordeonowe, a potem odchodzących nie pozostawiwszy złamanego grosza, okazały się mrzonką. Poza jedną niewielką pierogarnią na końcu uliczki nie było tu niczego osobliwego. Pozamykane na głucho bramy, wytarte kamienne schody, prowadzące w głąb pamiętających wieki historii podniszczonych kamienic, szczerbate chodniki i zaścielone niedopałkami gazony. Na domiar złego wszystkie okna, nie licząc kuchennego, w trzypokojowym lokum wychodziły na podwórze, zapuszczone, brudne i smutne. Lili klęła w żywy kamień, zwłaszcza kiedy przecinając codziennie Rynek, by znaleźć się w biurze położonym tuż za zabytkową zabudową w nowoczesnym wieżowcu z widokiem na główną arterię miasta, lub błąkając się wieczorami oglądała urokliwe uliczki z przepięknymi kamienicami i setką romantycznych kafejek. Zawsze marzyła o mieszkaniu w takiej uliczce, jak te we Włoszech, po których kluczyła bez żadnej myśli. Tam szczególnie intrygowały ją okna, niewielkie, ale czarowne, z zamkniętymi na amen kolorowymi okiennicami. Otwierały pole wyobraźni, pozwalały na snucie opowieści. Poustawiane przy uchylonych zapraszająco drzwiach – w przeciwieństwie do okien – wielkie donice z oleandrami, agawami, jukkami, czasem

wąskie pergole z pnącym się leniwie winem prowokowały do wejścia. Nie przerażały jej siedzące na progu suche
Włoszki w rozmemłanych bluzkach, bezzębne i obojętne
na wszystko, będące absolutnym zaprzeczeniem piękna
włoskich kobiet oferowanym przez Sophię Loren i inne.
Choćby na przykład te u Felliniego, osmagane południo-
wym słońcem, idące w bieli, bezwstydnie pokazujące
napięte pod bluzką twarde sutki, kroczące pod rozwie-
wający suknie wiatr, odsłaniające nagość ciał, sunące
przez pola. Kobiety z jej pamięci, wrysowane w obręb
drzwi z pozdzieraną farbą, zdradzające upływ czasu, były brzydkie i przebrzmiałe, ale w tej swojej brzydocie,
w owej bezpośredniej wystawie, niosły autentyzm, do
którego Lili będzie tęsknić przez całe życie.

Tu było jednak całkiem inaczej. Chyba nigdy Lili nie
czuła się tak podle. Obcości budziły coraz to nowe lę-
ki. Co jakiś czas sprawdzała stan konta, gotowa ruszyć
umorzone bezpiecznie pieniądze po Dieterze. Wystar-
czyłoby na komfortowe życie w Toruniu, Warszawie czy
nawet poza krajem. Ale Lili nie znała swojego miejsca na
ziemi. Czasami z rozrzewnieniem wspominała niemiecki
dom. To tam czuła się najpewniej, zabezpieczona przez
Dietera w niezależność.

Bywało, że w zakamarkach umysłu świtało jej,
by wyjść za mąż, założyć rodzinę. Mieć azyl z przed-
pokojem, w którym stoją równo poukładane kapcie,
ze szczoteczkami do zębów kupowanymi w dwupakach

różniących się kolorami, z całym zestawem przyzwyczajeń. Z rodzinnym rytmem, naznaczonym wspólnym życiem. Zaraz jednak odpędzała tę myśl jak natrętną muchę. Nie! Nie pozwoli się usidlić, wprząc w kierat związku, w którym ktoś będzie decydował za nią. Bezwolną jak jej matka. O nie. To ona, Lili, jest panią swojego losu i to ona pokaże światu, że może z facetem zrobić wszystko. Kręcić nim, wodzić go za nos, rozkochać w sobie, rozbudzić! To ona rozdaje karty. Nie ma uczciwej gry. Choćby nie wiadomo co, zawsze będzie trzymać w rękawie asa.

Lili i ciotka Ludka

Telefon wyrwał ją ze snu. Przetarła oczy. Wciąż jeszcze w nowym mieszkaniu budziła się z wielkim zdziwieniem i upływało kilkanaście sekund, zanim była w stanie rozpoznać topografię. Styczną z poprzednim lokum stanowiły *Maki z Argenteuil*. Woziła ze sobą ten obraz z miejsca na miejsce jak relikwię, choć w istocie był zwykłą podróbką Moneta, dość przyzwoicie wykonaną, zakupioną we Florencji podczas niekończących się wędrówek po mieście. Zanim napatoczył się Dieter. Nadrukowana na płótnie malarskim, rozpięta na blejtramie w skali jeden do jednego udawała drogocenność, podobnie jak inne słoneczniki, zachody słońca czy setki reprodukcji odwołujących się do chwil spokoju. Któregoś razu Lili zaniosła go do galerii Relax na Kasprzaka, do oprawy. Wybrała drogą ramę, gustowne i równie nietanie passe-partout. Właściciel galerii uśmiechnął się z przekąsem, informując, że dzięki takiemu zabiegowi całość niewątpliwie zyska na wartości. Dla Lili nie miało to znaczenia. Po prostu lubiła te maki.

– Mariolka? – Głos po drugiej stronie był drażniąco znajomy.

Ciotka Ludka. Od pogrzebu ojca kilka razy zdarzyło jej się dzwonić, zawsze z wyrzutem, że to ona telefonuje pierwsza, a nie siostrzenica. Lili ignorowała te uwagi. Nie czuła żadnej potrzeby kontaktu z ciotką, która jak na złość przestała się obawiać komórki (przez długi czas postrachu rzucającego cień na przyszłość w postaci horrendalnych rachunków i perspektywy absolutnego bankructwa) i pozwalała sobie wydzwaniać z różnymi głupotami. A to opowiadała o sąsiadce, która zalała jej mieszkanie, a to o ścieżce rowerowej, którą wybudowali za cmentarzem, albo o Staśce Rusinowej (Lili nie miała zielonego pojęcia kto zacz), jak to się do kościoła w falbanki, jak głupi do Ośpic wystroiła. O innych osobach też, mniej lub bardziej znanych, w których życiorysy Lili nie zamierzała się wgłębiać. Dawno już wymazała z pamięci i tamte twarze, i nazwiska.

– Lili – poprawiła ciotkę.

– Dajże już spokój z tymi przebierankami! Dla mnie zawsze będziesz Mariolka i koniec. Ale mniejsza! – ciągnęła tamta, wrzeszcząc do telefonu. Wciąż nie miała pojęcia, gdzie mieści się głośnik, więc na wszelki wypadek komunikowała się głośno. – Słuchaj, co ci powiem... Rozchodzi się o kilka rzeczy – westchnęła ciężko, nabierając powietrza w wybujałe piersi. Z tonu można było wnioskować, że nie zamierza skupiać się dłużej na dywagacjach antroponimicznych. Czy córka jej, świeć Panie nad jej duszą, siostry to Mariolka, Lili czy jeszcze inaczej. – Pierwsza sprawa to to, że coś musicie zdecydować z domem. Bo niszczeje, a trzeba opłacać tak czy siak. Chętni może i by byli, ale nie wiem, co mam mówić. Wszystko zarasta, dachówka się sypie, płot zmurszał i chyboce się, że nawet koty boją się po nim łazić. Mnie tam nic do tego, chociaż co tu gadać, serce mi się ściska, bo bądź co bądź to kiedyś i mój dom był.

Świst wypuszczonego po tyradzie powietrza uderzył w głośnik komórki.

– Druga rzecz – podjęła ciotka na nowym wdechu. – Zmarł Jaśkiewicz! Matko jedyna...! – załkała teatralnie. – Toż młody chłop jeszcze! Pamiętasz go? Pamiętasz? – dopytywała gorliwie, jakby od tego pamiętania zależał ciąg dalszy. – Bodaj chodził z tobą do szkoły. No, może trochę starszy był, ale niewiele. Musisz go znać. No? – Dała Lili chwilę na odkopanie w pamięci postaci.

Zamarła. W głowie odżyły obrazy sprzed ponad dwudziestu lat. Chciała je wymazać, wyprzeć, ale namolnie tłoczyły się do głowy.

Ciotka, jak na złość, nie zamierzała kapitulować.

– No co nic nie gadasz? No? Jaśkiewicz przecież. Z tych Jaśkiewiczów. Wiesz, o kim mówię. Ojciec szycha w mieście, no a ten chłopak... – zawiesiła głos. – Ależ to był przystojniacha! Chłopak jak malowanie. Grzechu wart. Nawet mnie, starą, połachotało na samą myśl. Jak aktor jaki. Nie przymierzając toczka w toczkę jak ten doktor z *Na dobre i na złe*. Ten... No, cholera! Wypadło mi z głowy, ale wiesz już?

Lili nie przestawała próbować przełączyć slajdu w jej głowie. Cyk! I kolejna klatka.

– Musisz wiedzieć. On wtedy... No wiesz, o co chodzi. Dobra, zresztą mniejsza. No więc jego ojciec, stary Jaśkiewicz, ten adwokat, co był wybudowany za cmentarzem, wypytywał mnie kilka razy o ciebie. Raz w Netto zaczepił mnie, a raz to na ulicy. Co sobie przypomnę, to jeszcze mi się niedobrze robi, ile to strachu się najadłam. Szłam zamyślona, bo to człowiek tysiąc spraw ma na głowie, a tu ktoś łapie mnie za ramię. Matko Jezusowa!, wystraszyłam się, że to jakiś bandzior i nawet chciałam się odwinąć, ale patrzę, a to znowuż on. Ja tam mu nic nie gadałam, broń Boże, ale on mówił, że chciałby do ciebie kontakt w ważnej sprawie. „A ja tam, panie kochany nie mam pojęcia, gdzie siostry córka się podziewa", tak mu powiedziałam, bo pomyślałam, że cholera wie, o co mu się rozchodzi. Ale mówię ci, Mariolka, że był mocno zmartwiony... – W głosie ciotki zabrzmiało współczucie. – Jest jeszcze jedna sprawa. W skrzynce są jakieś kwitki. Awizo, czy jak tam zwał. Już chyba z sześć. Wyciągam je, chociaż coraz trudniej się tę skrzynkę otwiera, bo wszystko pordzewiałe i za każdym razem boję się, że się

267

klucz wyłamie i szlag zamek trafi. Ale potem to skrzynka pęknie od listów. Durnemu Stefanowi jak każą roznieść listy, to ten niesie, choćby i tam, gdzie nie ma domu i nawet kamień na kamieniu się nie ostał...

– A co jest napisane na tych kwitkach? – przerwała Lili potok wymowy.

Była ciekawa. Tajemnicza korespondencja zaintrygowała ją. Matka nie żyła od dawna, ojciec też już trochę czasu. Ale Lili pozostawała tam zameldowana. I jeszcze Sara.

– A daj ty mi spokój! Skąd ja mam wiedzieć? Jakieś cyferki, mazaje i tyle! Trzymam je, bo co mam z nimi zrobić, ale przecież nie do mnie adresowane. Jak chcesz, to znam Zośkę Sobkowiakową, która robi na poczcie, to zapytam. Tylko co dalej? Nawet jakby...

Lili przerwała po raz kolejny. Postanowiła zareagować. Pod skórą czuła, że to może być coś ważnego. A ona nie lubiła niespodzianek, żadnych suspensów, które burzyłyby jej świat.

– Podam cioci adres i prześle mi ciocia te pisma. Zobaczę, o co chodzi. Pewnie jakieś pierdoły. Aha, i nie chcę, żeby ktokolwiek poznał mój adres. Zresztą niebawem będę się przeprowadzać.

Ostatnie słowa rzuciła ot tak, nie przypuszczając, że wkrótce staną się najprawdziwszą prawdą.

– To ty tak ciągle latasz? Nigdzie nie możesz miejsca zagrzać? Ja tam się w twoje życie nie chcę wchrzaniać, ale może czas już się gdzieś zagnieździć? A co u tej twojej córki?

– Dobrze – ucięła Lili.

Niepokój rósł, chociaż nie potrafiła sprecyzować, dlaczego.

Ciotka Ludka dostała adres.

* * *

Nie minęło kilka dni, a listonosz osobiście zapukał do drzwi, wręczając Lili związany recepturką pakiet pism sądowych, po znajomości wydobytych z bieżuńskiej poczty przez ciotkę. Sąd Rejonowy w Mławie. Raz, drugi, trzeci. Litery tańczyły. Skakały jak oszalałe. Sąd. A cóż to znowu? Lili rozrywała kolejne koperty, śledziła wzrokiem treść. Jaśkiewicz! Nazwisko przewijało się między zadrukowanymi wersami. „Sąd Rejonowy w Mławie zawiadamia o terminie otwarcia i odczytania testamentu...".

Lili zmięła kartki w bezkształtną bryłę i wrzuciła w głąb szuflady z nieważnymi przedmiotami, takimi jak korkociągi, otwieracze do piwa, zawieszki do breloczków. Szuflady, która z pokorą przygarniała zarówno rzeczy nieważne, jak i takie, które potrzebowały topografii. Swojego miejsca w bezładnym kosmosie.

Jaśkiewicz. Wspomnienia tłoczyły się jedno za drugim. Pozwy o gwałt, o ustalenie ojcostwa. Rozprawy.

Współczujące spojrzenie sędziny, na kilometr zionęła nienawiścią do mężczyzn. Co się który z chłopaków odzywał, przerywała mu nieprzyjemnym tonem, jakby zamierzała powiedzieć: „Nie popuszczę tym gnojkom, odpowiedzą za twoją krzywdę".

Czy to rzeczywiście była krzywda? Nie, raczej niebezpieczna zabawa, którą Lili sprowokowała, nieprzewidziawszy finału. A tak, zabawa, którą zaczęła lata świetlne temu. Na bieżuńskim cmentarzu i na polach szumiących zbożami i pachnących słońcem. Na ścieżkach porosłych rozcapierzonymi nawłociami, gdy czuła na sobie spojrzenia chłopaków, skradających się jak na podchodach, dyszących młodzieńczym pożądaniem na myśl, że oto za chwilę ujrzą Lili tonącą w wysokich trawach zbóż, odsłaniającą piersi i prężącą się jak kotka. Przeciągle, z rozmysłem. Zarzucającą sieć, lepką i wytrzymałą. Przełykali głośno ślinę, gładzili się po napęczniałych rozporkach, przecierali oczy. Byle tylko zobaczyć jak najwięcej. Zatrzymać w pamięci każdy szczegół, po to, by w nocy odtworzyć film z najmniejszymi detalami i dać upust pożądaniu masturbacją do bólu. Czy to była krzywda? Nie, pani sędzino! To nie krzywda, a chęć udowodnienia wszystkim mężczyznom na świecie – tym małym i tym dużym – wyższości własnego ciała i władzy nad nim. A nade wszystko jego świadomości. Piękne i młode? Tak. I jej.

Nie potrafiła przeciwstawić się ojcu, kiedy wyciągał ręce jak po swoje. To za niego ich ofiara. Bo Lili potrzebowała ofiar. Czy to krzywda? Nie, pani sędzino. W tamtym czasie już nie. Ale na polu walki nie było trupów. Pozostały mokre prześcieradła i koszmary nocne. Gdyby mogła zobaczyć głowę na tacy, żyłoby się jej lepiej. Nieważne czyją głowę. Jakąkolwiek. Byleby była. Taką, która zdołałaby zrekompensować męską rozbuchaną chuć. Niszczącą marzenia, odbierającą radość, niweczącą nadzieje na przyszłość. Czy to była krzywda? Nie, pani sędzino. Ale czas rwie do przodu i nie da się go poskromić. Zegary nie chodzą wstecz.

* * *

Rozmowy z psychologiem, który okazał się zwykłym dupkiem i niewiele wniósł do sprawy, poza głupim ględzeniem o krzywdzie, traumie i powrocie do normalnego życia. I spojrzenie matki, w którym błaganie mieszało się z groźbą. I litość dla niej. Jeśli odbierze jej złudzenia i odkryje przed nią prawdę, to tak, jakby wbijała jej nóż w serce...

Cyrk, od którego uciekała przez całe życie.

Wyciągnęła papierową kulę i podpaliła ją, jakby ogień mógł uchronić ją przed minionym.

Mieszkanie Lili wypełnił swąd spalenizny i strzępki przydymionych skrawków.

Lili i Samuel

Gdzieś w okolicach października wzięła kilka dni wolnego. Nie bardzo to było na rękę szefowi, który w ostatnim czasie zdawał się być mniej serdeczny w kontaktach. Być może roszczenia związane ze służbowym mieszkaniem, w którym ciągle coś trzeba było naprawiać, coś dokupować, albo wyraźnie artykułowane sugestie dotyczące wzrostu płacy sprawiały, że Garlicki tracił sentyment do Lili. A wziąwszy pod uwagę, że odtrącała jego awanse wielokrotnie oraz pojawiające się w polu widzenia coraz to młodsze i bardziej chętne asystentki, łatwiej przychodziło mu okazywanie niezadowolenia. Co jakiś czas sugerował kolejną zmianę miejsca, nie pozostawiając Lili możliwości wyboru. Wspominał a to o Olsztynie, a to o Poznaniu, traktując ją jako osobę, której najłatwiej jest spakować walizkę i zmienić lokum. Nie miała męża, córka i tak mieszkała gdzie indziej. Obie kobiety nie były ze sobą związane jakoś szczególnie

– dziewczyna rzadko odwiedzała matkę, a ta z kolei mało kiedy opowiadała o córce. Ponadto pozycja Lili spadła w rankingach wkrótce po tym, jak po burzliwym rozstaniu z Aleksem Garlicki zobaczył ją na parkingu przed firmą z Samuelem. W niedwuznacznej sytuacji, na tle wypasionego mercedesa. Całowali się w aucie. Długo, przeciągle, nie pozostawiając żadnych wątpliwości co do relacji. W progu biura Lili powitało chłodne spojrzenie, oficjalne „dzień dobry" i sugestywne spojrzenie na zegarek – kwadrans po ósmej.

Przed końcem pracy otrzymała propozycję. Toruń.

* * *

W uszach wciąż dźwięczało niezadowolenie szefa, ale w tamtym dniu było jej to obojętne. Starała się nie myśleć o pracy. Czuła się kiepsko. Przeciągająca się miesiączka, bolesność w dole brzucha, nasilająca się przy najmniejszym wysiłku, wprawiały Lili w apatię i rozdrażnienie. Była sama. I było jej nawet dobrze z tą samotnością; nie wyobrażała sobie pokazania się komukolwiek w takim stanie. W rozsypce. Pozbawioną charme'u, w pożałowania godnym entourage'u.

Za oknem rozciągał się widok na nieciekawe, pozbawione jakiegokolwiek blichtru zabudowania. Na grubych, splecionych ze stylonowych włókien linkach, rozpiętych pomiędzy pordzewiałymi słupkami, wisiały

273

płachty prześcieradeł wyglądające jak wielkie żagle, poszarzałe ręczniki z wytartymi z miłego frotowego meszku plackami, wyblakłe podkoszulki i trywialne gacie. Podwórkowe komórki z powyłamywanymi deskami, tu i ówdzie popróchniałe, wyszczerbione jak nieleczone uzębienie, chybotały się, strasząc zawaleniem. Chylący się ku upadkowi płot z zapętlonego drutu stanowił granicę między „dziedzińcem" kamienicy, w której zamieszkała Lili, a posesją hotelu z liczbą w nazwie, której nie zamierzała rozpracowywać. O tym, że to jest hotel, dowiedziała się od Samuela, który lokował się w nim, kiedy Sara przyjeżdżała z Gorzowa.

* * *

Było ponuro i smutno. Pierwsze symptomy jesieni dawały o sobie znać. I to w realizacji tej najmniej ciekawej, niemającej nic wspólnego z liryczną i złotą. Słowem, jesień w najgorszym wydaniu: mżyło, wiało, chmurzyło. Świat siniał, tracąc kolory i światło. Co jakiś czas podmuchy wiatru szamotały starymi skrzydłami okien, kołysząc lekką firaną, która falowała niespokojnie, ocierając się o parapet pomalowany tandetną olejną farbą, ledwie pokrywającą wyżłobienia w jego płaszczyźnie.

Owinięta w lekki polarowy koc, słuchała muzyki. Telewizor ją denerwował. Te same twarze, żółte paski wojen, kataklizmów i innych nieszczęść. Głos Elli

274

Fitzgerald wpływał do głowy, kojąc nerwy, tłumiąc pojawiający się co chwila rozpychający ból. Dostała płytę od Aleksa. Słuchał dobrej muzyki i nauczył ją słuchać. Kupiła sobie nawet mp3, chociaż rzadko jej się zdarzało chodzić ze słuchawkami poza domem. Z Aleksem używali niekiedy słuchawek na spółkę, kiedy chciał, by natychmiast usłyszała jakiś utwór. Przylgnięci ciasno. Rzadko. Bo Lili męczyła taka intymność. Miała wrażenie, że za chwilę zostanie wchłonięta, pozbawiona niezależności. Nie lubiła przytulania, obejmowania, trzymania za rękę. Te wszystkie czynności wydawały się infantylne, zarezerwowane dla młodych. Może i dlatego zaraz po seksie wychodziła z łóżka i długo zmywała z siebie zapach mężczyzny. A gdy wracała, kuliła się, pokazywała plecy, oplatała się szczelnie kołdrą, nie pozwalając żadnym rękom błądzić po jej ciele.

Nasilające się skurcze przyniosły kolejną falę uporczywego bólu nie do wytrzymania. Wstała. Skulona, przytrzymując brzuch, jakby bała się, że zaraz wszystko jej ze środka wypadnie, poszukała torebki. Poczuła ciepły strumień lepkiej krwi. Ścisnęła uda w obawie, że krwawienie wydostanie się na zewnątrz. Na szczęście tak się nie stało, mimo to posuwała się powoli, szurając zaciśniętymi nogami. Wczoraj kupiła apap, więc plastikowa buteleczka była otwarta. Połknęła dwie tabletki. Trochę wytrzyma, zanim lek podziała, a zaraz potem poczuje się senna. Zawsze tak miała, zatem nauczyła się zażywać paracetamol, kiedy dopadała ją bezsenność. Trzymała go blisko, w zasięgu ręki. Ale ostatnio tabletki kończyły się szybciej. Robiła zapasy, dwa, trzy niewielkie opakowania. Aż w końcu takie, w którym mieściło się pięćdziesiąt sztuk. Ella Fitzgerald właśnie śpiewała o marzeniach dziewczyny i chłopaka, i o tym, że przemienią Manhattan w wyspę radości. Ból mieszał się z błogością.

Pod powiekami ulokowały się obrazy szumiących pól, mariaż włoskich i bieżuńskich krajobrazów, a wtedy właśnie zadzwonił dzwonek, nieprzyjemnie drażniąc uszy. Początkowo myślała, że dźwięk pochodzi z półsnu, ale nie odpuszczał. Był coraz bardziej natarczywy.

Podniosła się z ociąganiem. W okrągłym okienku judasza zobaczyła zniekształconą twarz Samuela. Wyglądała jak w gabinecie luster. Krzywizna podkreślała łysiejące czoło. Lili poczuła, jak pęcznieje w niej złość. Nie spodziewała się tej wizyty. Nie chciała widzieć nikogo. Nawet jego, Samuela, który za każdym razem obsypywał ją kwiatami i drogimi podarunkami, łechcąc przyjemnie ego. Nawet on nie był w stanie poprawić jej nastroju. Na chwilę przyszło jej do głowy, by nie otwierać, ale machnęła ręką. Nie odszedłby. Sterczałby pod drzwiami do wieczora, dzwoniąc co chwila.

Odciągnęła zasuwę nieco już przyrdzewiałego patentu, przekręciła klucz w dolnym zamku.

Zapach męskich perfum, wymieszany z aromatem wielkiego różanego bukietem, uderzył w jej nozdrza.

– Dlaczego nie zadzwoniłeś? Przecież mogłam gdzieś wyjść. Albo równie dobrze nie być sama – powiedziała, poprawiając ręką włosy, które wysunęły się spod spinki. Opadły na twarz. Utraciły jakikolwiek porządek.

– Nie wpuścisz mnie? – zapytał z niezmiennym błaganiem.

Twarzy przydawało go teatralne wydęcie dolnej wargi. Samuel wyglądał jak łaszący się psiak, którego nie odpędzi nawet trącenie butem.

Puściła klamkę. Zawróciła do pokoju, zostawiając za sobą szczęk zamykającego się zamka.

Samuel przekroczył próg, udając, że nie słyszy pretensji. Zbliżył się do Lili. Odwróciła się i natknęła na jego twarz; stał tuż za nią. Poczuła na policzku ciepły oddech i szybko wyciągnęła rękę, blokując mu możliwość manewru. Żadnych czułości! Nie teraz. Ból, przyczajony chwilowo w głębi ciała, powoli, pulsująco dawał o sobie znać.

– O coś chyba pytałam? – podniosła głos.

– Musiałem przyjechać. Zobaczyć... Ciebie. To wszystko. Musiałem – odpowiedział pokornie.

Stał z utkwionymi w nią oczami. Nieruchomo. Napięcie zdradzały ledwie dostrzegalne tiki.

– Samuel, zrozum! Nie możesz przyjeżdżać ot tak sobie! Rozmawialiśmy o tym. Wydawało mi się, że dość jasno przedstawiłam zasady. A ty wpadasz i znienacka pakujesz się w moje życie. Do cholery! Coś chyba jest nie tak!

– Ale twój ostatni esemes...

– Daj spokój. Nie wiem, o czym mówisz.

Była poirytowana. Na domiar wszystkiego absolutnie nie przypominała sobie żadnego esemesa. Owszem, zdarzało jej się wysyłać krótkie sygnały, niedokończone zdania, słowa, ale to była zabawa. Wiedziała, że zaraz zadzwoni, że będzie dyszeć w słuchawkę, wyszukiwać słowa. A wówczas ona utnie rozmowę. I tak do następnego razu. Będzie go szczuć i wabić na przemian. Lili wiedziała, że przyjdzie czas i Samuel stanie się jej potrzebny. A raczej jego pieniądze. Dłużej już nie wytrzymam w tym mieście, w tym zatęchłym mieszkaniu!, myślała. Mam pieniądze, ale to jeszcze nie pora na ich ruszanie. Wciąż jestem piękna. Jeszcze wiele mogę.

Widziała oczy Samuela, podążające za nią, głodne, nienasycone. Pamiętała tamtą noc w jego bieżuńskiej willi, a potem i inne, które ofiarowywała mu z rozmysłem. Czarowała go. Już wtedy mogłaby go mieć, tyle że nie chciała. Potrzebowała okresu przygotowawczego. Stopniowo rozniecała w nim ogień, którego po pewnym czasie nie ugasi już nic. A wtedy ona, Lili, łaskawie przyjdzie mu z pomocą. Pozwoli się kochać.

Jeszcze nie teraz. Nie wtedy, kiedy potrzebuje snu. Kiedy tylko sen może przynieść ukojenie bólu. Kiedy nie ma siły myśleć o tym, jak wygląda. Jest nieumalowana, nieubrana, a wreszcie, kiedy wygląda jak jedna z miliona. Jakaś prosta Gośka czy Ewka.

Była obolała i przygnębiona.

Samuel był zdezorientowany, ale nie tracił rezonu. Rozglądał się po mieszkaniu z pewnym obrzydzeniem. Odmalowane, ale nie sposób było nie dostrzec popękanego sufitu, niechlujnych nierówności, skromnego urządzenia i zapachu stęchlizny chowającego się za wonnym odświeżaczem powietrza. Jak szara nora, przytłaczająca, ciasna, zabierająca oddech, a jesienią tchnąca wilgocią, starością i biedą.

– Usiądź! Nie stój jak ten słup! – rzuciła szorstko, wskazując głową na dosunięte do stołu drewniane sfatygowane krzesło.

Próbował ją objąć, uspokoić, ale Lili pozostała oschła i nieprzyjemna. Czuła, że nadpływa kolejna fala bólu. Zbiera się przed uderzeniem.

– Nie możesz tak żyć... – powiedział. – Chyba nie sądzisz, że ten buc załatwi ci coś lepszego? Penthouse w wielkim apartamentowcu z widokiem na Wisłę? Gdyby chciał...

– Nie twoja sprawa! Nie potrzebuję... – urwała, bo naraz zdała sobie sprawę, że za chwilę powie za dużo. Wystraszy go. Zniechęci. A on wyjdzie. Zamknie za sobą drzwi i już nigdy nie wróci. – Muszę się doprowadzić do porządku – oznajmiła łagodniej. – Zaczekaj. Włącz sobie telewizor.

Ośmielony Samuel poderwał się na równe nogi. Słowa Lili zachęciły go. Zamierzał przygarnąć ją do siebie, ale wystarczyło spojrzenie, by się powstrzymał. Mimo łagodności w głosie, oczy patrzyły nieprzejednanie. Dopiero teraz zauważył wory pod nimi, przygasłe, pozbawione blasku źrenice, zapadnięte policzki, które wyostrzały zarys twarzy.

W duchu ucieszyła go ta mizerota. To najlepszy moment, by się nią zaopiekować, zabrać do siebie. Pielęgnować, mieć na własność. Wkomponować ją w piękne wnętrza. I podziwiać. Dotykać. Całować. Pieścić. Hołubić. Jego Lili! Czekał na nią tyle lat! Wytrzyma jeszcze. Wytrzyma.

* * *

– Chcę, żebyś wyjechała ze mną. Zamieszkała...
– W Bieżuniu? Nigdy.

Ewa i Adam

Co się dzieje u Dobrzyńskich? – zapytała Ewa.

Ot tak. Ostatnio jakoś się nie widywali, a i Adam rzadko wspominał kumpla z młodości. Od tamtego wpadnięcia na siebie w Castoramie spotykali się – początkowo od przypadku do przypadku, ale z czasem kontakty się zacieśniły. Bywało, że mężczyźni wybierali się na mecz żużlowy. Ewa lubiła Olgę, choć Dobrzyńska była dużo młodsza i poza kurtuazyjną wymianą zdań: „Co słychać?", „Jak tam córka?", niewiele miały sobie do powiedzenia. Jakieś zdawkowe informacje o niczym. Ewa wyczuwała, że tamta niechętnie mówi o sobie, ale szanowała tę wstrzemięźliwość. Lubiła obserwować Rafała i Adama, którzy w swoim towarzystwie czuli się świetnie. To, że łączy ich wiele, widać było na pierwszy rzut oka. Zaśmiewali się czasem z przywiedzionych z przeszłości opowieści, co do których prawdziwości zarówno Olga, jak i Ewa miały wątpliwości, bowiem obaj zdawali się być facetami śmiertelnie poważnymi. Takimi, którym nie przytrafiają się głupie historie.

– Nie wiem – odparł.

– Jak to: nie wiesz? Przecież to twój przyjaciel.

– Dzwoniłem kilka razy, ale Rafał nie odbierał. Może miał wyłączony telefon? Chciałem się wybrać na żużel, ale wiesz, jak to z nim jest. Albo dyżur, albo gabinet.

– No to musisz próbować. Może by wpadli do nas?

– Takie sprawy to już musicie wy, kobiety, między sobą ustalać.

– A co ty na to?

– Jeżeli masz zamiar przygotować tatar z łososia, a do tego dużo mięsa... Zgadzam się. Jak najbardziej. – Adam pogłaskał się po brzuchu i oblizał łakomie. – Zadzwoń do Olgi i poustalajcie wszystko. Mnie tam ganc egal.

– Chciałabym zaprosić jeszcze kogoś... – dodała ostrożnie Ewa. Przez chwilę obserwowała reakcję. – Jeżeli, oczywiście, się zgodzisz – dodała przymilnie.

Była pewna, że Adam zacznie rozpytywać kto, co, gdzie i tak dalej, jednak robił wrażenie, jakby rzeczywiście było mu wszystko jedno.

– Jeżeli jest ładna, młoda i niewiele je, nie mam nic przeciwko. – Wzruszył ramionami. Rozłożył dłonie jak do błogosławieństwa.

Cmoknął Ewę w policzek i zniknął za płachtą gazety.

Ostatnimi czasy było im coraz lepiej. Więcej pieniędzy, mniej problemów. Ewa zaczęła częściej wychodzić.
Któregoś razu zauważył, że stroi się przed lustrem.

– Może ty kogoś masz? – zagadnął, uśmiechając się
pod nosem.

Wiedział, że jego żona nie nalcży do kobiet, po których można spodziewać się zdrady. „To kwestia wycho-
wania, wartości", zapewniała, ilekroć zdarzyło jej się
z kimkolwiek na ten temat prowadzić dyskusję. Był jej
pewien, jak niczego na świecie. Niekiedy miała preten-
sje, że nie bywa o nią zazdrosny, nawet gdy na sylwe-
strze jeden czy drugi ślizgał się po niej pełnym apetytu
wzrokiem.

– Głupoty gadasz – zbyła go. – Idę do kina ze znajomą. W Kinie Kobiet grają nowego Allena.

– Co to za znajoma? Ta, z którą ostatnio byłaś na
Piaf? Nie żebym coś miał przeciw, nawet się cieszę, żc
wystawiasz nos z domu. Ale znam ją?

– Może kiedyś ją zaproszę, to poznasz – rzuciła wówczas tajemniczo i wyszła.

Adam nieraz słyszał, jak rozmawiają przez telefon
i był zdumiony, że jego żona potrafi trajlować kilkanaście
minut bez przerwy. Przypomniał sobie, że tylko z Dzidką
tak gadała, choć głównie na babskie tematy – o kupkach,
srupkach i dzieciach. Teraz Ewa się starała. Z namysłem
dobierała słowa, popisywała się erudycją. Widać było, że
jej zależy.

Któregoś razu zapytał ponownie:

– A właściwie to z kim tak rozmawiasz? Skąd znasz tę kobietę?

– Adam, jak zwykle nie słuchasz. Opowiadałam ci o niej. Poznałyśmy się u Rafała. Zostawiła telefon...

– A tak, tak – przerwał. – Rzeczywiście było coś takiego.

Olga

Skrzypienie podłóg, dźwięk starego domu. Olga nieraz słyszała, jak Rytwińska podchodzi pod drzwi, nadstawia uszu. Uśmiechała się do siebie. Biedna kobieta! Jak mogła sądzić, że ciężkiego człapania po schodach można nie usłyszeć? Czego ona nasłuchuje? Olga miała ochotę otworzyć drzwi i krzyknąć: „A kuku!", ale dała sobie spokój. Była pewna, że pod jej nieobecność Rytwińska zagląda do pokoju. Może nawet myszkuje po szafach. Gdy tylko Olga sposobiła się do wyjścia, gospodyni stawała w progu kuchni.

– Może podleję kwiaty w pokoju? – zagadywała.

– Nie mam żadnych kwiatów – uśmiechała się Olga pobłażliwie.

Właścicielka musiała widzieć wystawioną na zewnątrz doniczkę z dorodną hoją, która kwitła jak oszalała, roztaczając ciężki, duszący zapach. Dobrzyńska domyślała się, że starą gryzie ciekawość i była pewna, że gdy tylko przestąpi próg, gospodyni zza firany będzie obserwować, jak ona znika za zakrętem. Nie miała jednak pojęcia, że potem jeszcze chwilę odczekuje, a następnie zasuwa wielki łańcuch i czym prędzej idzie do pokoju lokatorki. Bierze do ręki jej ubrania, bieliznę. Ogląda. Wącha perfumy. Rozgląda się za jakimś śladem, który powiedziałby jej o Oldze cokolwiek. A potem, z perfekcyjną dbałością, odkłada wszystko na miejsce. Przez chwilę przystaje w progu, wdychając łagodny, a zarazem wytworny zapach, który z dniem przybycia lokatorki pojawił się w całym domu na Rycerskiej.

Jednak ani eksploracja pokoju, ani zacięte penetrowanie szuflad, szafek, wielokrotne zaglądanie do wsuniętej pod łóżko walizki nie przynosiły odpowiedzi. I ani ona, ani mieszkańcy mieściny nie wiedzieli, co taka ładna, mądra kobieta robi w takiej dziurze jak Pełczyce. Podpytywali Rytwińską, ale ta tylko rozkładała bezradnie ręce. Olga była bardzo miła, lecz dostępu do prywatności broniła konsekwentnie.

* * *

Pracowała dorywczo, od czasu do czasu publikując jakieś drobne teksty w kobiecych czasopismach, ale uzyskane w ten sposób pieniądze nie wystarczały na opłaty i życie. Zwracała się do różnych redakcji z propozycją napisania cyklicznych artykułów o tańcu, ale nigdzie nie udało jej się zahaczyć na stałe. Wprawdzie otrzymywała odpowiedzi, że to, co pisze jest bardzo zajmujące i ble, ble, ble, ale kończące się zawsze tak samo: „(...) odezwiemy się do pani". I ani telefon nie dzwonił, ani nie było żadnego mejla. Miała wprawdzie zgromadzone trochę środków, ale miała też świadomość, że się skończą. Do rodziców nie chciała jechać. Tyle lat. Z czasem pogodziła się z ojcem, chociaż nigdy nie powrócili do feralnego pożegnania. Z matką najpierw spotykała się po kryjomu, a potem, kiedy czas nieco zasuszył rany, odwiedzały się wzajemnie. Kilka skradzionych godzin, podczas których nie bywało do opowiedzenia aż tyle, żeby warto było zaczynać, więc zazwyczaj zamieniały kilka lakonicznych zdań i powracały każda do swojego życia. Rafał nigdy nie brał w tym udziału. Olga nie nastawała na wspólne wyjazdy do Ciechanowa, on się nie upierał, mając zresztą zawsze gotową wymówkę, która rozgrzeszała i jedno, i drugie.

* * *

Nocami powracało w koszmarach pechowe pismo, które wciąż czuła w rękach. Miała wrażenie, że czerwone sądowe pieczęcie odciskają się na jej dłoniach. Choć bywało, że bagatelizowała sprawę. Tyle lat. Brak wyraźnej jasności. W takiej sytuacji myślała o powrocie. Ale przychodziły również chwile, kiedy ostatnia noc i ten list składały się w całość. Czuła do Rafała odrazę. Myśl, że jej mąż jest gwałcicielem, paraliżowała. W jej głowie kotłowały się wspomnienia, ich sceny miłosne, dopełniając paskudnego wizerunku męża. Już nie widziała w nim namiętnego kochanka, ale obleśnego faceta, dyszącego, wykręconego paroksyzmem perwersyjnej rozkoszy. Kim naprawdę jest Rafał Dobrzyński, ojciec jej dziecka, szanowany ginekolog? Pytania nie pozwalały spać. Starała się je odganiać, co z tego, jeśli one uparcie żłobiły w jej głowie wielkie dziury i zasadzały się w nich. By potem wychynąć z owych przeklętych rewirów pamięci i dręczyć.

Teraz polubiła spacery nad jeziorem, w miejscu gdzie brzeg porastały wysokie źdźbła tataraku, za którymi rozciągała się panorama miasteczka. Mało kto tędy chodził, choć ścieżka była wydeptana. Tu dopadały Olgę pytania o przyszłość. Nie miała pojęcia, jak się potoczy jej życie. Tęskniła za Zosią, choć córka zapewniała ją nieraz, że u niej wszystko w porządku i daje radę. Umówiły się na sekretne spotkanie w Barlinku. Oldze wydawało się, że to bezpieczne miejsce. Wprawdzie znała tam Daniela Jankowskiego, ale prawdopodobieństwo spotkania go było praktycznie równe zeru.

Jednak ilekroć próbowały z Zosią uzgodnić konkretną datę, coś stawało na przeszkodzie i obie, pokrzepione rozmową, stwierdzały, że jeszcze trochę wytrzymają bez siebie i następnym razem „to już na pewno staną na głowie, żeby się spotkać".

Oldze najbardziej doskwierała bezczynność. Myślała, żeby załapać się do ośrodka kultury. Mogłaby poprowadzić kurs tańca dla dzieci albo rytmikę. Tylko co z referencjami?

Któregoś dnia wybrała się do miejscowego domu kultury, lecz poza kobietą, która była sekretarką, „kierowniczką" pracowni plastycznej i jeszcze bibliotekarką w jednym, nie zastała nikogo. Potem pomyślała, że dobrze, bo wyobraziła sobie miny tych wszystkich ludzi, którzy pytają o jej kompetencje, doświadczenie, referencje, pokończone kursy, studia, warsztaty, a ona na to wszystko, że tańczyła w klubie go-go. I że to jej całe doświadczenie zawodowe. Na widłach chybaby ją wynieśli! I czemu się dziwić, skoro własny mąż potraktował ją jak dziwkę...

* * *

– Proszę pani! Proszę pani! – usłyszała za sobą wysoki, męski głos.

Nie zwolniła. Odwróciła tylko głowę, by upewnić się, że to na pewno nie do niej.

Mężczyzna w średnim wieku, o nieco zniewieściałej urodzie, machał ręką.

– Ja do pani! Do pani! – Ostatnie słowo wypowiedział z naciskiem.

Zatrzymała się, a on przyśpieszył kroku. Widać było, że z trudem łapie oddech. Czerwona twarz, wysiłek włożony w spotkanie z Olgą oko w oko.

– Moje nazwisko Laguna. Dariusz Laguna.

Wysunęła z pewnym ociąganiem dłoń, ale nie przedstawiła się z nazwiska.

– Olga! – powiedziała krótko.

Nie kryła zdumienia.

Mężczyzna wziął oddech, a potem, jąkając się nieco, wyrecytował:

– Ja przepraszam, że tak panią... Na ulicy. Ja bardzo przepraszam, ale widzi pani... Krysia, moja pracownica, mówiła, że była pani w domu kultury. Bo ja, znaczy my, chcielibyśmy tutaj, w Pełczycach, stworzyć zespół. Taki, wie pani, folklorystyczny. Wie pani, tutaj nie ma tradycji, takich jak na Mazowszu czy Śląsku. Ale my sami... Da się i taniec, i stroje. A co?

Olga czuła zakłopotanie. Wprawdzie wspomniała pani Krysi coś o tańcu, ale teraz wystraszyła się, że zażądają od niej papierów, potwierdzeń kompetencji. Niby miała pokończone jakieś kursy, ale... Nie, nie! Czas wybić sobie z głowy mrzonki o tańcu. Znajdzie jakąś inną pracę. Może otworzy sklep? Może z ubraniami? Dla dzieci?

Patrzyła na Lagunę, którego oddech odzyskał normalny rytm. Przetarł czoło, chociaż nie perliła się na nim ani kropla potu. Patrzył na Olgę i śmiesznie kiwał głową, jakby zamierzał zgodzić się z nią.

– Pan mnie chyba z kimś pomylił? – powiedziała niepewnie, by zyskać na czasie.

– Ależ skąd! Proszę pani, Pełczyce to nie Paryż! Tu wszyscy o wszystkich wiedzą. Jak mi Krysia panią opisała, to od razu wiedziałam, że pani to ta lokatorka Rytwińskiej. A kto Rytwińskiej nie zna? Pani Olu... Przepraszam: Olgo! – roześmiał się, ukazując szereg równych, białych zębów.

Jest sympatyczny, pomyślała. I bije od niego szczerość, taka, która urzekła ją, gdy w zeszłym roku wybrała się w Bieszczady i po drodze odwiedziła Przemyśl.

Namawiała Zosię długo, mamiąc wspaniałymi widokami, by weszły na wieżę widokową, aż córka się zgodziła. Ale raptem okazało się, że wejście zastawił samochód, który zaparkował tuż przy drzwiach. Była to jakaś zdczelowana nysa, której widok zaskoczył Olgę kompletnie – auto jak wyjęte z innego, odległego i archaicznego świata. Na pace pełno sprzętu, kabli, jakichś rusztowań, bo wymieniano nagłośnienie. Zmartwione nieco zmianą planów odwróciły się, by odejść, a tymczasem jeden z pracowników, mężczyzna o dobrodusznym spojrzeniu, zatrzymał je i zaraz potem rozładował gdzie bądź wszystko. By szybko odjechać i odblokować wejście.

– Proszę paniusie! Zapraszam! – zaśpiewał ze wschodnia. – Niech sobie popatrzą, jak to u nas pięknie! Jak w bajce!

– Mamo, dlaczego tutaj ludzie śpiewają, a nie mówią? – zapytała wówczas Zosia, próbując naśladować tubylców.

Umówili się na piątek.

Laguna ściskał dłoń Olgi, potrząsając nią energicznie, i zapewniał, że na pewno współpraca im wyjdzie, bo on to czuje pod skórą. Że Olga to właściwa osoba, a on uwierzyć nie może, że tak mu się trafiła.

* * *

Półki mamiły kolorami. Obietnicami niebiańskich smaków.

Przemykała między nimi w poszukiwaniu orzeszków. Zamierzała dzisiaj trochę popisać, poszperać na YouTube i znaleźć jakieś ciekawe pomysły choreograficzne. I może jeszcze poczytać. Od dawna nie była tak podniecona – nagle życie przestało być podłe i nudne. Zaczęło wabić tajemnicą i przygodą. W sklepie było zaledwie kilka osób, ale Olga i tak miała wrażenie, że spojrzenia obecnych lepią się do jej pleców. Sezamki, paluszki, rodzynki, orzeszki... Są! O, i mieszanka studencka. Przypomniała Oldze czas studiów na pedagogice. Wytrzymała prawie trzy lata i rzuciła w diabły. Ale nie żałowała! Potem były kursy: tańca, choreografii i znowu tańca. Fandango. Paso doble. Muzyka i ruch.

Teraz miała wrażenie, że wszystko w środku niej poderwało się do rytmu, który znienacka okazał się bodźcem nie do pohamowania.

Podeszła do kasy. Przed nią kilkuosobowa kolejka. Młoda dziewczyna w tandetnym makijażu, z tipsami lśniącymi cyrkoniami jak najprawdziwsze diamenty, mieniące się pomiędzy zwojami kwiatów akantu (będących wytworem sztuki; może niekoniecznie wysokiej, za to jak najbardziej nowożytnej), brała towary z koszyka, nabijając na kasę kody kreskowe. Raz po raz zerkała w stronę Olgi, jakby nie mogła się doczekać, kiedy zajrzy do koszyka i odkryje wielki sekret. A cóż takiego ona zakupiła, ta nowa? Co to nie wiadomo skąd i po co przybyła?

Olga z ociąganiem wyjmowała zakupy, zafrapowana zgoła czymś innym.

– O! Pani doktorowa! Uszanowanie szanownej pani! – Postawił ją na baczność odór przetrawionego alkoholu.

Obok stał mężczyzna. Ogorzała twarz, brudne łapy. I trzymał tanie wino. Zamierzała go zignorować, nie odwracając głowy w jego stronę, ale facet nie odpuszczał. Rozochocony nieoczekiwanym spotkaniem ostentacyjnie oślinił palce i przeczesał rzadką grzywkę. A później skłonił się szarmancko.

– Rączki całuję pani doktorowej! – Wyciągnął łapska w jej kierunku.

Wzdrygnęła się z obrzydzeniem. Kobieta przed nią odwróciła się i przyglądała się bezczelnie. Pijak ukłonił się jej i niemal natychmiast powrócił do Olgi.

– Tak! Tak! Paniusia mnie nie poznaje. – Pogroził jej palcem. – Ale ja, jak mi Bóg miły, to oko mam jeszcze wprawne i od razu panią doktorową wychwyciłem! – pochwalił się, najwidoczniej zadowolony z własnej spostrzegawczości, której nie zabiło wino patykiem pisane ani zrzędzenie żony. – Bo my to z mężusiem poczciwym zawsze interesy robili. Świeże rybki, panie dzieju! Szczupaczki! Wszystko co najlepsze dla pięknej żonki... – zaśmiał się skrzekliwie.

Ludzie, zarówno ci w kolejce przy kasie, jak i pozostali, przystanęli, nie kryjąc ciekawości. Oto na ich oczach rozsupłuje się gordyjski węzeł pełczyckiej zagadki, pod tytułem „Kim jest piękna nieznajoma?".

Olga próbowała nie wdawać się w tę frapującą polemikę i jednocześnie modliła w duchu, by dziewczyna z wymyślnymi paznokciami przyśpieszyła. Ta jednak bardziej zajęta była toczącą się na jej oczach sceną, niż mechanicznym przekładaniem produktów.

A facet, jak na złość, perorował na cały sklep.

– Ja to panią od razu poznałem! – bełkotał. – Taka pikna kobitka! To zaraz człowiek ma i wzrok lepszy, i krew mu żywiej krąży! – Wyprostował się, zasalutował i przedstawił się, sięgając po dłoń Olgi: – Jarecki! Z Ługowa! Czesiek Jarecki! Szanowny pan doktor zna, a jakże! Dla szanownego pana doktora to zawsze świeża rybka, szczupaczek albo biała sielawka. Do usług szanownej pani doktorowej!

Olga schowała rękę. Poczuła jak twarz pali ją gorącem.

Wreszcie dotarła do kasy. Dziewczyna z tandetnym makijażem, jakby nieco wolniej przekładała jej zakupy i jakby nieco wolniej wymówiła kwotę do zapłaty.

Olga wyszła ze sklepu, ścigana spojrzeniami.

Na schodach o mały włos nie zderzyła się z pijanym Jareckim, który wymknął się ze sklepu, mając widoczną nadzieję na kontynuowanie wymiany zdań. Wyminęła go sprytnie. Przeszła na drugą stronę ulicy nie zatrzymując się, chociaż planowała jeszcze wejść do warzywniaka. Wykrzykiwał za nią, robiąc tutkę z dłoni:

– A proszę przypomnieć o mnie szanownemu panu doktorowi!

Olga wracała na Rycerską. Nie patrzyła na boki, podejrzewając, że za każdą firaną czają się ciekawskie oczy.

Samuel

Wyjeżdżam stąd – oznajmił ojcu, nie patrząc mu w twarz.

Stary Ziemiński wyglądał tak, jakby nic do niego nie docierało. Siedział, zapadnięty w sobie, na miękkim wyścielanym krześle, które niedawno wnieśli do domu młodzi ludzie z firmy przewozowej. Uśmiechali się pod wąsem, kiedy ojciec mówił, że niczego nie zamawiał. Im tam było wszystko jedno – opłacono i przywózkę, i wniesienie. I tyle. Na wszelki wypadek zerknęli w papiery. Zgadzało się.

Matka obłożyła krzesła samoprzylepną folią spożywczą i dosunęła równiutko do drewnianego stołu z pięknymi rysunkami słojów, który przybył wcześniejszym transportem. Dawno już wyleciały jej z głowy klątwy i złorzeczenia. Zapomniała o krzywdzie młodszego, który i tak psu nie wart butów szyć. Tylko piwo żłopie i budkę z piwem podpiera!

Co jakiś czas pojawiały się w domu coraz to nowe sprzęty. Jedne miały zastąpić wiekowe, wysłużone graty tchnące starością, inne, jak na przykład wielki telewizor czy fotel z masażem – poprawić jakość rodzinnego życia. Stary poruszał się wśród nich ostrożnie, bojąc się dotykać czegokolwiek. Przytłaczało go to mieszkanie, przeobrażone, w niczym nieprzypominające chałupy, w której spędził całe swoje długie i proste życie. Nie nawykł do luksusu, który go onieśmielał. Wszystko było przesączone nowością i obcością.

– Jedziesz do niej. – Było to bardziej stwierdzenie niż pytanie. – A więc znalazłeś ją... – W głosie Ziemińskiego brzmiała rezygnacja.

Co on mógł? Jaki miał wpływ na syna? Samuel ani pieniędzy od niego nie chciał, ani chałupy. To oni mu w kieszeni siedzieli. Wstyd było, ale co zrobić? Z emerytury ledwie na życie starczało, a gdy jeszcze przyszła choroba... Pod kościół człowiek z czapką nie pójdzie. Żona zarzekała się świętymi słowy, że woli kamienie jeść niż synowe rarytasy, ale czas łaskawy, więc szybko zapomniała. Tylko jej nie mogła wyrugować z pamięci, obwiniając za wszelkie zło na świecie. Na szczęście co z oczu, to i z serca. Nie widywała jej, to i zdrowsza była.

Jednak kiedy tamtego razu ludzie donieśli, że młoda Czarnecka na pogrzeb ojca przyjechała – wystrojona, wypindrzona, jak żywcem wyjęta z francuskiego żurnala, pani kochana! – matka Samuela już spać nie mogła.

I całymi dniami truła mężowi, że się diablica znów o jej syna upomniała. Do syna nie miała śmiałości. Coraz starsza była i potrzeby miała coraz kosztowniejsze. A to biovitale, a to tabletki na cukrzycę, a nade wszystko drożyzna, a emerytury nie przybywało. Kiedy oświadczył, że się wyprowadza – tak nagle – wiedziała, że to zapewne tamtej sprawka, której diabeł pod spódnicą musi rozniecać, skoro chłopy lecą na nią jak te muchy do lepu. Ziemińska nie miała siły walczyć. Odwróciła się na pięcie i całkiem zrezygnowana, i ostatecznie pobita, wyszła. Ojciec natomiast spojrzał ze smutkiem.

– A ja myślał, że w końcu osiądziesz – powiedział. – Jaką żonę, dzieciaka... A tu nic. Chałupa jak pałac prezydencki, samochody... O kant dupy to potłuc!

I zaraz poszedł spać. Na swoje łóżko. Bo choć cały dom rodziców Samuel przefasonował, to łóżka, jeszcze po swoich rodzicach, ojciec nie pozwolił wynieść. Nawet siennik pozostał, obszyty nowym suknem i przepikowany.

* * *

Dom sprzedał za pośrednictwem biura nieruchomości Wabicki & Syn, ze stolicy, które nie takimi posesjami, jak ta Ziemińskiego, się zajmowało.

Lili i Samuel

Spała, chociaż wydawało się, że pod niedomkniętymi powiekami poruszają się źrenice. Co jakiś czas przez jej twarz przemykał grymas bólu, ale trwał zaledwie ułamek sekundy i zaraz na jej twarzy malowała się ulga. W powietrzu cicho świszczał jej oddech. Równy i spokojny.

Muszę cię stąd zabrać! Lili! Zabrać do siebie. Tyle lat czekałem, żeby cię mieć... Wszyscy chcieli, ale nikt nie kochał cię tak mocno. Przegrańcy, gołodupcy!

Twarz Samuela wykrzywiła się na myśl o chłopakach z dzieciństwa. Dobrzyński, Lemański, Niebieszczański, Szacki, Jaśkiewicz i reszta całej tej hałastry, która była mu przykra niczym giez. Kołkiem w gardle mu była, ością w przełyku i wrzodem na tyłku. Łaził za nimi, goniony jak natrętna mucha. Z całego serca, najszczerzej nienawidził tych ułożonych dupków z bogatych domów, których ojcowie chodzili dumnie ulicami Bieżunia, patrząc na wszystkich z wysoka. Których matki szyły suknie na zamówienie u najlepszej krawcowej, co to kiedyś była w Telimenie krojczą, dopóki redukcja nie wysłała ją na pomostówkę. Nie to, co Ziemińscy. Ledwie koniec z końcem wiązali, a matka w ciuchach od Ruskich z bazaru chodziła.

To dla nich prężyłaś się w kępach zboża, dokończył myśl. Zamknął na chwilę oczy, zacisnął mocno powieki. Na twarzy pojawiły się wąskie kreski. Przegonił obrazy z dzieciństwa, odegnał je w zakamarki umysłu. Otrząsnął się z koszmaru. Otworzył oczy, przetarł, jakby usiłował upewnić się co do czasu i miejsca.

– Ale to ja jestem tu z tobą! Ja, Samuel Ziemiński – wyszeptał. Słowa wylatywały z niego bezładnie, jak wypuszczone na wolność ptaki; każde w inną stronę, każde w innym celu, każde na inny temat. – Obiecałem sobie już dawno temu, że będziesz moja. Tyle lat! Mój Boże! Pan Bóg rzeczywiście nierychliwy! Przez te wszystkie lata zarabiałem. Grosz do grosza. Pieniądze. To tylko środek. To ty byłaś moim celem... – przerwał, jakby chciał się upewnić, że nikt go nie słyszy.

Byli sami. Ona, zlewająca się z bielą pościeli, i on.

– Wiesz, Lili? – opowiadał jej szeptem o swoim życiu. Jak komuś, kto odejdzie i zapomni. – W życiu można osiągać szczyty. Ale po co? Kiedy jesteś na szczycie, nie widzisz niczego poza mgłą. Możesz pomylić ją z niebem. A ja stoję na szczycie. Na dachu świata! Jeszcze mgła, ale się przez nią przedrę.

Patrzył ponad leżącą z dziwnym wyrazem twarzy, ni

to zwycięzcy, ni ofiary. Ileż to razy powracał myślami do tamtych czasów, gdy zobaczył ją na polach. Wtedy jeszcze nie wiedział, że ona codziennie odgrywa swój spektakl. Dla nich. Przegrańców, gołodupców! Siedzieli w kucki, pochowani w zbożu, wyciągając szyje jak gęsi, by dojrzeć ją i nie stracić choćby sekundy z widowiska. A ona prężyła się jak kotka, odrzucając do tyłu głowę, tak że włosy spływały prosto, ścieląc się czarną plamą na wygniecionym skrawku złotego pola. A najpiękniej było, gdy wstawała. Ubrana w skąpe majtki, spod których prześwitywały... Strzepywała z włosów cienkie słomki, potrząsając głową, wprawiając w ruch ciało i piersi, które falowały subtelnie, przyprawiając wszystkich poukrywanych w trawach o zawrót głowy i wywołując wytrysk za wytryskiem. Aż ręce bolały. Na zakończenie występu ubierała się długo, z namysłem, a potem szła, rozchylając brzemienne ziarnem łodygi. Z głową zadartą w górę.

Siedział przy niej od rana. Zaraz po przywiezieniu na salę wydawała się wybudzona, mamrotała coś nawet niewyraźnie, a pielęgniarka uznała, że wszystko w normie.

– Musi teraz odpoczywać, bo sen to najlepsze lekarstwo na wszystko. Trzeba czasu. Trzeba cierpliwości – dodała sentencjonalnie.

Mówił do niej. Aż w pewnej chwili zdał sobie sprawę, że w życiu nie wypowiedział tylu słów naraz. Nie miał pojęcia, jak znalazł je w głowie, transponowane neuronami do ust.

Lili co jakiś czas próbowała otworzyć ciężkie powieki, ukazując bielma oczu, ale zaraz ponownie zapadała w sen.

* * *

Leżała na sali sama. Samuel opłacił lekarzy i pielęgniarki. Zabieg trwał niespełna godzinę; lekarz zapewniał, że to rutyna. Ciąża pozamaciczna nie jest wielką sensacją. Różne są metody leczenia, ale tu konieczna była laparotomia. Lili nie rozumiała terminów medycznych, które jej serwowano, ale mimo bólu i otępienia rozumiała, że oto została pozbawiona ciąży. Dziecka. Być może Aleksa. A może Samuela? W gruncie rzeczy poczuła wielką ulgę. Nie chciała dawać dzieci nikomu. Ciąża nie wchodziła w grę. Wystarczy Sara. Bo Lili nie sprawdzała się jako matka. To nie była jej rola. Sara urodziła się, bo zanim Lili zorientowała się, że jest w ciąży, było za późno. A potem stanowiła ogniwo jej gry, zabawy. Była kartą przetargową. Jej osobistą wendetą. Gdyby nie matka...

Jasne, bywały momenty, kiedy Lili łapała się na tym, że w napiętym, z nitkami sinych żył brzuchu pływa jej dziecko. Jej i któregoś z tamtych. I czasem po porodzie, kiedy z nosem wgniecionym w mleczną pierś sapała i postękiwała nieforemna istota z gęstwą ciemnych włosów zroszonych tłustką oliwką, ogarniała ją nieznana czułość, którą przepędzała, projektując w głowie obrazy matki i ojca, i tego całego bezsensownego małżeńskiego życia.

302

– Muszę cię stąd zabrać. – Tym razem Samuel powtórzył nieco głośniej, bo wydało mu się, że Lili już nie śpi, a leży z zamkniętymi oczami. – Może Warszawa? Albo Poznań? – mówił, wciąż trzymając ją za rękę.

Był miękki i czułostkowy.

– Zabiorę cię na koniec świata. Gdzie tylko zechcesz! – przyrzekał przyciszonym głosem, nie wypuszczając jej ręki.

Muskał delikatnie, ostrożnie omijając miejsce wkłucia wenflonu.

Leżała, nic nie mówiąc. Nie spała. Już jakiś czas. Może godzinę, może minutę. Zupełnie straciła rachubę. Nie miała ochoty podnosić powiek, które zasunięte wciąż dawały nadzieję, że wszystko jest tylko snem. Choć ostry ból w podbrzuszu nie pozostawiał złudzeń.

Jestem w szpitalu. Znieczulenie przestaje działać.

Czuła obecność Samuela. Wciąż on. I to wciąż ten czas, kiedy śpiewa Ella Fitzgerald: *A fine romance, my good fellow. You take romance, I'll take jello. You're calmer than the seals. In the Arctic Ocean.* Tak! Lili odzyskiwała poczucie rzeczywistości. Świetnie pamiętała dzwonek do drzwi i Samuela stojącego w progu, ukrytego za wielkim bukietem róż. I ból, który nie chciał minąć, choć po apapach świat mętniał i tracił kontury.

Czuła lepką wilgoć między nogami. Krew. Powoli, niezdarnie łączyła zdarzenia. W jeden patchwork, w którym poszczególne części nie do końca do siebie pasują.

Więc leżała. Tutaj. Wściekła na siebie i na niego. Bez makijażu. Bledsza niż zwykle, eteryczna, pozbawiona siły.

– Gorzów – powiedziała niewyraźnie.

Chciała spać. Tymczasem do głowy pukała już inna scena, choć Lili nie była pewna, czy zdarzyła się w rzeczywistości. Ludzie, którzy nieśli ją na noszach, mówili do siebie, że nie jest źle i Bogu dzięki, bo potem znowu jakieś procedury i pierdoły. Jeden śmiał się, że ostatnio stał się specjalistą od wieszczenia nieszczęść i chyba powinien mieć na drugie Kasander. A potem od czasu do czasu migało światło przebijające przez mleczne szyby ambulansu. Jak wiele lat temu, gdy wiozła do niemieckiego szpitala Sarę.

Samuelowi wydawało się, że nie dosłyszał. Gorzów?

– Gorzów. – Tym razem zabrzmiało wyraźniej.

Gorzów? Owszem, wiedział, że w Gorzowie uczy się Sara, ale to nie powód, by zamieszkać w takim wypierdowie!

– Zabiorę cię, dokąd zechcesz...

– Gorzów! Tylko Gorzów! Nie słyszysz, do cholery?

Głos Lili był bełkotliwy, ale zdecydowany. Jakby na moment odzyskała siły, targana chęcią wypowiedzenia życzenia.

Po kilku sekundach leżała na białej i sztywnej szpitalnej poduszce z zamkniętymi powiekami, spod których ciemniły się odpływające w głąb źrenice.

Samuel pogładził ją po dłoni, sprawdził, czy go słyszy.

– Dobrze! – zapewnił. – Będzie jak chcesz. Tyle że to trochę potrwa. Muszę znaleźć miejsce, potem ustalenia z koncernem… Nieważne! Wszystko załatwię.

Jakby chodziło o bagatelkę, a nie o sprawę, która wywraca jego świat do góry nogami.

* * *

Jeszcze tego samego dnia zadzwonił do Patryka Kuźmina, swojego zaufanego od lat doradcy, i poprosił o rekonesans. Zbadanie rynku, uwarunkowań, kosztów i tak dalej. Obliczenia zysków, określenia ryzyka. I jeszcze eksploracja miejsca. Gorzów. Wiedział, że od kiedy zniesiono klauzulę lokalizacyjną miał taką możliwość. Teoretycznie. Potrzeba przestrzeni, by wybudować przeszklone, o atrialnym układzie wnętrza, ustawić auta… Własna infrastruktura, systemy, wymagania techniczne, cała masa ludzi, pieniędzy i czasu. A jeszcze fakt, że rynek coraz bardziej pęcznieje od samochodów. Wprawdzie Samuel obawiał się, że Gorzów jest za mały na mercedesa, ale był pewien, że to przeszkoda do obejścia.

Postawił wszystko na jedną kartę. Salon w Gorzowie. Tam wybuduje dom. Dla niej.

Dla nich.

Sara

Po kolejnej przeprowadzce matki – tym razem do po-
nurego mieszkania w Toruniu – Sara postanowiła, że
zostanie w Gorzowie. Na razie mieszkała kątem u Judyty, ale rozglądała się za niedrogim lokum. Zwłaszcza że
i tak większość czasu spędzała z Pawłem.

Całe wakacje pracowała jako hostessa w centrum handlowym Askana. Ubrana w idiotyczny strój Czerwonego
Kapturka nagabywała ludzi rozleniwionych letnim czasem do zakupu nowego telewizora, suszarki do włosów
albo – w zależności od wyników sprzedaży, sondaży zapo-
trzebowań, oczekiwań i innych danych produkowanych
przez całą rzeszę marketingowców, którzy mnożyli się jak
grzyby po deszczu – innych superatrakcyjnych towarów.
Był nawet moment, że i ona pomyślała o marketingu.
Połowa maturzystów wybierała się na marketing i zarzą-
dzanie. Jednych rajcował Poznań, innych Wrocław, Warszawa. Co niektórzy mieli apetyt na studia dwujęzyczne.

W szatni modnej galerii zrzucała przepocone prze-branie. Potem brała szybki prysznic, by zmyć z siebie codzienny brud i wracała „do siebie". Jadła coś szybko i zaraz biegła na randkę. Była zakochana po uszy. Pawła poznała przed ponad rokiem. Przez Judytę, która gdzieś na początku stycznia zapytała, czy Sara nie poszłaby z jej kumplem na studniówkę. Znali się ponoć od przedszkola, a Judyta własną głową, honorem i czym tylko by sobie Sara życzyła, ręczyła, że chłopak jest okej i na sto procent nie będzie czego żałować. Zgodziła się, a co jej tam! Poza tym za tydzień miała być i jej stu-dniówka, i też nie miała z kim pójść, więc pomyślała, że trafia się okazja na wymianę. Żeby nie było, że po-znają się dopiero na imprezie, Judyta umówiła ich pod katedrą; okrążali monumentalną budowlę kilkukrotnie, zanim wreszcie chłopak odważył się podejść. Wzajemna konsternacja trwała zaledwie parę minut, bo po krótkiej wymianie zdań o wszystkim i o niczym przez cały wie-czór rozmawiali, jakby się znali tysiąc lat. Od czasu do czasu kątem oka zerkali na siebie. Jakby jednemu trudno było uwierzyć w obecność drugiego. A Sara zakochała się od razu i to od razu na amen.

– Jak to się stało, że taka dziewczyna jak ty nie ma chłopaka? – zapytał, gdy zebrawszy się na odwagę, za-prosiła go w końcu na swoją studniówkę.

– Tak samo jak to, że taki chłopak jak ty nie ma dziew-czyny – skwitowała.

W zasadzie od tamtej pory byli nierozłączni. Włóczyli się po ulicach ciasno objęci, a kiedy było zimno, przesiadywali w małych knajpkach ukrytych w bocznych uliczkach, z dala od ludzi i miejskiego gwaru. Czasem matka dzwoniła, by Sara przyjechała do Warszawy, ale ona wymawiała się nadmiarem nauki. Weekendy spędzała w internacie, irytując starą Kostrzewską, która narzekała:

– A ty, Czarnecka, dlaczego nie jedziesz do domu? Przez ciebie i Górską spod siódemki muszę tutaj ślęczeć, zamiast odpoczywać w domu.

Sara wykręcała się niby to delegacją matki i tym, że nie lubi być sama w Warszawie. Szczególnie czekała na sobotę, bo w niedzielę internat na Woskowej już się zaludniał. Przybywało wychowawców. Rano spała długo, a potem leżała jeszcze w łóżku, słuchając radia. Później szykowała się do Pawła, który czekał na nią zaraz za zakrętem. I szli do kina. Zapadnięci w miękkie krzesła, przytuleni, całowali się i pieścili. Niekiedy zostawali na drugi seans, bez względu na film. Był pierwszym chłopakiem, na którym jej naprawdę zależało, mimo że wcześniej spotykała się z kilkoma. Ale tamci byli smarkaci i chodziło im tylko o to, by wcisnąć jej palec między nogi albo zaciągnąć do łóżka. A Sara marzyła o wielkiej miłości i prawdziwym domu. Nie chciała, jak matka, pielgrzymować z miejsca na miejsce. Niechby i skromne mieszkanko, ale mąż, dzieci... Taki normalny świat.

Wstrzymywała się jednak z deklaracjami co do wspólnej przyszłości. Bała się, że po maturze ich drogi się rozejdą.

Jednak któregoś razu postanowili, że oboje będą studiować w Gorzowie.

Lili i Sara

Kolejne wezwanie do sądu poruszyło Lili. A na dokładkę zadzwoniła ciotka Ludka.

– Mariola? – piszczała w słuchawkę. – Co ty wyprawiasz? Znowu mnie spotkał ten mecenas i wypytywał o was. A ja stałam jak głupia i nie wiedziałam, co mu gadać. Kłamać przecież nie umiem! Dzisiaj byłam w chałupie matki, bo mi Roztocka mówiła, że w skrzynce jest coś białego, pewnie list albo kartka. To poszłam, chociaż mnie w krzyżu łupie. A tam znowu awizo. Pewnie kolejne wezwanie. A ty nie wiesz, o co się rozchodzi? – pytała, mając nadzieję na jakiekolwiek informacje.

Lili wysłała ciotkę na pocztę ponownie. Żeby po znajomości wzięła ten list, a potem jej przesłała.

– Ale to już naprawdę ostatni raz, bo Zośka Sobkowiakowa zarzeka się, że więcej nie da. Bo to przecież pracownica urzędowa i musi pod groźbą przepisów przestrzegać, a nie pozwalać na takie kanty. O matko! Jeszcze sobie biedy jakiej napytamy.

Pismo, które Lili trzymała teraz w dłoni, nie licząc daty, nie różniło się od tych zmiętych w kulki i powrzucanych na dno szuflady. Podniosła telefon. Kilka sygnałów. Sprawdziła, czy dobrze wybrała. Sara. Krótkie imię. Niedające szansy na czułostkowość. Kiedy córka oznajmiła jej, że ma zamiar zostać w Gorzowie podczas wakacji, a może nawet i tam studiować, Lili nie poczuła zdziwienia. Może tylko wątpliwości co do miejsca dalszej edukacji.

– Myślałam, że mierzysz wyżej – powiedziała. – Gorzów – prychnęła. – A cóż to za ośrodek akademicki?

Sara milczała. Wzruszyła tylko ramionami, jakby chciała podkreślić, że już podjęła decyzję. Właściwie było to Lili nawet na rękę; w toruńskim mieszkaniu musiałyby się o siebie ocierać. W kuchni. W łazience. Stworzyć reguły współżycia. Uczyć się siebie. Lili wiedziała, że to się nie uda. Zbyt daleko im było.

– Słucham – usłyszała głos córki.

– Dzwonię i dzwonię, ale ty jak zwykle...

– Mamo, jestem w pracy! Czy coś ważnego? Oddzwonię później – przerwała jej Sara spokojnie.

– Ja tylko chwilę. Musisz przyjechać. Do Torunia. A stamtąd pojedziemy do Mławy.

– Do Mławy? Po co? Ja nie mam jak. Pracuję. Ledwie zaczęłam. Jak mam poprosić o wolne? Od razu?

Perspektywa wyjazdu, spotkania z matką, a przede wszystkim rozstania z Pawłem, zupełnie się jej nie podobała.

– Masz wezwanie do sądu! – oznajmiła Lili beznamiętnie.

Po drugiej stronie zaległa ciężka cisza.

– Ja? Do sądu? A o co chodzi?

– Porozmawiamy na miejscu. Przyjedź pojutrze.

Ostatnie zdanie zabrzmiało jak rozkaz, którego niewykonanie zakończy się nieuniknioną katastrofą.

* * *

W pociągu było gorąco. Brak klimatyzacji i panoszący się w wagonie smród czyniły podróż nieprzyjemną. Kilometry ciągnęły się niemrawo. Stukot kół na szynach i monotonny krajobraz za oknem drażniły Sarę. Najlepiej byłoby, gdyby się zdrzemnęła, ale już tak miała, że w podróży nie zdarzało się jej przymknąć oka. Bała się; może nie tyle, że ktoś ją okradnie, ile tego, że przegapi stację i straci ileś czasu na dotarcie do celu. Bo Sara szanowała czas. Była zorganizowana. Niespokojnie spoglądała na zegarek, którego wskazówki jak na złość przesuwały się ledwie ledwie. Czas spowolnił. W dodatku siedząca obok Sary kobieta wierciła się, trącając ją co chwila. A jakby tego było mało, nie przestawała gadać. Grupka młodych ludzi założyła słuchawki, demonstracyjnie wyłączając się z życia przedziału; każde z nich nuciło coś pod nosem, kiwając głową w różnym rytmie. Półprzymknięte powieki, palce przesuwające się po ekranach modnych telefonów zdradzały, że nie śpią i mają gdzieś wszystkich innych. Mężczyzna naprzeciwko drzemał, pochrapując cicho, szturchany przez żonę, która niby pogrążona w lekturze raz po raz obrzucała współpasażerów krytycznym spojrzeniem. Gdyby mogło zabijać, wszyscy leżeliby martwi, z pochrapującym mężem włącznie.

Sarze nie pozostało nic innego, jak wysłuchać niekończącego się nudnego monologu sąsiadki, która co jakiś czas sprawdzała jej czujność, wtrącając: „I wiesz, kochaniutka...". Uparty pociąg dyszał i sapał, przystawał w szczerym polu, nad którym unosił się zapach kiszonki i nawozu. Sara klęła w duchu, ale trawiła ją ciekawość. W głowie kołatały jej słowa matki o Mławie. O sądzie. I ten jej ton, na pozór pozbawiony emocji, w którym dawało się wyczuć napięcie. Sara była pewna, że sprawa związana jest z jej życiem. Może wreszcie dowiem się, kto jest moim ojcem?, myślała. A może go poznam? Mimo że na co dzień ta sprawa rzadko zajmowała jej myśli, bywały noce, w których snuła przeróżne domysły aż do rana. Raz przyrzekała, że jak go pozna, nie odezwie się do niego, choćby nie wiadomo co. Wmawiała sobie, że ani on, ani wiedza o nim do niczego nie są jej potrzebne. Można żyć bez ojca, można żyć bez matki. Trzeba się tylko odpowiednio zaprogramować. Innym razem odczuwała ogromną tęsknotę. Za takim filmowym ojcem, z którym spacerowałaby za rękę i który wybawiałby ją z każdej opresji. Na przykład z takiej jak wtedy, kiedy w Bieżuniu na podwórku ten zasraniec Bartek wykrzykiwał, że ojciec Sary to „Bóg wie kto", ale na pewno nie ten szwab, do którego ją matka zabiera! A potem uciekał, grając na nosie, żeby mu nie przywaliła. Taki ojciec stanąłby za nią. Murem! Byłby jak opoka, wyobrażała sobie. Była pewna, że nie może być przeciętniakiem, jak Witkowski od polskiego czy Zaciura od fizyki. Nie takim, którego mija się na ulicy obojętnie. Musi być wyjątkowy i już!

Bo co jak co, ale jej matka nie poszłaby do łóżka z byle kim. O!

* * *

Lili pojawiła się na dworcu. Sama. W zwiewnej sukience. W gustownych espadrylach na wysokim koturnie. Ale gdy pociąg zahamował, nie ruszyła się z miejsca. Stała jak posąg. Żadnych uśmiechów, żadnych gestów powitania, machania rękami, gonienia za wagonem, w którym jej córka tkwiła przylepiona do okna. Żadnych sentymentów. Świst i przenikliwy zgrzyt kół na torach ogłuszał, wywołując w uszach gwałtowny ból.

Sara wysiadła. Uderzył ją gorący podmuch, więc wysunęła dolną wargę i dmuchnęła, kierując strumień powierza w górę twarzy. Pomogło niewiele. Zwinęła pasma włosów w nieforemną kitkę i spięła klamrą. Odsłonięty kark przynosił ulgę, ale upał nie chciał się poddać. Pod dachem peronu, w pewnym oddaleniu, dostrzegła znajomą postać. Pomachała ręką, jakby chciała zawołać: „Tu jestem!". Przyśpieszyła kroku.

Lili cmoknęła córkę, właściwie musnęła zdawkowo ustami, jak byle znajomego. Żadnej wylewności.

– Jak podróż? – zapytała rzeczowo.

– Dobrze. – Sarze nie chciało się opowiadać ani o gadule, ani o wszechroztaczającym się smrodzie. – I długo. Zwłaszcza od Poznania – dodała.

Wyszły na zewnątrz. Upał dokuczał. Plac przed budynkiem dworca tonął w słońcu.

Opodal stał rząd taksówek. Przy jednej – kierowca oparty o drzwiczki starego mercedesa. Patrzył w ich kierunku. Czeka na nas, domyśliła się Sara.

– Dobrze się czujesz? Jesteś jakaś blada – zauważyła.
– Chorujesz? – W głosie zabrzmiał niepokój.

Przyjrzała się matce baczniej i dostrzegła zmianę! Twarz wyostrzyła się, pod oczami pojawiły sinawe półksiężyce. Wysunięte ku przodowi kości policzkowe przydawały Lili surowości i jakby nieco smutku. Brakowało blasku, który bił z jej oczu, twarzy.

– Nie! Wszystko w porządku – zaprzeczyła niemal natychmiast i jakby zamierzając uprawdopodobnić swoją wersję, obdarzyła Sarę uśmiechem. I zaraz dodała, właściwym sobie, nakazującym tonem: – Chodźmy z tego dworca! Nieprzyjemnie tu. Pojedziemy taryfą – zmieniła temat.

Skinęła na faceta od taksówki, dając tym samym znak, by zapalał silnik, uruchamiał klimatyzację. W tej samej chwili Sara dostrzegła rozległe krwiaki na dłoni i w zgięciu obu łokci. Ślady po wenflonach. Na tle jasnej karnacji były szczególnie widoczne.

– Byłaś w szpitalu? – zapytała.

Głos brzmiał zdziwieniem, wymieszanym z niedowierzaniem. Nie wiedziała, co ma myśleć, ale fakt, że matka ukrywa przed nią kolejną ważną rzecz, przygnębiał, rodził wyrzuty sumienia. Sara obwiniała się o brak czułości, zainteresowania, choć przecież nie raz i nie dwa dzwoniły do siebie. Tyle że za każdym razem przekazywały proste komunikaty, bez których zapewne każda z nich mogłaby żyć. Tak czy owak, nie było milczenia. A jednak ani razu Lili nie zająknęła się o jakichkolwiek problemach.

– Masz całe ręce we wkłuciach... – bąknęła Sara. – Czegoś nie wiem?

– To tylko kilka dni. Nic takiego. Nie ma o czym mówić. Gdzie załapałaś się do pracy? A co z mieszkaniem? – Lili usiłowała zmienić temat.

Wsiadły do samochodu i natychmiast natknęły się na niedyskretne spojrzenie kierowcy we wstecznym lusterku. Z głośników dobiegały rozbawione głosy radiowych

prezenterów. Mężczyzna wyciszył radio, bowiem bardziej
niż audycja frapowała go potencjalna rozmowa pasaże-
rek. Z przyjemnością spoglądał zarówno na jedną, jak
i na drugą. Było w nich coś, co natychmiast nakazywało
je łączyć. Podobny zarys twarzy, szlachetnie wyprowa-
dzony łuk brwi, kontur ust... Choć baczniejszy obser-
wator dostrzegłby zapewne, że minimalnie opuszczone
kąciki starszej czyniły z niej tę nieco smutniejszą. A może tylko tak się zdaje?

– Dlaczego do mnie nie zadzwoniłaś? – Sara nie dawała za wygraną.

Miała dość tajemniczych zdarzeń, które wychodziły
na jaw w zupełnie nieoczekiwanych sytuacjach.

– Ależ daj spokój! Naprawdę nie ma sobie czym głowy zaprzątać. To stara sprawa. Powtórzyła się. Z jesieni.
Nic szczególnego. A poza tym pytałam cię o coś – powiedziała Lili z naciskiem.

Nie miała pojęcia, o czym jej matka mówi. O jakiej
sprawie? Jakiej jesieni? Wszystko wydawało się kompletnie niezrozumiałe. Nie potrafiła połączyć rzucanych
przez matkę strzępów myśli. Były jak porozsypywane
puzzle z całkiem innych pudełek. Tu monumentalne budowle Barcelony, tam egzotyczne plaże Jukatanu... Jeszcze gdzie indziej obrazek jak z piłkarskich boisk.

– To bez sensu! Twój stosunek do mnie jest bez sensu!
No powiedz! Czy naprawdę jestem ci aż tak obojętna?
Mamo, traktujesz mnie jak Babcię Wierzbę!

Lili spojrzała zdezorientowana. Babcia Wierzba? Cóż to za idiotyczne porównanie? Kto to jest Babcia Wierzba, na litość boską? Nie zamierzała ciągnąć w nieskończoność tej rozmowy i opowiadać dziecku o osobistych perypetiach. Nigdy nie było między nimi zażyłości. Stanowiły dwa odrębne światy, a Lili pozostawała w przekonaniu, że już dawno uzgodniły to ze sobą. Chociaż nigdy na ten temat nie mówiły, było to dla obu czytelne i oczywiste.

– Saro, nie dramatyzuj. Ludzie na nas patrzą! – Zerknęła wymownie na lusterko.

Ich dyskusja miała uważną widownię.

Lili drżał głos. Nie spodziewała się ataku ze strony córki. A może była jeszcze nieco osłabiona po zabiegu?

– Wiesz co? Jesteś okropna! Wracam do Gorzowa! Wisi ci wszystko i powiewa!

– Sara, uspokój się! I nie mów do mnie takim tonem. I nie takimi słowami.

Sara z niedowierzaniem pokręciła głową. Z trudem powstrzymała napływające do oczu łzy. Po raz kolejny matka udowodniła jej, że są sobie kompletnie niepotrzebne. Myślała, że gdyby napisała książkę – o matce, o sobie, o nich – nikt by nie uwierzył w prawdziwość wydarzeń, zarzucając autorce zbytnią melodramatyczność, a tymczasem to dzieje się naprawdę. Brak ojca, brak matki, dziadków. Brak permanentny. Życie naznaczone brakiem. O! Nawet niezły tytuł na książkę. Sara pragnęła nienawidzić matki. Albo w najgorszym razie nic do niej nie czuć. Ale nie! Matka wciąż pozostawała dla niej tą Królową Śniegu, o której względy zabiegała, z którą prowadziła tysiące nocnych rozmów. Wszystko, co dotyczyło Lili, absorbowało Sarę nadzwyczajnie. Przez te wszystkie lata obserwowała matkę. Z ukrycia. Podglądała. I interpretowała. Po swojemu.

Lili spróbowała uległości.

– Byłam przez kilka dni w szpitalu. Nic poważnego. Jakiś banalny zabieg. Nie dzwoniłam, bo nie chciałam, żebyś się martwiła. Wiedziałam, że jesteś zajęta.

– Kłamiesz – skonstatowała z sarkazmem Sara.

Bo kłamała. O niej nie pomyślała w ogóle. Najpierw zapewne nie miała siły, a potem...

Potem nie było potrzeby.

Ewa i Lili

Nabrzeże było prawie puste.

Dzień należał do tych paskudnych. Wiało i mżyło. Jesienny chłód wdzierał się najmniejszymi szczelinami, liżąc nieprzyjemnie skrawki odsłoniętego ciała. Nawet najszczelniej zapięty płaszcz, wysoko postawiony kołnierz i obszerny komin okalający szyję nie były w stanie przed nim uchronić. Kilku przemykających przechodniów kryło się w urządzonych w niszach pod wiaduktem kawiarniach, pubach, sklepach. Nad samą rzeką, tuż przy brzegu, siedzieli na rozklekotanych składanych stołkach wędkarze, z uporem maniaka wpatrujący się w spławiki. Woda tu była mętna, a dokoła głośno. Trudno było wyobrazić sobie branie, ale twardziele nie odpuszczali.

Umówiły się w knajpce Bella Toscana, czyniąc ją niejako miejscem tradycyjnym. Przypadkowe spotkanie u Dobrzyńskiego okazało się początkiem przyjaźni. Urzędowały najczęściej właśnie na nabrzeżu, chociaż zdarzało się, że wybierały się do kina czy – raz albo dwa – do teatru. To przy Lili Ewa wydobywała z zakamarków siebie przygaszoną kobiecość. Uczyła się być sobą na nowo. Odzyskiwała wiarę.

– Masz takie ładne włosy... Powinnaś z nimi coś zrobić. Jakąś fryzurkę czy trochę koloru – radziła Lili.

Z początku Ewa czuła zażenowanie takimi uwagami, ale po chwili stwierdzała sama:

– Muszę zmienić styl. Naprawdę wyglądam jak stara baba!

Za deklaracją szły konkretne działania. Szukała fryzur. Dobierała kolor. A potem jeden telefon i umawiała się na zmianę wizerunku.

Pierwsze kontakty ograniczały się do ogólników, nieistotnych informacji. Ewa opowiadała o sąsiadce, która samotnie wychowuje dzieci albo chwaliła się ostatnio przeczytaną książką, chcąc zrobić jak najlepsze wrażenie. Lili przyciągała ją jak magnes; już samo przebywanie w jej towarzystwie uczyni mnie do niej podobną, myślała. Z czasem stosunki się zacieśniły. W banalne rozmowy o niczym wkradały się strzępki prywatności, intymne zwierzenia. Wprawdzie o sobie, o życiu, które przelewało się między palcami, o straconych szansach, o Adamie, dla którego przestała już być atrakcyjna, o synach, którzy coraz bardziej uciekali z jej świata, tworząc własne, do których niechętnie ją zapraszali, mówiła wyłącznie Ewa. Jakby utknęła na wiele lat w domowym kieracie, a teraz nagle odzyskała głos. Lili słuchała, z rzadka wtrącając swoje trzy grosze: na pozór nic nieznaczące komentarze albo

dyskretne sugestie, wyławiane i wchłaniane przez jej rozmówczynię. Tkwiły później w głowie, żłobiąc wielkie dziury,
wypełniające się stopniowo nowymi pomysłami na siebie.

Kolejne dni po spotkaniach z Czarnecką zawsze były
projekcją nowej Ewy.

Zdarzało się, że pytała wprost, usiłując wydobyć
z Lili okruchy życia.

– A co u ciebie?

Albo:

– Mało o sobie mówisz.

Wówczas Lili rzucała zdawkowe zdanie albo napomy-
kała o Sarze. Że córka mieszka w Gorzowie i że widziała
się z nią wczoraj. Albo o pogodzie, która zawsze była
bezpiecznym tematem zastępczym.

– Chciałabym kiedyś poznać twoją córkę. I Samuela
– mówiła Ewa mimochodem, ale zostawała zbywana milczeniem.

Lili już na jednym z pierwszych spotkań wspomniała
o Ziemińskim, ale była to krótka konstatacja.

– Wolałabym o tym nie mówić.

Dała do zrozumienia, że temat Samuela Ziemińskiego jest raczej nietykalny.

* * *

Ta sama kelnerka, do złudzenia przypominająca Sarę,
podeszła do stolika.

– To co zawsze? – zapytała z poufałym uśmiechem.

Lili odwzajemniła ową poufałość. Nawet nie musiała odpowiadać, wystarczyło, że mrugnęła powiekami. Dziewczyna znikła za kontuarem, by zrealizować zamówienie.

Lili spojrzała na zegarek – pięć minut przed siedemnastą. Uniosła się nieco na krześle, by mieć lepszy widok na okno, za którym pulsujący nerw wprawiał w niekończący się ruch miejski młyn: szum samochodów, łoskot sunących po szynach tramwajów, pisk opon, jęk klaksonów i setki innych, trudnych do nazwania dźwięków. Niedaleko migały światła sygnalizacji, jak kolorowe oka ulicy. Stop! Stój! Stop! Jedź! Stop! Idź! Narzucały miastu porządek. Spowalniały rozszalały rytm.

Była niespokojna. Zdjęła z włosów ciemne okulary. Zauszniki drogich oprawek uderzały w dolne jedynki. Przetarła szkła ściereczką z logo słynnego kreatora mody, złożyła, schowała do etui.

Niepotrzebnie wyciągała je z torby. Dzień od rana straszył niepogodą.

* * *

Dzisiaj to ona sprowokowała spotkanie. Zadzwoniła do Ewy:

– Halo! Ewa?

Pytanie było idiotyczne. W dobie telefonów komórkowych można było darować sobie wszelkie anonse, ale Lili chciała zyskać na czasie. Wykonanie tego telefonu było aktem desperacji. Ostatnimi czasy czuła, że życie zaczyna ją przerastać. Że coś się w niej łamie. Samuel. Sara. A wczoraj... Ten cholerny wynik! Perspektywa choroby. Zadzwoniła do Niebieszczańskiej, bo wydawało się jej, że problemy ją dławią. Że brakuje jej tchu i robi się coraz trudniej. Jak w przerębli, gdzie światło jest coraz bardziej mgławe, rozmywają się kontury. A człowiek ma już tę okrutną pewność, że głową lodu nie przebije.

– To ja. Czarnecka.

– Lili? Oczywiście, że cię poznałam! – głos po drugiej stronie brzmiał entuzjastycznie.

– Muszę z kimś pogadać!

Oświadczenie było krótkie, jakby Lili chciała mieć już za sobą moment słabości. Właśnie go odkryła. I było jej z tym odkryciem straszliwie niewygodnie.

– No popatrz! Chyba ściągnęłaś mnie myślami. Akurat miałam do ciebie dzwonić. Co za zbieg okoliczności...

– Tam, gdzie zawsze? W Toscanie? – Lili zignorowała szczebiot koleżanki.

– Pewnie! Bella Toscana. Nie ma sprawy. Pasuje mi, jak najbardziej! – Ewa nie posiadała się z radości.

Jeszcze bardziej upewniła się w przeświadczeniu, że znajomość z Lili nosi znamiona niesamowitości. Kto by pomyślał, że ta kobieta tak diametralnie odmieni jej życie! Nie przyznawała się do tego nawet przed sobą, ale kiedy natknęła się w poczekalni u Rafała na nowoczesnego smartfona, i kiedy zdecydowała się zadzwonić, czuła, że kryje się za tym jakaś magia, która przenicuje jej drętwy świat.

Jakież cudowne przypadki chodzą po ludziach!

* * *

Zobaczyła ją z daleka.

Ewa stała na przejściu, rozglądając się w tę i we w tę. Widać było, że się śpieszy. Na tle przewijających się przez miasto postaci owa nerwowość była widoczna jak na dłoni. W sposobie poruszania się, w ruchach, które dla mijających Ewę osób z pewnością pozostawały nieistotne. To spoglądanie na światła, niespokojne dreptanie w miejscu, śledzenie jezdni – w lewo, w prawo, jak podczas oglądania meczu tenisowego – kontrolowanie sznura samochodów. W kobiecej postaci dawało się wyczuć kogoś, kto boi się spóźnić. Wreszcie błysnęło zielone światło i Ewa ruszyła. Przecięła ulicę ścigana wzrokiem kierowców, pozostawiając w tyle skromny peleton przechodniów.

Wyglądała świeżo i elegancko. Od czasu poznania zmieniła się bardzo, pomyślała Lili, śledząca ją zza szyb restauracji.

Obraz za oknem zniekształcały strugi rozbisurmanionego deszczu.

Muszę z nią porozmawiać, postanowiła Lili. Nie potrafiła wyjaśnić tej nagłej potrzeby podzielenia się rozterkami. Zawsze sama rozwiązywała swoje problemy. Bo w Lili nie było potrzeby zwierzeń. Nigdy. Nie szczebiotała na przerwach do koleżanek, nie wypisywała karteczek. Nie prowadziła długich rozmów przez telefon. Nie wypłakiwała się w niczyje rękawy. Nigdy też nie ślęczała nocami – jak jej rówieśnice – nad pisaniem idiotycznych pamiętników, chowanych po szufladach albo pod łóżkami, z dala od wścibskich oczu matek. Nawet mężczyźni w jej życiu nie byli w stanie wyciągnąć intymności. Zresztą Lili najszczęśliwsza bywała dzięki milczeniu. Słowa pozbawiały ją niezależności. Groziły powiedzeniem za dużo (i co potem z tym fantem zrobić?), czasem tkwiły zawieszone w przestrzeni i ani o nich zapomnieć, ani ich zniszczyć. Owszem, niekiedy Lili szafowała nimi, ale nigdy w sprawach ważnych. Wtedy pozostawały w niej. Rozrastały się wewnątrz jak dzikie mięso, zawłaszczając zdrową tkankę. Centymetr po centymetrze.

Aż nagle okazało się, że zaczyna brakować im miejsca.

Lili szukała dla nich ujścia.

Zadzwoniła do Ewy, gdy zdała sobie sprawę, że poza nią nie ma nikogo innego. Sara? Może kiedyś. Ale jeszcze nie teraz. Ciotka Ludka? Bez szans! Zostawała Niebieszczańska. Było w niej coś, co budziło zaufanie. Zwyczajność. Bezpretensjonalność. A nade wszystko nie miała nic wspólnego z przeszłością. Z przeszłością Lili.

Od jakiegoś czasu Lili czuła znużenie ciągłym odgrywaniem ról. Przy Ewie nie musiała. Zrozumiała to zaraz na jednym z pierwszych spotkań. Przy niej ośmielała się na bycie sobą, choć nie umiała o sobie mówić.

A może nie chciała?

* * *

Powiew zimnego powietrza wtargnął do wewnątrz. Zafurkotały firany i koronkowe obrusy na ławach ustawionych najbliżej drzwi. Wiatr zakręcił, pozostawiając rześkość, i znikł za drzwiami, pohukując złowróżbnie na zewnątrz.

– Ależ pogoda! Psa byłoby żal wygonić!

Ewa wstrząsnęła się z zimna. Zdjęła płaszcz, poprawiła włosy, chuchnęła w dłonie. Zupełnie jakby przyszła z siarczystego mrozu.

– Szkoda, że nie pomyślałam. Przyjechałabym po ciebie – oświadczyła Lili wbrew właściwej sobie rezerwie.

– Jak wychodziłam z domu, było znośnie. Teraz dopiero zerwał się wiatr! Huuu! – Ewa wypuściła głośno powietrze. – Bogu dzięki, tutaj jest ciepło.

– Zamówiłam już dwie kawy i sałatkę włoską. Dziewczyna zaraz poda. Masz na coś ochotę? – zapytała Lili, pomijając fakt zadysponowania tego „co zwykle". Podaną przez kelnerkę lampkę wina opróżniła już dawno. Puste szkło zniknęło ze stolika, ale cierpki smak pozostał na wargach.

Patrzyła uważnie. Niby ta sama twarz, ta sama sylwetka, drobna, proporcjonalna, a jednak nie dawało się nie dostrzec zmiany. Twarz Ewy promieniała. Po chwili tymczasowego zaczerwienienia po uderzeniach kłujących szpileczek mżawki, powrócił naturalny koloryt. Gładkie czoło z nieznacznym przecięciem, piękny rysunek oczu, ładnie wykrojone usta pociągnięte subtelnym błyszczykiem... Wszystko to sprawiało, że emanowała świeżością i pięknem. Może tak właśnie wyglądają szczęśliwe kobiety. Matki? Żony?, pomyślała Lili.

– Wino...? Wytrawne! – Ewa zaśmiała się krótko. – Obiecuję, że nie będę dosładzać ani się nie skrzywię. A ty? Nie napijesz się ze mną? – zapytała.

Lili wzruszyła ramionami z udawaną bezradnością.

– Cóż! Przyjechałam...

W tej samej chwili pożałowała, że musi odmówić sobie przyjemności. Niczego nie chciało jej się teraz tak bardzo, jak jeszcze jednej lampki czerwonego wina z ulubionej znanej włoskiej apelacji, słynącej z produkcji jej ulubionego chianti.

Tyle lat! Nauczyła się pić wino tam, w Toskanii. Potem podszkolił ją Dieter, a potem zaczęła samodzielnie odróżniać dobre wino od zwykłego bełta.

Odruchowo dotknęła kluczyków. Srebrna trójramienna gwiazda błysnęła w dłoni. Lili ze złością wrzuciła ją do torby. Nie! Nie zaryzykuje kolejnej lampki! A wszystko przez niego. Przez Samuela. Związał ją z sobą. Domem.

Pieniędzmi. Samochodem. Tym Gorzowem, w którym czuła się jak intruz.

Postawiła auto – nowego czerwonego mercedesa – gdzieś w bocznej uliczce, prostopadłej do bulwaru, więc musi sobie odmówić nawet głupiej lampki!

Kelnerka, zauważywszy dyskretne skinienie, podeszła do ich stolika.

– Czy życzą sobie panie jeszcze czegoś? – zapytała usłużnie.

– Proszę o wino! – odezwała się Ewa. – Oczywiście wytrawne i czerwone! – dodała.

Jakby już zapomniała, że łyżeczką wybierała z cukiernicy skamieniały cukier, by posłodzić ten kwas.

Podobna do Sary dziewczyna, dygnęła grzecznie. Jak pensjonarka.

– Dla pani powtórka?

– Nie tym razem – odparła sucho Lili, próbując pohamować gniew.

Co za niedyskretna pannica!

Kelnerka odwróciła się na pięcie i ponownie zniknęła za kontuarem, zapewniając na odchodnym, że właśnie idzie po zamówienie i niebawem poda winko.

* * *

– Lili… – zaczęła Ewa ostrożnie. Smutne skupienie na twarzy naprzeciwko nie dawało jej spokoju. – Czy coś się stało? Albo się mylę, albo sama nie wiem... Może nie bardzo cię znam, ale... Mam wrażenie, że coś się dzieje. Kelnerka przyniosła kawę i sałatki. I na końcu wino. Czerwone, krwiste, filtrujące światło rozszczepione w wachlarz wszelkich odcieni czerwoności. Od transparentnie bladej po ciężki burgund. Dostojny, elegancki i gęsty, pozostawiający cierpki smak w ustach i kamień w żołądku zalegający przez długi czas.

Przestrzeń wypełniła intensywna woń świeżo parzonej kawy. Obłok aromatu unosił się jak oswobodzony z dzbana dżinn. W kwadratowych miskach wdzięczyły się sałaty, wymieszane z pomidorami, ziołami i czarnymi oliwkami.

Lili westchnęła i przymknęła powieki, jakby zamierzała odegnać uparty obraz. Tak, coś się dzieje. Coś cholernego! Coś, z czym sobie nie radzi, co doprowadza ją do szału!

Ewa miała jej wiele do powiedzenia, jednak nastrój Lili sprawił, że się powstrzymała. Po raz pierwszy w życiu ktoś jej potrzebował! Nie gorącego obiadu, nie kompletnej pary skarpet. Nie dwóch jajek do kotletów. Szklanki cukru. Przypilnowania Jasia. Tylko jej. I jej oceny rzeczywistości. Rady. Recepty. Mądrości.

– Cholera by to! – zaklęła Lili. – Nie bardzo umiem... – bąknęła.

Nie potrafiła ukryć zakłopotania.

Nie pasowała do niej ta „cholera". Bo przecież Lili należała do grupy ludzi nieskazitelnych, wzorów, ideałów, poczętych bez pierworodnej zmazy. Takich, którym absolutnie obce są trywialne kolokwializmy. Ewa czekała na dalszy ciąg; czuła, że wyznania kosztują przyjaciółkę mnóstwo wysiłku. Czekała, nie ponaglając. Bała się spłoszyć chwilę, może nawet stracić Lili na zawsze. Czekała. Aż pierwsze koty za płoty. Aż rozwinie się nić o zapętlonym między zwoje początku. Przyjęła teatralną pozę. Oto jest ważna. Wreszcie. To nie ona niesie umęczone życie, a ktoś, komu ciężar doskwiera bardziej. Ona się nadarzyła. Ona. Ewa Niebieszczańska. Studnia. Konfesjonał. Odpuszczenie grzechów i pokuta.

Upiła łyk wina; na języku pozostał taninowy posmak. Cienką krawędź kieliszka zaznaczył kolorowy półksiężyc nowej pomadki.

– Nigdy nie mówiłam o sobie... – zaczęła ostrożnie Lili. – Ale nie daję już rady.

Urwała. Zawahała się.

Może jednak przejdę przez to sama?

Była sama przez całe życie. I wtedy, kiedy ojciec napierał na nią, tłumacząc jej, czym jest ojcowska miłość. I wtedy, kiedy matka płakała, nerwowo zbierając kolejne zmoczone prześcieradło, wymawiając jej od zepsutych dziwek, co to w wysokich zbożach wabią samców jak ostatnie suki, a potem niewiniątka zgrywają. I wtedy, kiedy w powiatowym szpitalu wydawała na świat dziecko, nie wiadomo czyje. Całe życie jak samotny Temeraire. Pływające więzienie własnych myśli.

Ewa zastygła, zamieniona w słuch. Oto siedzi naprzeciwko Lili, kobiety, jaką chciałaby być. Kobiety, która zjawiła się, by ją wydobyć z matni, nudy, monotonii i szarzyzny. Nie mogła uwierzyć, że takie jak ona mają jakiekolwiek problemy. Podniosła wzrok znad lampki wina i wbiła go w rozmówczynię.

Tak. To ważne. Nienawidziła, gdy Adam mówił do niej odwrócony plecami. Zatopiony w ekranie telewizora.

– Słyszysz? – dopytywała.

– Tak.

Co z tego, jeśli nie widziała jego oczu? Obojętnych, czasem znużonych, w których trudno było, nawet z rzadka, wskrzesić choćby nikły błysk.

Wino rozlewało się po trzewiach, trafiało do krwiobiegu. Łagodziło i koiło. Ewa, walcząc z niecierpliwością, czekała.

– Wiesz, moje życie to… – Lili przerwała ponownie.

– W zasadzie wszystko o kant dupy potłuc! – Odkryła karty. Ze wszelkimi atutami i blotkami. – Coraz częściej odnoszę wrażenie, że życie przelatuje mi przez palce i pozostawia mnie z niczym!

– Ależ… Co ty mówisz? – oburzyła się Ewa. – Niejedna zamieniłaby się z tobą na życie. Rozejrzyj się wokół! Te kobiety z bagażem doświadczeń, umęczone monotonią, wciąż utyskujące na spowszedniałych dawno mężów. Mało która wyjeżdża poza Dziwnówek czy Niechorze.

Ekscytowały ją własne słowa. Gestykulowała żywo, modulowała głos. Mówiła w swoim imieniu. Ona. Odwieczna żona. Gdyby nie Lili... Gdyby nie to, że pokazała Ewie, jak być kobietą. Jej obycie, światowość. Wystarczy spojrzeć, z jaką rezerwą porusza się, rozmawia z ludźmi.

– Nawet nie wiesz, jak się cieszę z naszego spotkania! Już wtedy, w gabinecie u Dobrzyńskiego, czułam, rozumiesz? Czułam, że coś się zmieni. I jak Boga kocham, wiedziałam, że to dzięki tobie – zapewniała coraz gorliwiej. – Dlaczego mówisz takie bzdury? Z jakim niczym? Masz wspaniałego faceta, dom, córkę, jesteś piękna, bogata. Matko! Nie grzesz, kobieto!

– Niczego nie rozumiesz... – stwierdziła zrezygnowana Lili.

Nie była pewna nawet tego, czy Ewa ją słucha. Pożałowała tego spotkania. Jeszcze szukała w głowie odpowiednich słów, choć w zasadzie była już pewna, że nie wychyli się z ukrycia, nie powie nic ponad kilka lapidarnych zdań. Nie poluzuje ciasno zasznurowanego gorsetu, nie da ujścia nagromadzonym przez lata słowom. Odechciało jej się snuć opowieść o sobie, o nawiedzających ją co noc koszmarach. O koleżankach ze szkoły, które zawsze były dla niej zbyt głupie i zbyt dziecinne. Gdy one kochały się w filmowym Stasiu Tarkowskim i wklejały do grubego brulionu zdjęcia aktorów z „Filmu" lub „Ekranu", ona poznawała ogień w podbrzuszu, który wyganiał ją latem w wysokie zboża. Był to ogień wstydu i gniewu, bólu i pożądania, po których łzy miały smak od gorzkiego po palący. Lili nie chciała już mówić o tych łzach, które przestały płynąć. I o nienawiści,

jaką darzyła wszystkich chłopaków, a zwłaszcza tych piz-
dusiów z pańskich domów, którzy aż piszczeli, by znaleźć
się przy niej. Choćby na chwilę, na odległość oddechu!
I poczuć twarde sutki, wsunąć nogę między jej uda. Słyszała głośne przełknięcia śliny, które poruszały jabłka Adama
na chudych szyjach, wyciągniętych od podglądania. I mogła z nimi pogrywać. Wtedy ona była górą, nie ojciec, który wsuwał chropawą łapę zuchwale pod pościel. I straciła
ochotę na opowieści o weselu u Anki i sprawie sądowej,
która na zawsze przekreśliła ją w Bieżuniu, zatruła życie jej
matce, którą zżarł rak wespół z ojcem i ludzką abominacją.
Na każdym kroku. W samie, gdy stała w kolejce, znosząc
wwiercające się w plecy nienawistne spojrzenia, w kościele, gdy nawet ksiądz zdawał się rzucać raz po raz karcące
spojrzenie. Sprawa została wycofana pod naciskiem matki.
„Nie rób wstydu, dziewucho", napominała. „Już wystarczy
tych kłamstw. Mały włos, a moje życie byś zmarnowała,
a teraz jeszcze innych prześladujesz! Co w tobie siedzi?
Własnego ojca utopiłabyś w łyżce wody! A całe miasto opo-
wiada po kątach, jak to córka Czarneckich gołymi cyckami
słońce straszy, ledwie zboża zaszumią!".

– To mi wytłumacz – zaproponowała Ewa po chwili
uporczywego milczenia.

– Dajmy już spokój. Niepotrzebnie... – Lili lekcewa-
żąco machnęła ręką. Jakby zamierzała powiedzieć, że
wszystko jest nieważne. Ot, chwilowy dołek, ale już jest
okej. Już trzyma fason.

– Nie, Lili! Jestem twoją przyjaciółką. Możesz mi powierzyć...

– Dajmy już spokój – ucięła Lili. Było jasne, że uważa temat za zakończony. – Chce mi się palić! – oznajmiła, rozglądając się wokół z nadzieją, że w tej ekskluzywnej restauracji znajdzie się kąt dla palaczy. – Też wymyślili! Zakaz palenia! To idiotyczne, żeby człowiek nie mógł zapalić przy kawie, przy winie. Nie uważasz? – Starała się skierować rozmowę na inne tory.

Mistrzyni zmian i przenicowywania nastrojów.

Ewa milczała. Czuła rozczarowanie chwilą, w której uwierzyła, że pozna Lili. Pragnęła być powierniczką jej sekretów. Doradcą.

– A ten lekarz...? Wiesz, ten, u którego się spotkałyśmy. – Lili przerwała kłopotliwą ciszę.

– Dobrzyński? – podchwyciła Ewa.

– Tak się nazywa? – Lili zamyśliła się na chwilę.

W jej głowie wyświetliła się sylwetka lekarza, której kompletnie nie potrafiła połączyć z nazwiskiem. Mimo że coś jej dzwoniło. Dobrzyński... Znała Dobrzyńskiego. Kiedyś, w innym życiu, od którego odcięła się raz na zawsze. To niemożliwe, poznałaby go na pewno! On by ją poznał. A bo to jednemu psu Burek?, pomyślała.

– Cudowny człowiek! I zna się z moim mężem od zawsze. Chodzili razem do podstawówki. Wiesz, tacy kumple od dziecka. Ale ostatnio... – Ewa zniżyła głos, jakby obawiała się, że ktoś się czai na cenne informacje. – ...

ma okropny problem. – Osłoniła usta daszkiem z dłoni. – Żona od niego odeszła – dodała ciszej. – Zostawiła go z córką. Piękna kobieta, mówię ci!

Lili nie była zainteresowana, ale siedziała z brodą na dłoni. Wolała słuchać niż być indagowaną.

– No właśnie, skoro już temat wypłynął... Zaczęłaś o sobie? – Ewa podjęła próbę.

Odpuścić czy docisnąć? Skubnąć trochę z życia koleżanki? Zrezygnowała. Naprzeciwko miała teraz hardą i nieprzeniknioną twarz.

Powróciła dostojna i pewna siebie Lili.

– Zostawmy mnie na boku. To chwilowa melancholia – rzuciła, mrużąc oko.

Dawała do zrozumienia, że sprawa jest błaha i szkoda zawracania głowy.

– Sama wiesz... – dodała dla uprawdopodobnienia własnych słów – ...w naszym wieku takie wahania nastroju to normalka. Nie ma o czym mówić!

Rozejrzała się po lokalu.

– Kochana! – zwróciła się familiarnie do kelnerki. – Proszę o lampkę chianti! Tylko ciii. – Teatralnym gestem położyła palec na ustach. – Proszę nie dzwonić po policję – roześmiała się sztucznie.

Dziewczyna wyszczerzyła się w uśmiechu i skinęła głową.

– Zatem, wracając do Dobrzyńskiego... – powiedziała Ewa. – Pomyślałam, że dobrze by było spotkać się w większym gronie. Poznalibyście się.

Patrzyła na Lili, jakby od wyrazu twarzy tamtej zależało wszystko. Nie marzyła o niczym innym, a wyłącznie o tym, by wszyscy zobaczyli, że ona – Ewa Niebieszczańska – nie jest kuchtą ani kurą domową, zahukaną panią od kurzów za szybami witryn i zup pomidorowych z ryżem. Że i ona bywa, spotyka, rozmawia, umawia się na lunche i pija wytrawne wino, udając, że cierpki smak na języku to niebo w gębie. I że fakt zmarnotrawienia szans na wielkie nazwisko w świecie projektantów i architektów nie może przekreślać jej jako kobiety. Że ma przyjaciółkę – Lili – kobietę niebanalną, inną od tych wszystkich umęczonych znajomych osiedlowych matek Polek, z którymi mija się, wymieniając ukłony lub banalne informacje o pogodzie czy promocjach w hipermarketach. To Lili pomogła jej przeobrazić się w pięknego łabędzia. Nie kto inny, a ona. Której facet dzierży w rękach ster wielkiego salonu wielkiego samochodowego koncernu!

– Tak się składa, że mamy, wiesz, taki okrągły jubileusz. I pomyślałam, że tym razem wykażę się inicjatywą i zorganizuję imprezę. – Na twarzy Ewy wykwitły rumieńce podniecenia.

Roztoczyła wizję spotkania, które miało być niesamowite, fantastyczne i absolutnie zaskakujące.

– Proszę, nie odmawiaj! Gdyby nie ty... Nie to, że ciebie poznałam, gdyby nie tamto spotkanie... W życiu nie zdobyłabym się na nic ponad gary, ponad codzienny rytualny ceremoniał odkurzania i niedzielne rosoły.

Proszę! – Głos uderzał w błagalne tony. – To nie będzie jakieś wielkie przyjęcie. Kilka osób. Moi synowie. Dobrzyńscy... Bo pomyślałam, że może uda mi się jakoś zwabić Olgę. Ty. I może on? Samuel?

– Nie przesadzaj – roześmiała się Lili.

Była zaskoczona i kompletnie zdezorientowana. Nikt nigdy nie mówił o niej w ten sposób. Zazwyczaj kobiety odsuwały się od niej, pozostawiając wokół puste pole. Co najwyżej przyglądały się jej z bezpiecznej odległości. Bo Lili umiała stawiać mury. Nie do przebycia. A tu nagle... Jedna z nich, poznana przypadkiem, próbuje anektować ją do swojego życia.

Lili i ckliwe imprezy rodzinne! To jakiś absurd!

– Pomyślę – odpowiedziała spokojnie. – Dlaczego nie?

Kelnerka przyniosła wino, intensywnie czerwone. Choć Lili wyczuwała w smaku świeżość, świadczącą, że alkohol nie ma nawet dwóch lat, to rubinowe refleksy i bogactwo aromatów przywodzących na myśl dawno zapomniany pobyt we Włoszech sprawiały, że dopadła ją nieokreślona tęsknota za czymś, co przeszło jej koło nosa. Prześlizneło się między palcami.

Za zwyczajnym życiem.

Olga i Zosia

Mamo?

Głos Zosi był niespokojny, mimo że córka próbowała trzymać fason.

* * *

Nie chciała dzwonić do matki z byle błahostką. Tyle razy przekonywała ją, że jest dojrzała, że wszystko rozumie i że naprawdę wystarcza jej kontakt telefoniczny. Przecież nie musi już trzymać się maminej spódnicy. Ale od pewnego czasu w domu nikt z nikim nie rozmawiał, więc fakt jej dojrzałości naprawdę zmieniał niewiele.

Jednak rzeczywistość, ta normalna, od poniedziałku do piątku, z zestawem prostych czynności – od wstania na czas po pamiętanie o braku papieru w łazience czy cukru w kuchni, okazywała się trudna do przyjęcia. Dom wyglądał jak wymarły. Snuli się po nim z ojcem, starając nie wchodzić sobie w drogę. Nie ocierać się o siebie. Zosia we własnym pokoju odpychała myśli o matce. Nie chciała hodować w sobie bólu. Okej, przecież rozmawiały jak kobiety. Sama namawiała matkę, żeby ta odeszła. Dała jemu – ojcu – nauczkę. Sprawiła, by odczuł jej brak. Taki prztyczek w nos. Żeby zrozumiał, że matka to nie tylko piękny element wystroju.

Z przekonaniem niebudzącym podejrzeń wielokrotnie i z naciskiem powtarzała matce, że ona i tak większość czasu spędza poza domem, bo tańce, języki, kółka. A poza tym nie ona jedna ma takie schody w domu. Rodzice Aśki są już po pierwszej rozprawie, a Julka pół dnia przeryczała, gdy w Askanie zobaczyła ojca obściskującego się z młodą dupą. Tamta, jak ta Pretty Woman, kołysała wielkimi torbami od Simple i Kazara, podczas gdy matka Julki ma jazdy, jak sobie kupuje byle jaką bluzkę. Jej, Zośce, wcale nie jest źle, bo w domu nie ma żadnych kłótni, trzaskania drzwiami i rzucania czym popadnie.

Udawała dorosłą i prawie jej się to udawało. A Olga uśmiechała się do córki, chociaż w głębi duszy wiedziała, że Zosia to jeszcze dziecko. I że można je skrzywdzić.

Matki brakowało. A zwłaszcza jej fizycznej obecności. Rzucanych w locie uwag: „Ta bluzka zupełnie nie pasuje do tych spodni", albo: „Trzymam kciuki na matmie!". Zosia łapała się na tym, że wraca ze szkoły, spodziewając się zapachu obiadu, szumu odkurzacza. Matki, która wynurza się z głębi domu, by zapytać, co tam. Albo że wpada do domu i od progu entuzjastycznie krzyczy: „Mamo! Mamo! Jestem!".

Zawsze głośno i radośnie komunikowała swoje powroty, dając do zrozumienia, że cokolwiek złego stało się tego dnia, ona ma już to za sobą. Bo oto znalazła się w swojej fortecy, arce. I że jest ona. Matka.

Któregoś razu po jej odejściu, po jakichś trzech czy czterech tygodniach, powracającą Zosię zdziwiły dźwięki dochodzące z salonu. Włączony telewizor, z którego dobiegał monotonny głos komentatora wielkoszlemowego turnieju. Pierwsza myśl: mama! Olga z uwagą śledziła wszelkie tenisowe rozgrywki. Lubiła nieodmiennie związane z grą elegancję i finezję, a nade wszystko spokój i wyważone opinie komentatorów, doskonale równoważące emocje zawodników.

– Mama? – zawołała, nie dowierzając, i rozentuzjazmowana ruszyła pędem do pokoju.

Za wielkimi drzwiami zobaczyła ojca. Siedział zapadnięty w fotelu; spoza skórzanego oparcia wystawał zaledwie czubek głowy. Głos córki sprawił, że drgnął. A gdy się odwrócił, Zosia zobaczyła w twarzy, oczach, grymas bólu. Po raz kolejny bolesna świadomość straty uderzała w niego jak wielki tępy obuch, po którym trudno dojść do siebie. Postarzał się. Skurczył. Stracił sprężystość, która wyróżniała go spośród innych. Nie był jakoś szczególnie wysoki, ale miał coś w sylwetce, co kazało

myśleć o nim jak o mężczyźnie postawnym. Mógł się po-
dobać kobietom. Zosia była z niego dumna, zwłaszcza
gdy dziewczyny z klasy prześcigały się w doszukiwaniu
się podobieństwa ojca, a to do George'a Clooneya, a to
do Leonarda Di Caprio. Jeszcze innym razem zaklinały
się na wszelkie świętości, że ojciec Zośki to wypisz wy-
maluj Brad Pitt. A może nawet przystojniejszy?

Dopiero teraz uświadomiła sobie różnicę wieku między rodzicami. Matka wciąż była młoda. Nieraz spotykały się z pytaniem:

– Siostry?

Zdawały sobie sprawę, że są kokietowane, ale w istocie – były do siebie bardzo podobne.

Jej piękna i młoda matka... Na tyle atrakcyjna, że podobała się Zosinym kolegom. Na jej widok pogwizdywali
z zachwytem: „Fiu, fiu!".

Uciekła od tego starego człowieka w fotelu. Schowała
się przed nim. Zapadła się pod ziemię. By nabrać dystansu i w samotności przeanalizować sens ich związku. Dokonać bilansu. Plusów i minusów. A ona, Zosia, której
wydawało się, że jest już na tyle dorosła, by udźwignąć
ciężar rozterek matki, przyzwoliła jej na to. Ba, namawiała ją! Mało to razy w amerykańskich filmach oglądała
dramatyczne rozstania i łzawe powroty? Wszechwiedzą-
ca nastolatka znała życie. A poza tym przecież widziała,
że jej dom był ni przypił, ni przyłatał do hollywoodzkiej
matrycy melodramatów.

Ojciec najwyraźniej wrócił dziś wcześniej. I nie odezwał się na wołanie. Nie Zosi spodziewał się w progu. Zapadł się na powrót, chowając za oparciem. Skoro to nie Olga...

Nacisnął przycisk pilota.

Zosia przystanęła i zakryła usta dłonią.

Poczuła nieprzyjemną jałowość swojej euforii.

* * *

– Co u was? U ciebie? – poprawiła się Olga.

Starała się opanować drżenie, ale łzy same napłynęły jej do oczu.

Za oknem zmierzchało. Wiatr kołysał rachitycznymi gałęziami starych brzóz po drugiej stronie Rycerskiej. Snopy świateł z okien pobliskich rzadkich domów, zamieszkanych głównie przez ludzi starych, mało kiedy wychodzących za próg, co najwyżej przysiadających na wysłużonych stołkach w bramach domów jeszcze starszych i bardziej sfatygowanych od ich lokatorów, mąciły zapadającą ciemność. Były to bodaj jedyne światła na Rycerskiej, bo uliczne lampy, mocno już nadszarpnięte zębem czasu, straszyły potłuczonymi oprawami i sterczącymi pogiętymi kablami. Uliczka zdawała się zapomniana przez Boga i ludzi. Ożywała wyłącznie podczas bożociałowych i wielkanocnych procesji, by później na nowo pogrążyć się w zapomnieniu. W oddali ujadały psy.

343

Olga stała przy oknie, nie zwracając uwagi na odsłonięte story. Przyciemnione światło wynajmowanego pokoju wydobywało z mroku kontur sylwetki.

Cisza w telefonie była gorsza od huku oskardów, które słyszała, ilekroć skręcała z Rycerskiej na główną arterię Pełczyc, która ryczała odgłosami maszyn drogowych, uderzeniami młotów i muzyką wrzącej roboty. Widać burmistrz wykorzystywał unijne fundusze, bo miasteczko piękniało z dnia na dzień.

– Mamo, nie gniewaj się, ale to chyba ponad moje siły... – zaczęła Zosia. – Nie jestem tak dorosła, jak myślałam. Jak bym chciała... – zamilkła.

Oldze wydało się, że słyszy ciche chlipnięcie.

– Zosiu? Ty płaczesz? – zapytała wprost, ocierając niesforną łzę.

Wycofała się w głąb pokoju, oszukując się, że łzę wywołał płynący od otwartych okien chłód.

Milczenie po drugiej stronie nie pozostawiało wątpliwości.

– Zosia! Zosiu! – zawołała Olga.

– Przepraszam, mamo, ale nie mogę! Kocham was oboje. Nie umiem inaczej... Nie chcę! On... On jest... – zawahała się, nie wiedząc, czy to, co powie za chwilę, jest właściwe.

Czy odda uczucia, które nie opuszczają jej ostatnio? Lęku, że coś mu się stanie? Przed tym, że zastanie go kiedyś zastygłego w tym swoim niezmierzonym poczuciu winy, klęski, zawodu i braku nadziei. I że będzie musiała ponieść za to odpowiedzialność. Wziąć na swoje barki niewyobrażalny ciężar pokuty za nie swoje grzechy. Bo została wmanewrowana w grę dorosłych. Grę o niejasnych regułach.

– On jest taki stary bez ciebie i... – Zosia szukała słów, lecz wszystkie zdawały się nieodpowiednie. – ... taki zmasakrowany.

Słychać było tylko siąkanie nosem.

– Nie przepraszaj, Zosiu! To nie twoja wina. – Olga wykonała nadludzki wysiłek, by mówić normalnie, chociaż słowa więzły jej w gardle.

Każde przechodziło przez krtań jak przez drut kolczasty.

– On... To znaczy ojciec... Nie śpi, nie je, wieczorami zapada się w fotelu i gapi w sufit. Czasem budzę się w nocy, a on wciąż siedzi. Podchodzę... – Zosia nie próbowała dłużej ukrywać płaczu. Słowa były bełkotliwe i niewyraźne. – ... a ma takie nieruchome oczy! Nie pozwala się przytulić. Jest jak za szybą. Mamo, ja się wtedy boję! Wiesz? „Tato!", szturcham go w ramię, a on patrzy na mnie tępo. „Nie umiałem jej powiedzieć, jak bardzo ją kocham. Nie umiałem", mówi tylko. I zaraz każe mi spać. Tym swoim nieznoszącym sprzeciwu tonem! Nie mogę już na niego patrzeć! Ani razu od twojego wyjazdu nie spał w waszej sypialni!

To jeszcze dziecko!, pomyślała Olga. Po prostu mała dziewczynka. W świecie dorosłych porusza się po omacku. Bez znajomości reguł, bez kruczków, zasadzek i trików.

– Zosiu! Córeńko! – szepnęła. – Przepraszam... Przepraszam cię za wszystko. Boże! Jakąż ja jestem idiotką!

Zosia walczyła ze łzami, które przełykała z trudem. Ich nadmiar zalewał serce. Nie mogła mówić. Gromadzona od dawna bezsilność przerwała tamę woli. Paroksyzmu rozpaczy nie udało się powstrzymać.

– Nie dałam rady, mamo... – zakończyła przez szloch.

– Zadzwonię jutro! – powiedziała Olga. – Zadzwonię... – powtórzyła, niepewna, czy córka ją słyszy.

* * *

Po rozmowie z Zosią Olga poczuła przypływ energii. Otrząsnęła się jak po długim śnie. Otuliła się ramionami, rozcierając błąkające się po nich uczucie chłodu. Sięgnęła po rzucony u wezgłowia łóżka ciepły szlafrok.

Wyświetlacz zgasł, a ona jeszcze długo wpatrywała się w ekran. Poczuła ucisk w żołądku, nagle twardym jak kamień. Zadzwonię do ciebie jutro, zadzwonię, zadzwonię..., powtarzała w myślach. Może nawet chciała spełnić swą obietnicę natychmiast, ale odłożyła komórkę. Obróciła w głowie twardą deklarację: „Nieważne, czy będziesz w domu, czy w szkole. Zadzwonię. Tylko muszę się z tym przespać. Muszę pomyśleć".

Czy boli mnie jego brak? Czy boli mnie to, co się zdarzyło? Co mam zrobić? Odezwać się i jak gdyby nigdy nic powiedzieć: „To ja"? To nic, że może już mnie nie

346

kochasz, ani że ja też nie wiem, czy cię kocham. Ale dzwonię, by oznajmić, że wracam do domu. By żyć dalej i udawać szczęście. O, jaka piękna rodzinka! Jak z Facebooka. Wszyscy śliczni, uśmiechnięci i objęci. Koniecznie. Brakuje tylko tabliczek na czole: „Nie dotykać, nie głaskać eksponatów. Każde poruszcnic grozi ujawnieniem okrutnej prawdy. To tylko maski, pod którymi kryją się ludzie obcy sobie, szorstcy i chłodni, co skutkuje żłobieniami na twarzach i sercach. Widok może okazać się makabryczny".

Światła za oknem zamigotały i zaraz zgasły. Olga zgasiła lampę w pokoju i po omacku osunęła się na łóżko. Śliska narzuta była chłodna od jesiennego powietrza, które wszelkimi szczelinami, szparami, wlotami wdzierało się do domu, płosząc stada pająków po kątach. W zakamarkach i schowkach snuły swe pajęcze sieci i marzenia o szczęśliwej rodzinie.

Kamień w brzuchu rozrastał się w wielką skałę. Kamieniały ręce i nogi. Olga zamieniała się w głaz.

Leżała z otwartymi oczami. Bała się przymknąć powieki, bo wówczas natłok myśli powodował chaos nie do ogarnięcia. Kłębiły się coraz to nowe, ale Olga miała wrażenie, że z otwartymi oczami łatwiej je uporządkować. Poukładać w odpowiednich szufladach. Rafał. Zosia. Taniec. Pełczyce. Miłość.

Jutro musi odpowiedzieć Lagunie. Musi podjąć decyzję – zadekować się w tej zapyziałej mieścinie na ileś lat życia, czy zdefiniować swoje życie z Rafałem. Wóz albo przewóz. Rybki albo akwarium.

Nad ranem, trzęsąc się z zimna, wyszła w łóżka.

Dom zdawał się uśpiony, ale Olga, otwierając drzwi na korytarz, na końcu którego mieściła się łazienka, z nieufnością przysłuchiwała się, czy aby nachalna gospodyni nie wyrośnie przed jej nosem. W łazience puściła wodę, ostrożnie, by bulgotanie w rurach nie wywołało wilka z lasu.

Wróciła do pokoju i zakutana w kołdrę po uszy przystąpiła do odtwarzania ostatnich małżeńskich scen.

* * *

Ranek powitał ją cichym chrobotaniem w drzwi. Ciche pukanie na dobre wybiło ze snu.

– Pani Olgo? Halo? Kochaniutka!

Zaspane powieki rozkleiły się z trudem, wpuszczając agresywne światło. Zapowiadał się słoneczny dzień. Snopy promieni, filtrowane przez barwne zasłony, pełgały po ścianach, tworząc mariaże kształtów, świateł i kolorów. Świadomość budziła się powoli.

– Pani Olgo!

Pukanie stawało się coraz głośniejsze. Coraz bardziej natarczywe.

Za drzwiami stała Rytwińska z ręką na klamce. Gotowa zareagować na najlżejszy odgłos.

Cisza.

– Zaparzyłam dobrą herbatkę. Z Anglii! Nie jakieś tam siki Weroniki z samu – wabiła.

Na mieście mówiło się, że ta nowa, damulka, o której nikt nie wiedział skąd pochodzi i po co przybyła, ma się zająć kulturą w Pełczycach. Gospodyni aż kipiała z ciekawości, a przy okazji miała nadzieję, że lokatorka wreszcie uchyli nieco rąbka tajemnicy. Ile razy można się wymawiać przed ludźmi, że nie zna się odpowiedzi na pytania? Przybyła stała się tematem wszystkich chodnikowych spotkań, dyskusji w kolejkach do kasy w Dino i szeptów na placu kościelnym po wszystkich niedzielnych mszach świętych. Kto to widział, by mieszkając z nią pod jednym dachem, nie dało się nic wywęszyć. I to komu jak komu, ale jej, Rytwińskiej, która tu, w Pełczycach, to wszystkich od kolebki zna, bo jako jedna z pierwszych za mężem nieboszczykiem, świeć Panie nad jego duszą, aż spod Tarnowa przyjechała, i choć pijak to był i karciarz, i nieraz przez plecy przyciął, ale zawsze to jednym węzłem małżeńskim powiązani byli do śmierci, bo co Bóg złączył, to człowiek niech nie rozdziela. Tak więc co jak co, ale Rytwińskiej nieobce były pełczyckie sekrety rodzinne, wstydliwe tajemnice, kto z nieprawego łoża albo z księdzowego. Cóż zatem takiego znaczyć miał ów brak odpowiedzi na pytanie, skąd Olga przychodzi, kim jest i dokąd zmierza.

– Zejdę za pół godziny – odpowiedziała Olga.

Tylko po to, żeby pozbyć się starej spod drzwi. Nie chciała, by ta ją oglądała. Rękami dotknęła twarzy. Czuła obrzmienie, pod oczami wyczuwała podkrążone łódki. Delikatnie, palcami, spróbowała masażu.

Rytwińska, nieco uspokojona, z rozbudzoną nadzieją na rewelacje, pomaszerowała w dół po skrzypiących nieludzko schodach. Trzymając się mocno poręczy, raz po raz oglądała się, czy aby lokatorka nie wychynie z pokoju.

Rafał

Pani Steniu, proszę przygotować kartoteki pacjentek. Wyniki, terminy badań, wizyty. Czy któraś z pań dzwoniła?

Stenia Dąbrowska skwapliwie wykonywała polecenia, ukradkiem zerkając na doktora.

– Coś się z nim dzieje – dzieliła się niepokojem z Alinką, koleżanką, z którą całe lata przepracowała na ginekologii w wojewódzkim, dopóki obie nie zostały zredukowane. Ofiary transformacji. Alinie Gajewskiej udało się wybłagać kilka godzin etatu, z uwagi na chorego męża i córkę na studiach, natomiast Stenia znalazła sobie zatrudnienie w prywatnym gabinecie Rafała Dobrzyńskiego. Dobrze jej się pracowało i miała jak u pana Boga za piecem. Robiła, co do niej należało, a doktor był do rany przyłóż. Rzadko wyściubiał nos z gabinetu i tylko niekiedy na odchodnym przekazywał dyspozycje. Poza porządkiem w papierach i kalendarzu niczego od niej nie oczekiwał. Sama pukała do jego drzwi, jeszcze przed wizytami pacjentek, pytając, czy się napije kawy albo herbaty. On zawsze dziękował i mówił, że jak będzie miał ochotę, na pewno poprosi. I nie prosił nigdy. Tak czy siak, Stenia niosła mu w chińskiej porcelanie kawę albo w kubku z zaparzaczką herbatę, bo żal jej było doktora, co pół dnia o suchym podniebieniu siedzi.

– Ponoć żona puściła go w trąbę – wyszeptała Alina. Nie zwykła owijać w bawełnę. – Pracuję dla Jankowskiego i kiedyś podsłuchałam, jak gadał przez telefon. – Rozejrzała się, upewniając, czy aby nikt jej nie podsłuchuje. – Szef namawiał go: „Wrzuć na luz! Wróci, jak jej się smród koło tyłka zrobi. A jak nie, to pies ją trącał!". I dalej mówił: „Wiesz, jakie one są!". Aż mi wątroba do gardła podeszła. Psia mać! Kutafon jeden pieprzony! Wszystkich mierzy jedną miarką! Niechcący usłyszałam jeszcze: „No wiesz, Rafał, kto jak kto, ale ty na brak kobiet nie powinieneś narzekać. Popatrz tylko dokoła! Tego kwiatu, to pół światu". Tak go pocieszał! Kurde blade! Terapeuta od siedmiu boleści się znalazł!

Stenia nabrała powietrza.

– Ale widać marne to było pocieszenie, bo Dobrzyński chyba się wkurzył, gdyż Jankowski zaraz go przepraszał i tłumaczył się, wycofując się rakiem. „Tak tylko palnąłem! Spokojnie! Kobiety czasem tak mają, że cholera wie, o co im chodzi. Spokojnie. Daj jej trochę czasu". – Alina Gajewska dopiero się rozkręcała. Zmieniała ton, modulowała barwę głosu, jak w teatrze jednego aktora. Bo nic jej tak nie emocjonowało, jak sekretne sprawy doktorów. – A potem namawiali się na wypad... – zawiesiła głos, chroniąc zwiniętą w daszek dłonią słuchawkę służbowego telefonu. Z wielką dbałością, żeby żadne słowo nie wpadło w niepożądane ucho. A bo to wiadomo, czy w takim szpitalu, gdzie ludzi roi się jak mrówek, ściany nie mają uszu? Ponoć w nowszych segmentach wojewódzkiego to i oczy miewają!

Po drugiej stronie panowała cisza. Wyobraźnia podsuwała Steni obrazy zmizerowanego szefa, który był dla niej niezmiennie wcieleniem dobra, szlachetności i delikatności. Na myśl o jego nieszczęściu, krwawiło jej serce.

– Jesteś tam? – upewniła się Gajewska. Nie czekając na odpowiedź (wystarczyło jej słabe westchnienie), ciągnęła: – Znowu do tego tam... Ługowa! Mówię ci, Steńka, im to się w dupach przewraca! Tym doktorom! Tylko ptasiego mleka im brak! Domy, hulanki, dziwki! I dziwić się, że kobity nie wytrzymują? A co, ja durna jestem i nie widzę, co to się na dyżurach wyrabia? Na wszystko mają! I na dziwkę, i na furę, i na daczę poza miastem. Daleko! A myślisz, że dlaczego tak daleko? Bo dopiero tam mogą sobie pożywać jak bąk na kobylej dupie! Nie to co my! Ledwie człowiek koniec z końcem i ziarnko do ziarnka... A dajże spokój! Z tymi lekarzami, to tak jak z celebrytami w telewizji. Człowiek już sam nie wie, kto z kim.

Alina ledwie łapała oddech po telegraficznym tempie przekazu.

– Przestań pleść dyrdymały! – ofuknęła koleżankę Stenia. – Może inni, ale rękę dam sobie uciąć, że nie Dobrzyński – zapewniła. – Może i wszyscy oni jednych pieniędzy warci, ale on... On... – Szukała najbardziej odpowiednich słów, które pasowałyby do człowieka, nie zaś do anioła, za jakiego miała swojego chlebodawcę. Taki anioł mógł być na ten przykład „niebieski", „niebiański", „nieziemski". A Dobrzyński był trochę anielski i trochę ludzki. Więc jak tu takiego nazwać?

Po wymuszonej przerwie Stenia pozbyła się nadmiaru powietrza, które nienośnie gniotło ją w piersi.

– On jest inny – dokończyła z ulgą.

Inny. I tyle.

* * *

– Są już wyniki pani Ziemińskiej. I Fabianowiczowej. I Czerniejewskiej. Grażyny Dębskiej, Ewy Niebieszczańskiej, niejakiej Sędziakowej...

– Proszę położyć je na moim biurku. I pamiętać o zaproszeniach na badania dla roczników...

– Już rozesłałam! – Stenia pochwaliła się sumiennością.

Jak jaszczurka, wysuniętym językiem zlizywała klej z ostatnich kopert, na których dziecinnym pismem wykaligrafowano nazwiska pacjentek widniejących w kartotekach jej szefa.

* * *

W domu panowała cisza.

Wprawdzie z pokoju Zosi dochodziła muzyka, ale nie bardziej dokuczliwa niż dźwięki z ulicy. Rafał wpatrywał się w sufit, po którym pełzały zwiastujące jesień pająki. Że też znalazły drogę do jego domu! Zawsze mu się wydawało, że bywają wyłącznie w starych budowlach, plotą sieci w opuszczonych pomieszczeniach; misterna tkanina przy odpowiednim świetle skrzy się, jak zrobiona ze srebrnej nici. Ale w nowym domu, gdzie wszystko jest czyste, jasne i widoczne? Mają odwagę! Narażają się na śmiertelne niebezpieczeństwo, a w najlepszym wypadku zniszczenie swego dzieła, którego zazwyczaj nie kończą, przeganiane przez człowieka. Rafał obserwował uparte stawonogi, wysnuwające z kądziołków przędnych długą nić i ciągnące ją, dopóki ta nie zahaczyła o cokolwiek. Później maszerowały wzdłuż niej, by wzmocnić przędzę. Gdy lina była już stabilna i wytrzymała, zawracały na środek i opuszczały się, by znaleźć kolejne mocowanie. I znów zawracały. Umacniały. Opuszczały się. Metodycznie tworzyły wspaniałą konstrukcję zasadzki. Olga bała się pająków, ale nie pozwalała ich zabijać. Mówiła, że to ściąga na dom nieszczęście. Rafał wynosił je zatem, obserwowany zza firanki, czy aby na pewno odłożył pajęczego delikwenta w bezpieczne miejsce.

Calvados o barwie żywego bursztynu filtrował światło dolatujące z różnych punktów domu. Oświetlenie było dla Olgi ważne, przypomniał sobie jej mąż.

Odkąd poznały się z Ewą, ich azyl co i rusz przechodził większe czy mniejsze metamorfozy.

Ze ściany śledziło Rafała spojrzenie żony. Uparł się kiedyś, by powiesić to zdjęcie przy kominku. Bo Olga wzbraniała się przed kaleczeniem ścian i pozwalała sobie na upstrzenie ich tym, czym obdarowywano ją z okazji, wyłącznie w niewielkim pokoiku na końcu korytarza. Czego tam nie było! Gliniany ptaszek od Zosi (z pierwszej wycieczki klasowej), serduszko z masy solnej, wykonane przez jakąś artystkę z nazwiskiem, rycina zgnębionego anioła, którą przywiózł Rafał ze szkolenia w górach (pamiętała o tym, bo gdy zadzwonił, akurat tkwiła uwięziona w domu przez anginę ropną Zosi i własne zapalenie płuc, klnąc w żywy kamień, że pozwoliła mu wyjechać. Z bezsilności ledwie hamowała płacz. Była bezradna i zdana tylko na siebie. Już chciała mu nawrzucać, a on wtedy powiedział: „Tu jest tak pięknie! Szkoda, że nie ma cię ze mną". Ileż to razy powtarzała sobie te słowa! Ale wtedy... Wtedy zapytała tylko, kiedy wraca, słowem nie napomykając o kłopotach), rozpostarty na kilku teksach tandetny różaniec zabrany z domu rodziców, taki z plastikowych koralików, mieniących się jak najprawdziwsze klejnoty. Choć Oldze daleko było do odprawiania jakichkolwiek religijnych praktyk. Owszem, zdarzało się jej bywać w kościele, ale tylko z okazji wielkich świąt. Ostatnimi czasy lubiła zachodzić do katedry. Pociągało ją surowe wnętrze, chłód, który przenikał człowieka zaraz po przestąpieniu progu kruchty, rozszczepienie światła na witrażach... A nade wszystko cisza, mimo że świątynia stała w miejscu, gdzie krzyżują się arterie dróg, trakcje tramwajowe. Gdzie bije serce Gorzowa.

W owym pokoju cudów umieściła także figurki tandetnych aniołków, swoje zdjęcia z Rafałem, fotografie Rafała, Zosi, Zosi i Rafała. I inne bibeloty, zdradzające jej sentymentalizm, do którego w życiu by się nie przyznała. Całość tworzyła kicz absolutny, ale uwielbiała siadać wśród tych dekoracji i przyglądać się ekspozycji. W wystawie było coś urokliwego, co przywodziło na myśl strojne choinki z dzieciństwa, dalekie od wysublimowanych stylizacji, ale za to swojskie, choć kompletnie pozbawione wyrafinowanego wysmakowania. Takie z kolorowymi bombkami, każda z innej parafii, plastikowymi gwiazdkami, Jezuskami w prymitywnych żłóbkach, z długimi lizakami w kolorowych pozłotkach – tych samych od kilku lat, wiszących na gałązkach etatowo, obciążonych kategorycznym zakazem zdejmowania. Niemal pod groźbą kary śmierci.

Rafał i Zosia

Rafał z ociąganiem wstał z fotela. Był zmęczony. Czuł, że alkohol zaczyna działać. Ostatnio stan upojenia był dla niego błogosławieństwem. Pozwalał fałszować mu życie i się znieczulać. Rano łykał apap, brał zimny prysznic, golił się i szedł do pracy. Starał się unikać wścibskich spojrzeń kolegów, którzy kiwali z politowaniem głowami albo poklepywali go familiarnie po ramieniu. Bo niczego mądrego nie potrafili wymyślić.

Podszedł do zdjęcia żony. Utkwił oczy w jej oczach. Oczy miała piękne, spojrzenie pełne niedosytu. A może to moja interpretacja?, pomyślał. Nigdy nie wpatrywał się w jej źrenice. Oczy jak oczy, piękne jak ona cała. Rafał nie parcelował jej, nie drobił. Była całością.

Teraz opuszkami wodził po obrysie ust, owalu twarzy. Miał wrażenie, że pod palcami czuje ogień, który przenika go w głąb i pali. Zacisnął dłoń w pięść. Chciał poczuć Olgę w dłoniach, ale te pozostały puste. Od tylu dni i nocy!

– Tato! Co ty robisz? – usłyszał.

Tuż za nim stała córka.

Rafał odwrócił się gwałtownie.

– Strzepnąłem pająka. – Postarał się, by jego głos brzmiał naturalnie. – Pełno ich teraz. Skąd się to cholerstwo bierze? Chyba nie uwierzyła. Podążyła wzrokiem za jego spojrzeniem.

– Tato! Wiesz, dzwoniła mama... – powiedziała powoli, cedząc słowa.

Wcale nie była przekonana, że powinna mu to powiedzieć. Że obie rozmawiają często. Że matka jest na odległość jej potrzeb.

– Wiesz, gdzie ona jest?! – przerwał jej.

Dzieląca ich odległość była wystarczająca, by Rafał dostrzegł w oczach córki wątpliwości. A jednocześnie odniósł wrażenie, że Zosia bada jego gotowość. Do przyjęcia wieści o Oldze bez irytacji.

– Wiesz? – zapytał powtórnie.

Było w tym oskarżenie. Głos brzmiał ostro i chropawo.

– Nie. Nie wiem, gdzie jest, ale rozmawiałam z nią. Nie tylko dzisiaj. Rozmawiamy często – oświadczyła Zosia takim tonem, jakby chciała dać do zrozumienia, że nie nadaje się na konspiratorkę.

Uciekła spojrzeniem, bojąc się, że ojciec odczyta z jej oczu wszystko, co wie o matce.

Rafał milczał. Opadł ciężko na fotel, ukrył twarz w dłoniach. Czekał.

W salonie zaległa cisza.

– Zadzwoń do niej... – Zosia przerwała milczenie. – Tato, słyszysz? Zadzwoń.

Dobrzyński zrezygnowany pokręcił głową. Dzwonił już. Ile razy? Codziennie. Odrzucała te połączenia. Jednym dotykiem. Palcem kasowała całe ich życie. Co Zosia, dziecko przecież, może wiedzieć o życiu?

Chciał jej to powiedzieć. Rzucić w twarz prawdę, żeby nie myślała, że mu nie zależy. Że pogodził się z odejściem Olgi, że przeszedł nad tym do porządku dziennego. Nie miał pojęcia, co Zosi mówi matka. I nagle zdał sobie sprawę, że ma niewielkie pojęcie, zarówno o jednej, jak i o drugiej. Wydawało mu się, że skoro są pod ręką, skoro widzi je codziennie, skoro nie skarżą się, nie zgłaszają problemów, szafa gra! Skąd na litość boską miał wiedzieć, że coś się dzieje, jątrzy, gnije, toczy wewnątrz. Zanim na zewnątrz pojawią się symptomy – mały, podeszły ropą wrzód albo podbarwiony śliwką krwiak – trzeba czasu. A u nich wszystko wydawało się okej. Szło jak po maśle. Aż tu nagle: bęc!

Powrócił obraz ostatniej nocy i Rafałem po raz kolejny targnęła złość. Zachował się jak idiota! Ostatni dupek! Ale przecież nie można przekreślać życia jedną nocą... On o tym wiedział najlepiej. Raz już taką przeżył. Taką, która zmieniła bieg życia. Jego życia, ich, jej... Przecież wytłumaczyłby Oldze, przeprosił! Za mało rozmawiali... Za mało. Ale przecież wszystko można zmienić.

Nie mógł uwierzyć, że tak łatwo odeszła. A może zaplanowała to wcześniej i tylko czekała na pretekst? Na przysłowiową kroplę? A może kogoś ma?

Myśl o innym mężczyźnie przyprawiła Rafała o niepohamowany gniew. Zabiję! Zabiję i ją, i jego!

Zosia stała. Oparta o ścianę. Obserwowała ojca. Żal jej było tego mężczyzny, który wydawał się być nieporadny jak dziecko. Snop światła padał na jego twarz. Podkrążone oczy, przecięte linią zmarszczek czoło, kiełkujący po całym dniu zarost. Zosia pomyślała, że twarz ojca zdradza zmęczenie i smutek. Żal jej było mężczyzny, który siedział skulony, zapadnięty w sobie. Sekundowała matce. Jak kobieta kobiecie. Ale widok podstarzałego, zgaszonego nieszczęścia roztkliwiał. Mężczyzna. Jej ojciec. Tęskniła za wieczorami, kiedy on siadywał w swoim fotelu, a matka w swoim, oboje zapatrzeni w ten sam ekran. Czasem jedno czy drugie przysypiało, pochrapując cicho. Ją jednak obecność obojga uspokajała. Szła do siebie, pozostawiając rodziców samych sobie.

– Tato! – odezwała się ponownie, ze zniecierpliwionym naciskiem.

– Tak, tak. Przecież słyszę. Zadzwonię, ale ty idź spać. Późno już! – powiedział.

– Jutro sobota. Nie muszę wstawać.

– A tak. Sobota. Rzeczywiście. Wiesz, jutro chyba pojadę na wieś... Na weekend. Wujek Jankowski dzwonił. Może pojedziesz z nami? – Rafał zmienił temat rozmowy.

Jakby wszystko, co powiedziano dotychczas, było zupełnie nieistotne. Ot, takie sobie, zwyczajne. Bez konsekwencji.

Zosia zawahała się i niemal w tej samej minucie pokręciła głową.

– Nie. Nie mogę. Mam naukę, sprawdzian z fizyki. Zależy mi, bo wiesz, że chciałabym iść na mat-fiz.

Jego córka chce się uczyć fizyki, bo pewnie zamierza studiować medycynę! Ona, Olga, musiała o tym wiedzieć. Podobnie jak o tym, kiedy trzeba opłacić gaz, do jakiego worka wrzuca się butelki po Boulard Grand Solage... Chociaż wyglądały szlachetnie, serce krwawiło, gdy człowiek pomyślał, że przy wrzucaniu do wielkich kubłów brzęczą tak samo trywialnie i głośno, jak zielone butelki po piwie albo po tanich wódkach. Olga wiedziała, jak nastawić zegar na wyświetlaczu kuchenki i na jak długo wstawić kubek z mlekiem do mikrofalówki, żeby nie wykipiało i nie zapaskudziło całej powierzchni. A jeśli już zdarzało się, że wylewało białą plamą, wiedziała, czym zetrzeć, aby kwaśny zapach nie wisiał w powietrzu.

– Tam też jest miejsce. Mogłabyś zaszyć się w zaroślach. Ptaki, ryby, świeże powietrze. – Próbował żartować. – I mną miałby się kto zająć...

– Nie. Nie ma mowy! Nie skupię się. Sorry, ale nie tym razem.

Zareagowała natychmiast. Nie chciała mówić ojcu, że nie cierpi jego znajomych. Tych zarozumiałych pań i panów doktorów – żądnych tytułów i zaszczytów, gotowych smarować własne tyłki miodem i wchodzić w nie z poślizgiem. I pań doktorowych. I całej tej zarozumiałej bandy, tytułującej się nawet przy zwykłych czynnościach. Jak parzenie herbaty. „Zrobić panu herbatki, doktorze Marku?". Migdalono się do siebie wzajemnie, mimo nieufności. Bo kto to wie, który z nich zajmie pokój ordynatora, a kogo przeniosą na izbę przyjęć? Żeby wąchał niemytych i obryzganych kloszardów, oglądał histeryczne babki z atakami fałszywej histerii po kłótniach małżeńskich, ledwie dychających siedemdziesięciolatków, którzy po przejściu na emeryturę stracili apetyt na życie i potencję, od czasu do czasu podżeganą wypisywaną przez lekarza rodzinnego viagrą.

– Postaram się wrócić wcześniej – oznajmił Dobrzyński.

– Dam sobie radę. – Uśmiechnęła się Zosia i pomachała ojcu na odchodnym.

– Zadzwonię do niej jutro…

Lili i Sara

Drzwi do klasy były oporne i ciężkie. Ich domknięcie wymagało nie lada siły.

Sara szarpała się z nimi, gdy poczuła w kieszeni wibracje telefonu. Wreszcie klucz zazgrzytał i patent zaskoczył. Wyjęła komórkę.

– To ja. Mama.

Skaczący wizerunek matki zdawał się zdradzać zniecierpliwienie i irytację.

Sara nie pamiętała, kiedy wgrała to zdjęcie i ustawiła jako tapetę. Pewnie wtedy, gdy porządkując tysiące zdjęć w komputerze, zastanawiała się, które chciałaby oglądać każdego dnia. Ba, nawet kilka razy. Tyle, ile komuś przyjdzie do głowy, by wykręcić jej numer. Bez znaczenia, czy telemarketer, czy namolny akwizytor, czy Paweł. Albo ona. Matka. Co nią kierowało, gdy wybierała właśnie tę fotografię spośród reszty? Nie potrafiła ustalić topografii. Bieżuń? Toruń? Chyba jednak Warszawa. Bo tylko tam zdarzały im się wspólne spacery, choć z rzadka. Czasami, zwłaszcza w niedzielę, matka zabierała ją na Starówkę, a stamtąd szły nad Wisłę. Nie było w tych wyprawach nic z intymności i bliskości towarzyszącej rodzinnym wypadom. Zresztą zaraz i tak pojawiał się Aleks i zabierał je do restauracji na obiad, bo matce nie chciało się gotować w domu. Na co dzień każdy jadał osobno. Sara – w szkolnej stołówce. Nie znosiła tej wrzawy, przepychania się do okienka i smrodu źle płukanych ścierek, którymi niedbale przecierano laminowane blaty wysłużonych stolików, ale się nie skarżyła.

Na zdjęciu nie było kompletnie żadnych elementów, które pomogłyby jej określić miejsce wykonania. Tylko jej matka na tle nieba. Nieco ukosem. Piękna. Wyjątkowo. Ma w sobie łagodność i spokój. Patrzy wprost na córkę. Może właśnie dlatego je wybrałam?, myśli Sara. Bo podświadomie za nią tęsknię? Za tym spojrzeniem, ześrodkowanym wyłącznie na mnie, pozostawiającym wszystko inne na boku? Stawiającym ją, Sarę, w absolutnym centrum matczynego świata.

– Byłaś u tego lekarza? – zapytała.

Miała zadzwonić do matki już dawno, ale zawsze coś ją od tego odwodziło. Tłumaczyła się sama przed sobą nawałem pracy, ale był to tylko pretekst. Znajdowała przecież czas na spotkania z Pawłem, na książki. Zazwyczaj przypominała sobie wieczorem, gdy było już późno. Pewnie śpi albo jest w łóżku z tym swoim nowym mężczyzną, myślała. Ostatnio matka zrobiła się sentymentalna. Sarze wydawało się, że usłyszała rzuconą od niechcenia uwagę o ponownym zamążpójściu. Że niby czas się ustatkować. Ale nie podjęła tematu, a Lili zaraz zmieniła wątek i już do niego nie powróciła.

– Możesz rozmawiać? – dopytywała teraz.

– Słabo cię słyszę. Jesteś poza domem?

Sara przycisnęła komórkę do ucha, bo na korytarzu panował rumor. Uczniowie wylegli z klas i nagle wszyscy mieli coś do powiedzenia. Wszędzie rozbrzmiewał gwar, wśród którego trudno było wyłowić pojedyncze słowa.

Przyciskała telefon do ucha, ale dźwięki uciekały jak spłoszone motyle.

Rozpychając się między licealistami, szybkim krokiem podążała do drzwi wychodzących na boisko. Wreszcie była na zewnątrz. Choć miała dyżur, wolała stać tutaj, na wietrze i w deszczu, niż na korytarzu, gdzie wciąż czuła się nieswojo.

* * *

Pracowała na Przemysłowej od września i jeszcze nie ogarniała wszystkiego. I chociaż starsi stażem nauczyciele byli dla niej mili, wciąż odczuwała ogromną tremę, gdy któryś się do niej z czymś zwracał. Wielu z nich pamiętała: Czaińską, Frydeberg, Parola. Zwłaszcza tego ostatniego wystrzegała się jak diabeł świeconej wody. Miał cięty język i wciąż, nawet w trakcie krótkiej wymiany słów, rzucał jakieś dygresje. Nigdy nie wiedziała, o co mu naprawdę chodzi. Pozostali byli w porządku, gdyby nie respekt byłej licealistki. Mimo że upłynęło kilka lat. Nie tak wyobrażała sobie powrót. Chyba przeliczyła się z możliwościami.

Kiedy podczas wakacji zadzwonił do niej dyrektor z pytaniem, czy nie „objęłaby katedry języka niemieckiego", Sara była w siódmym niebie. Nie zawahała się przez ułamek sekundy. To było jej marzenie – powrócić jako nauczycielka. Napomknęła w tamtej rozmowie, że jeszcze nie skończyła studiów, ale Samborski zapewnił ją, że dołoży wszelkich starań, by nic nie przeszkodziło w ich ukończeniu. Jeśli trzeba będzie, „coś wymyślimy", powiedział. Teraz jednak, gdy praca jako germanistki stała się faktem, w Sarze budziły się wątpliwości. Nie zadzwoniła do matki. Biła się z myślami, na przemian odpędzając albo przygarniając jedną lub drugą alternatywę. Skąd, na Boga, ma wiedzieć, jak wybrać? Matka nigdy nie kibicowała jej przy rozstrzyganiu jakichkolwiek dylematów, trzeba było mierzyć się z życiem samodzielnie. Wóz albo przewóz. Sara była zahartowana, choć czasem marzyła o chwilach słabości. Wówczas jednak pojawiał się on, Paweł. Jako jedyny starał się rozwiewać jej rozterki, przekonywał, dodawał otuchy. Podrzucał jej argumenty w stylu: „Nie święci garnki lepią", „Głową muru nie przebijesz", ale zaraz potem tulił ją i roztaczał wizję wspaniałej kariery. A potem projektował ich przyszłość, z dziećmi, domem na Osiedlu Poznańskim, z przyszłością, o jakiej Sara bała się marzyć. Jutra pozbawionego migracji, obrazu rodziny zubożonej o ojca, a nawet o matkę, bez wspólnych wigilii.

Zdecydowała. Niechaj się stanie! Zaklęcie rzucone na przekór wszystkiemu.

Przypomniało się jej pierwsze wejście do pokoju nauczycielskiego. Dyrektor Samborski zaanonsował Sarę już na radzie inauguracyjnej, ale w związku z nawałem spraw spotkanie przebiegało dynamicznie i w skupieniu, więc mało kto zwracał uwagę na nową koleżankę. Przez kolejny tydzień szykowano gabinety, dobierano się w jakieś zespoły, uczestniczono w konferencjach, więc obecność germanistki przeszła niemal niepostrzeżenie. Do chwili, gdy pojawiła się w pokoju nauczycielskim rankiem, pierwszego dnia nauki.

– No patrzcie państwo! Kogo my tutaj mamy? Nasza uczennica! – wykrzyknął na powitanie matematyk. – Chyba już czas się zbierać i ustępować miejsca młodszym – westchnął jak kiepski aktor. – Mam nadzieję, że nie przyszłaś, aby uczyć matematyki?

Uśmiechnęła się niemrawo, ale nie zdążyła zaprzeczyć, bo Parola naszło na opowiadanie dyrdymał z czasów jej nauki i jak to musiał stawać na rzęsach, by Sara zdała maturę. Bo wprawdzie, co widać, natura obdarzyła ją licznymi przymiotami, ale talentu matematycznego, niestety, poskąpiła.

Zaraz potem przypomnieli sobie o niej pozostali. A Sarę trafiał szlag. Bo w ich oczach wciąż była licealistką. Mało tego, obawiała się, że to się nie zmieni nigdy. Miała ochotę dać nogę, gdzie pieprz rośnie, ale ujęła ją pod łokieć Majewska. Zaproponowała rekonesans.

– Trochę lat minęło. Pokażę, pani, co się zmieniło.

– Proszę mi mówić po imieniu! – poprosiła Sara.

Kobieta odsunęła się nieco.

– Tu nawet w pokoju obowiązuje tytulatura – szepnęła ironicznie. – Panie profesorze, pani profesor. Tak, tak, pani profesor Czarnecka! – uśmiechnęła się poufale i puściła oko.

Napięcie nieco opadło.

Z czasem opadło jeszcze bardziej, ale Sara i tak starała się przebywać wśród innych nauczycieli jak najkrócej.

* * *

Przetarła zamglony ekran.

Zaciągnęła sznurki od ciepłej parki, którą kupiła ostatnio w NoVa Parku, kiedy Paweł szukał dla siebie spodni do biegania. Przenikliwy ziąb wkradał się wszystkimi otworami, siekące igiełki niemal mroźnej mżawki kłuły w twarz. Wiatr hulał, świszcząc złowrogo. Plac był pusty, nie licząc pojedynczych postaci, przemykających

369

chyłkiem, zatopionych w postawionych kołnierzach. Znikały za rogiem, by w pobliskiej bramie zapalić na spółkę jednego papierosa.

– Jesteś tam, mamo? – krzyczała w słuchawkę Sara, oglądając się, czy nikt jej nie słyszy.

Była trochę zła na siebie za tamtą chwilę słabości, kiedy matka zwróciła się do niej, by pomogła jej znaleźć dobrego lekarza. Przez głowę przeleciała jej myśl, że matka jest chora. Może nawet śmiertelnie. I nagle wyobraziła sobie siebie. I ją. Jak pokonując wszystkie dotychczasowe bariery, zapominając o całym dotychczasowym życiu, razem stają w szranki ze śmiertelnym wrogiem. Wspólnie idą drogą przez mękę, przechodzą wszystkie kręgi piekła, by na koniec, ozdrowiałe, szczęśliwe i oczyszczone przez cierpienie, przyjąć akt pokuty i wybaczenia.

Sara szukała. Wydzwaniała po znajomych, wypytywała w pokoju nauczycielskim, budząc tym samym zainteresowanie i szepty, sprawdzała w Internecie rankingi i gwiazdki. Zaangażowała się i była za to na siebie zła. To łamało pewien niepisany porządek, obecny między nimi od zawsze. Aż do teraz każda miała własny świat i nigdy nie starała się przedostać do drugiej. Trzymały się na odległość. Sara uległa, bo Lili istotnie wydawała się wystraszona i niepewna, co było do niej kompletnie niepodobne. Ona zdradza niepokój? Niemożliwe. Nawet wtedy, w Toruniu, zaledwie bąknęła coś o jakichś „drobnych kłopotach" i zaraz sprowadziła rozmowę na inne

tory. Nigdy nie potrzebowała zacieśniania relacji. Tworzenia więzów, ustalania reguł, definiowania zależności.
Jako soliter czuła się doskonale. Sara zrozumiała to już
dawno. A tu nagle telefon. Coś – jakaś nienazwana siła
– kazała jej zadzwonić. A może strach? Na wzór amerykańskich kinowych matek – owych sentymentalnych,
melodramatycznych, proszących o wybaczenie albo wy-
baczających – wystukała numer do córki.

Wpatrywała się w wyświetlacz nowego telefonu. Sara.
Wciąż jeszcze telefony do córki peszyły ją, chociaż ostatnio zdarzały się im nawet spotkania. Głównie na mieście.
Umawiały się w centrach handlowych, bo te nie sprzyjały
intymności. Żadna nie była gotowa na bliskość. Trzeba
jednak przyznać, że od czasu pobytu Lili w toruńskim
szpitalu coś się w ich relacjach przełamywało. Niewiele. Naprawdę niewiele. Pękały lody, choć mało spekta-
kularnie. Powstawały raczej niewielkie rysy, symptomy
ocieplenia. Obie dbały, aby ich kontakt miał znamiona
poprawności. Były w miarę na bieżąco i banalne pytania:
„Co u ciebie?", skutkowały odpowiedziami wykraczają-
cymi poza granicę zdawkowego „w porządku". Zdarzało
się nawet, że przeradzały się w chwilowe minirelacje,
które jednak nigdy nie przekraczały granicy. Nie pozwalały na wniknięcie do życia. W sferze osobistej matka
z córką pozostawały dla siebie nieodkryte. Jasne, że pytania tłoczyły się na usta, domagając się odpowiedzi, ale
obydwie zagryzały wargi. Piły kawę, zlizywały kolorowe

wielosmakowe kulki lodów i raczyły się nieistotnymi dywagacjami zupełnie nie à propos.

Lili nie potrafiła zdobyć się na wizytę u córki. Ilekroć była zdecydowana, wstrząsała nią do głębi świadomość pochodzenia pieniędzy na mieszkanie. Za każdym razem. Ojciec! To jakaś totalna bzdura! Michał Jaśkiewicz, samozwańczy ojciec Sary!

A przecież nikt go o nic nie prosił.

* * *

– Jestem! Jestem. Nie krzycz tak, tak tylko zadzwoniłam. Nie wiedziałam, że już jesteś w pracy…

– Pytałam, co u tego lekarza. Byłaś tam?

– Byłam, byłam… – odparła Lili.

Starania, by jej głos zabrzmiał obojętnie, wypadły raczej kiepsko.

– I co? Co ci powiedział? – dopytywała Sara.

Podejrzewała, że coś się wydarzyło, bo w innym wypadku matka by nie dzwoniła. A już na pewno nie o tej porze, nie w godzinach pracy. Sara mówiła jej o tym ostatnio, zgodnie z formułą wymiany informacji.

– Skąd ty go, na litość boską, wytrzasnęłaś? – Lili zignorowała pytanie.

– Mamo, przestań cudować! Nie ma najmniejszego znaczenia, skąd go wytrzasnęłam, ale to, co ci powiedział. To bardzo dobry lekarz. Więc co ci jest?

– To na szczęście nie ciąża, a rak – rzuciła Lili, kiepsko udając beztroskę.

– I co dalej?

Sara nie była zdziwiona. Ukryte w głębi duszy przeczucie nie zawiodło jej. A jednak. Poza tym, jeżeli matka dzwoni, musi to być coś, co nią wstrząsnęło.

– Raczej nie mam zbyt wielu możliwości. Muszę porobić jeszcze jakieś dodatkowe badania, a potem się okaże. Zresztą sama nie wiem. Może jeszcze gdzieś pojadę? Do jakiegoś innego lekarza. Ten... Nie mam pojęcia. Dziwny jest... – Lili zawiesiła głos. – Nie wiem, czy mogę mu ufać.

– Mamo, przestań gadać bzdury! Powtarzam ci: to bardzo dobry lekarz. Trzymaj się go! Może spotkamy się wieczorem? – zapytała ostrożnie Sara.

Nie chciała spłoszyć matki nagłą troską.

– Nie, dzisiaj nie! – stanowczo zaoponowała Lili.

Telefon był wystarczającym wysiłkiem. Potrzebowała czasu. Za nic nie chciałaby zdradzić się przed córką ze swoim lękiem. A zdała sobie sprawę, że zawładnął nią strach, nad którym trudno zapanować. Nie potrafiła wyobrazić sobie siebie pozbawionej kobiecości. Bez włosów. Wynędzniałej. Słabej. Trawionej przez tego cholernego raka!

– To kiedy? – nalegała Sara.

– No... Nie wiem. Dzisiaj mamy czwartek? Jutro nie mogę. W sobotę mam zaproszenie na kameralną uroczystość. Może w niedzielę? – zaproponowała Lili bez przekonania.

– Pasuje! W sobotę też mam wyjście, ale w niedzielę jak najbardziej. To co? W Askanie? Na górze, obok Samanty. Będę czekać o szesnastej.

Lili wahała się przez chwilę, ale znienacka dotarło do niej, że Sara jest jedyną osobą, z którą może o swoim raku porozmawiać. Nie zamierza się żalić, nie. Niech sobie mała nie myśli, że w imię miłości matka zażąda ofiary. Żadnego siedzenia przy łóżku, głaskania po głowie, zapewnień o miłości i wiecznej pamięci. Ale może być jej potrzebna. Do takich zwykłych spraw. Jakieś kapcie do szpitala? Albo peruka?

* * *

Dzwonek, zawieszony nad wielkim drzwiami tuż za nią, dudnił, huczał w uszach do bólu. Jakiś maturzysta przytrzymał skrzydło i uśmiechając się zalotnie, przepuścił ją przodem. Poczuła na sobie jego wzrok. Był niewiele młodszy.

– Proszę, pani profesor.

Uśmiechnęła się. Wyłączyła telefon. Ekran zamigotał i po chwili pojawiło się kolorowe logo operatora. Paweł wiedział, że nie może dzwonić. Matka wyczerpała limit.

Już powiedziała.

Samuel

Czekał na nią od kilku godzin. Nie odbierała telefonów. Nerwowo spoglądał na wyświetlacz, gotów przesunąć pierścień na ekranie, by usłyszeć jej głos, lecz komórka milczała. Krążył po domu, podchodził do kolejnych okien. Krajobraz zdawał się nieporuszony. Wokół panował niezmącony niczym spokój. Dom stał z dala od innych domostw. Może nie tyle na odludziu, ile schowany przed wścibskim spojrzeniem, ogrodzony gęstym żywopłotem, porastającym pełne przęsła pomiędzy wymurowanymi klinkierem słupkami. Szeroki jak gościniec brukowany podjazd. Po obu stronach szpaler drzew splecionych konarami. Część rosła tu od dawna, część pochodziła z nowych nasadzeń. Tak sobie wymyślił. Duży areał gwarantował intymność i niezależność. Samuela stać było na tę osobliwą enklawę pośrodku rozrastającego się na obrzeżach Gorzowa osiedla domków jednorodzinnych. Wszak był nie byle jakim bubkiem, co

to sroce spod ogona wypadł, ale Ziemińskim Mercedes-
-Benz! Liczyli się z nim i biznesmeni, i decydenci. Wokół
posesji pachniał młodniak, w którym co rano jesienią
można było zebrać kosz maślaków i podgrzybków. Wiosną sycił zmysły gamą zieloności i wonią, w której prze-
ważały konwalie.

Niczego nie bał się w życiu tak bardzo, jak tego, że
ją straci. Kiedy przyjechała do niego, do Gorzowa, słaba
i zagubiona – zupełnie jak nie ona, nie dawna Lili, harda, pewna siebie, mierząca wszystkich z góry – nie mógł
uwierzyć we własne szczęście! Po raz kolejny utwierdzał
się w przekonaniu, że w życiu można mieć wszystko,
czego się zapragnie. Trzeba tylko cierpliwości i strate-
gii. Trzeba czasu. A on, jak nikt, umiał czekać. Nic mu
w życiu nie wychodziło tak dobrze, jak czekanie. Wówczas, dawno temu, gdy ukryty pod pniami młodych brzóz
zagryzał pięści do pojawienia się podbarwionych krwią
kostek, poprzysiągł sobie, że ją zdobędzie. I kiedy wracał
do starego volkswagena passata, stojącego na rogatkach
Rościszewa z wyłączonymi światłami, czerwony z zazdrości, z palącym bólem upokorzenia, bezradny, gnany
zapijaczonym śmiechem weselników, poprzysiągł sobie,
że będzie ją miał. Do końca życia. Jej albo jego! Bez znaczenia. Wtedy jednak nie był to jeszcze ten czas. Czekał.
I ów czas nadszedł. Pogrzeb Czarneckiego, potem Toruń... Już nie odpuścił.

Róże pod stopy i ptasi puch!

* * *

Kilka tygodni temu wydało mu się, że Lili kombinuje, jak niepostrzeżenie wymknąć się z domu. Milczała, gdy któregoś razu zaczaił się na nią, gdy już wychodziła, i zapytał dokąd idzie. Nawet nie odwróciła głowy. Od niechcenia machnęła ręką i posłała mu trywialnego całusa. Z początku sądził, że ostatnie wyjścia mają związek z kobietą, która znalazła jej telefon. Owszem, spotykały się często. Wiedział, bo zdarzyło mu się jechać za Lili. Śledził ją. Opłacił nawet prywatnego detektywa z agencji Security, by na wszelki wypadek „miał baczenie". Nie mówił nic o braku zaufania czy podejrzeniu niewierności, ale zaprogramował faceta na pilnowanie, układając niedorzeczną bajkę o tym, że ktoś Lili zagraża.

Detektyw nie był głupi i rozpracował Ziemińskiego natychmiast. Oto zapewne jeden z tych świrów, co to świata poza babą nie widzą, bo mu ten świat rąbkiem stringów przysłoniła. Ale co tam! Płaci nieźle, a roboty żadnej. Jeździł za „obiektem" w bezpiecznej odległości. Niezła dupa, myślał, spoglądając, jak parkuje w bocznej uliczce nieopodal nabrzeża. Jak wysiada nieśpiesznie, bez śladu ekscytacji, i idzie do nowej restauracji zaaranżowanej w niszach wiaduktu. Lokal miał piękną nazwę – Bella Toscana. Detektyw coraz mniej dziwił się klientowi, że tak się o laskę trzęsie, bo gdyby tylko palcem kiwnęła, pewnie niejeden by na jej wdzięki poleciał.

Choć pierwszego kwiatu nie była, ale jak wino. Jak wino! Mężczyzna tkwił za kierownicą. Czasem wychodził i błąkał się w pobliżu restauracji, by schowany za jakąś futurystyczną instalacją, przedstawiającą cholera wie co, obserwować kobietę i fantazjować na jej temat.

Zaraz zresztą dołączała do tamtej druga. Siedziały w knajpie przez dwie godziny! A bywało, że dłużej. Jak dobre przyjaciółki. Doprawdy, nie było w tym absolutnie nic podejrzanego. Czasem szły do kina. Bez szału. On krążył chwilę, a potem lądował w aucie. Znudzony, klął w żywy kamień na ziąb i monotonię, ale niedogodności rekompensowała perspektywa zarobku. Potem wracał tą samą trasą, nieraz uśmiechając się pod nosem na nieporadność obserwowanej, kiedy wpadała w popłoch na skrzyżowaniu pod katedrą, prowokując trąbienie zniecierpliwionych kierowców, lżących od najgorszych baby za kierownicą.

– Do garów, a nie do samochodu! – wykrzykiwali rozeźleni, ruszając z piskiem opon i rzucając *fuck you* przez otwarte okna.

Kilka dni temu też za nią pojechał, jak zwykle trzymając się w pewnym oddaleniu. Tym razem jednak, przeciąwszy skrzyżowanie, kobieta pojechała prosto, wzdłuż Sikorskiego. Minęła urząd miasta, skręciła w Herberta. Pomyślał, że pewnie znów spotka się z tą drugą, a wybrała inną drogę, by nie pakować się w kłopoty.

Mercedes Lili zatrzymał się tym razem zaraz na początku ulicy.

Przez chwilę rozmawiała przez telefon, ale zaraz wysiadła z auta. Długie nogi w cienkich pończochach, wysokie szpilki. Dyskretnie obciągnęła spódnicę i rozglądając się, przeszła na drugą stronę ulicy. Stanęła przed gmachem nowego biurowca na początku Warszawskiej, gdzie znajdowały się gabinety odnowy biologicznej, biura radców prawnych, księgowych i małe przychodnie medyczne.

Usiłował nie stracić jej z oczu, a potem szedł za nią, obserwując, jak kołysze się wąska kibić. Obcasy wystukiwały nierozpoznawalny rytm. Pozostawiała za sobą obłok zapachu. Tak, to kobieta, dla której można stracić głowę!

Spodziewał się, że kombinuje coś z prawnikami. Nie miał pojęcia dlaczego, ale był niemal pewien, że celem jej wizyty jest jedno z tych biur ze złotą tabliczką na drzwiach. Jakież było jego zdumienie, gdy „obiekt" znikł w gabinecie ginekologa. Raz jeszcze przeczytał nazwisko, postał chwilę pod drzwiami i odpuścił. Zbiegł szybko po schodach. Na dole zapalił papierosa. Przyglądał się ogłoszeniom, gdy znienacka pojawiła tuż obok.

W dłoni miała jakieś kartki. Może recepty? Nie rzuciwszy na nie okiem, schowała do torby. Wydawała się zdenerwowana. Szybkim krokiem dotarła do samochodu. Światełka alarmu mignęły kilka razy. Przyciskała pilota raz po raz, ale drzwiczki pozostawały zamknięte. W końcu uporała się z nimi, wsiadła i zastygła z głową opartą o zagłówek.

Po chwili zamruczał silnik. Detektyw patrzył, jak Lili odjeżdża. Powoli ruszył za nią. I zadzwonił do Ziemińskiego.

– Szefie, nie ma co szukać dziury w całym. Kobieta czysta jak łza! Ale chyba ma kłopoty zdrowotne. Kilka razy odwiedziła gabinet Dobrzyńskiego. Ginekologa.

Samuela zakłuło znajomo.

– Jak nazwisko? Tego lekarza?

– Dobrzyński. Rafał Dobrzyński. Chyba się nie pomyliłem, ale jak szef chce, mogę sprawdzić.

– Proszę sprawdzić. Najlepiej od razu. Czekam na telefon.

Lili i Samuel

Był coraz bardziej rozdrażniony. To niemożliwe! Takie rzeczy zdarzają się wyłącznie w banalnych filmach. Czekał całe życie. Cierpliwie i metodycznie. Wszystko zaplanował. Skonstruował świat na miarę amerykańskiego snu. Sięgnął po gwiazdkę z nieba. Nie, nie po jedną, ale po cały warkocz. Podporządkował jej całe życie.

Kiedy wtedy, na sali weselnej, widział, jak przechodzi z rąk do rąk, szalał z nienawiści. Do nich. Do tych pańskich synów! Do niej, ślepej na prawdziwą miłość! Nie miał niczego, co mógłby jej ofiarować. A później walczył. Całe życie. Pieprzone Niemcy, pieprzone szroty! Ziarnko do ziarnka. I wreszcie był panem. Ba, paniskiem! Już ją miał. W garści. W złotej klatce. Dosypywał jej złotych ziaren, inkrustował klatkę drogocennymi kamieniami, mleka ptasiego nie żałował. Ale oto życie – niecny szyderca – z niego zakpiło. Jakieś przekleństwo? Dałby sobie głowę uciąć, że to nie przypadek, a misternie utkana intryga. Przez nią. Bo Lili była mistrzynią knowań. Perfekcjonistką.

Rafał Dobrzyński!, dudniło w głowie Samuela. Wyświetlał się tamten obraz – lepkie dłonie na jej ciele. I zniknięcie obojga z jego pola widzenia. A on, jak palant, sterczał wtopiony w cień drzewa. Czekał. A potem wyrwał do domu na złamanie karku. Zagryzając pięści do bólu, obiecywał sobie, że choćby miał poświęcić życie, zdobędzie ją. Uszczęśliwi. Udowodni, że jest jej jedynym ratunkiem.

I był tak blisko. Tak blisko. I nagle on. Dobrzyński. To nie może być przypadek!

* * *

W oknie odbiły się światła samochodu. Silnik ucichł. Samuel nie musiał się ruszać z sofy. Wiedział, że za chwilę rozlegnie się głuchy odgłos zamykanych drzwiczek, potem czujnik ruchu uruchomi reflektor, a jeszcze potem ciche szczęknięcie zamka oznajmi jej wejście. Pewnie nie raczy się przywitać, tylko od razu przejdzie do sypialni. Zrzuci z siebie wierzchnie rzeczy, włoży domowy długi sweter, a następnie uda się do kuchni.

– Napijesz się kawy? – zapyta jak gdyby nigdy nic. – Czy herbaty?

Udawał zainteresowanie jakimś programem publicystycznym, choć w rzeczywistości nie miał pojęcia, o co chodzi. Myśli wirowały jak oszalałe. Próbował je ogarnąć, spowolnić. Wyłączył telewizor. Czuł, że wstrząsa nim z trudem powstrzymywany dygot. Żyłka na skroni pulsowała. Pyk, pyk, pyk.

Lili usiadła ciężko obok. Poczuł jej zapach.

– Zrobiłam ci drinka. Jak minął dzień? Udało ci się spotkanie z Wyszewskim?

Zarzuciła nogi na jego kolana.

– Pomasuj mi stopy. Jestem skonana.

Odstawił szklankę i posłusznie wypełnił polecenie.

Leżała podparta na łokciu. Piękna. Luźno zebrane w nieforemny kok włosy wymykały się spod klamry. Przymknęła oczy. Lekkie ugniatanie przynosiło ulgę.

– Pytałam? – odezwała się sennie.

Zamiast odpowiedzi, poczuła pocałunek. Jeden palec. Drugi. Język delikatnie muskał stopy. Czuła przyśpieszony oddech. Nie patrzyła. Pragnęła, by ją dotykał. Ostatnimi czasy bywała dla niego nieprzyjemna. To przez ten lęk, który zagnieździł się w niej i trawił, ilekroć dopuszczała myśl o chorobie. Nie miała z kim podzielić się obawami. Wyniki wyszły kiepsko. Ewa? Nie umiała jej ot tak, zwyczajnie, powiedzieć: „Wiesz, boję się. Chyba jestem chora". Sarze też nie. Nigdy, przez całe życie, nie wymieniały się szczęściami ani dramatami. Tym bardziej Lili nie zrobi tego teraz. Samuel? Też nie. Bo zamęczy ją swoją dobrocią, przychylaniem jej nieba i ścieleniem róż pod nogi.

Lili była sama.

Dłonie mężczyzny coraz odważniej przesuwały się po jej ciele. Słyszała głośne przełykanie śliny. Uniosła nieco biodra, dając tym samym przyzwolenie na ciąg dalszy. Podciągnął jej sweter, odkrył piersi. Językiem zataczał koła wokół twardniejących brodawek. Nie broniła się, gdy palce nerwowo rozchylały wargi, wchodząc głębiej i głębiej. Była podniecona. Zsunął się, nie przestając ruszać palcami. Jedną ręką rozpiął spodnie. Przez chwilę widziała sztywny członek. Zacisnęła na nim dłoń – góra, dół – a potem włożyła w usta. Głęboko! Podniosła wzrok.

Twarz Samuela wykrzywił paroksyzm rozkoszy. Bełkotliwe dźwięki, wymieszane z głośnym sapaniem, wypełniły salon. Lili zerknęła w kierunku okien. Rolety były zasunięte.

– Wejdź! – rozkazała, wypuszczając z palców nabrzmiały członek.

Mężczyzna jęknął cicho i natychmiast opadł na nią, napierając. Początkowo chaotycznie, lecz po chwili poczuła silne, rytmiczne uderzenia.

Samuel zastygł z uniesionym torsem, z odchyloną do tyłu głową. Ciszę przeciął jego syk. Jak powietrze uchodzące z balonu, pomyślala. Ciepło spływającej spermy sprawiło, że Lili otworzyła oczy.

Leżał na niej. W samej koszuli. Bez spodni. Obciągnęła sweter. Wytarła zaślinione usta.

– Muszę się umyć – oznajmiła sucho, wydostając się spod niego. – Zejdź! Samuel! – ponaglała głosem pełnym zniecierpliwienia, jakby to, co zdarzyło się przed chwilą, nie było gorącym seksem, a nic nieznaczącą czynnością. Jak odkurzanie. Albo przerzucanie programów w telewizji.

* * *

– Wiedziałem! Wiedziałem, że oni wrócą! Czułem ich oddech na karku! Od zawsze!

Wisiał, chybocząc się, rozpięty na framudze wielkich salonowych drzwi. Rozszczepione światło finezyjnych witraży rzucało na jego twarz kolorowe refleksy.

– O czym ty mówisz? – zapytała obojętnie.

Jacy znów oni? Podniosła wielki kołnierz puchatego szlafroka i zaciągnęła ciasno pasek wokół talii. Szlafrok był miękki i przyjemny. Zwłaszcza gdy otulała się nim po wyjściu spod natrysku.

Samuel podszedł bliżej. Był pijany. Nozdrza Lili podrażnił odór alkoholu. Musiał nieźle podlać podczas mojej nieobecności, pomyślała. Trzymał w ręku szklankę, do połowy wypełnioną czystą whisky. Miał na sobie slipy. Rozpięte poły markowej koszuli ukazywały umięśniony brzuch. Kobiety z salonu piszczały na jego widok; pasowała im dezynwoltura szefa. Czuły zapach pieniędzy. A on lekką ręką wydawał tysiąc, dwa...

A teraz perfekcyjnie odszyte spodnie od Cardina leżały obok sofy. Jak porzucone.

Wyminęła go. Przełączyła telewizor. Błękitna laguna otoczona złotym piaskiem, po którym paradowały leniwe homary, przesuwała się po ekranie. Łagodny głos lektora opowiadał o zwyczajach żyjątek na jakiejś wenezuelskiej wyspie. Lili skuliła się na fotelu, podciągnęła nogi pod siebie. Włosy, lśniące wilgocią, spływały na ramiona. Twarz pozbawiona była resztek makijażu. Wyglądała na zmęczoną.

Stanął na wprost niej.

– Byłaś u niego? Kurwa mać! Byłaś! – bełkotał.

Upił duży łyk, otrząsnął się. Strużka płynu popłynęła, kapiąc na parkiet. Otarł rękawem usta. Wyglądał żałośnie.

– Co ty bredzisz? I odsłoń! – powiedziała.

– Znaleźliście się jak w korcu maku...

– Samuel! Jestem zmęczona! Ty pewnie też. Idź, wykąp się i odpocznijmy.

Świdrował ją wzrokiem. Mówienie przychodziło mu coraz trudniej; na twarzy pojawił się wyraz skupienia. Starał się wyraźnie artykułować dźwięki, ale efekt był kompletnie odwrotny.

– Prze-estań, do kur-wy nędzy, grać! Ca-ałe życie mnie wo-ozisz! – wymamrotał z narastającą agresją.

– Jesteś pijany! – skonstatowała spokojnie.

Wstała i sięgnęła po pilota, by podkręcić głos.

Wyrwał jej go z dłoni. Ekran zgasł.

– Jestem! A że-ebyś wie-edziała, że je-estem!

– To idź spać!

– O nie! Najpierw mi wszystko opowiesz!

– Przestań! Zachowujesz się jak błazen! – Podniosła się, gotowa do wyjścia.

Silne szarpnięcie obudziło w niej czujność. Ręka mężczyzny chwyciła pasek, druga trzymała jej dłoń. Lili stała półnaga. Próbowała się oswobodzić, ale trzymał ją za nadgarstek. Był silniejszy.

– Po co tam po-oszłaś, pytam!

Usiłował być groźny. Mocny. Jak ci twardzi faceci z filmów o zabijaniu.

Lili spojrzała z politowaniem. Nie wystraszył jej. Wyglądał groteskowo. Karykaturalnie. Był godny pożałowania.

– Boli! Puść! – syknęła.

– Po co?! Po co tam po-oszłaś? – powtórzył. – Pie-
-eprzył cię?

– Mój biedny, mały rycerzyku! Co ci się znowu w tym ciasnym móżdżku uroiło?

Usta Lili ociekały pobłażliwą ironią.

– Puszczaj mnie! Natychmiast! Chcę spać!

Chwiał się. Walczył jeszcze przez chwilę, ale uścisk zelżał.

Mierzyła go wzrokiem pełnym pogardy. Nadgarstek piekł, jak po zrobieniu marchewki. Owo cierpnięcie i szczypiący ból pamiętała dokładnie; tak samo usiłował zatrzymywać ją ojciec. Wytrzymała. Nie takie rzeczy przeszła w życiu.

– Wiem, że byłaś u niego – ciągnął zrezygnowany Samuel.

Niedawna agresja znikła jak za dotknięciem różdżki. Znów był małym chłopcem, którego siła gasła pod jej spojrzeniem. On, Samuel Ziemiński, człowiek sukcesu, bezwzględny w interesach kurczy się pod wpływem jej wzroku!

– Nie wiem, o czym mówisz. Jesteś pijany!

Głos Lili nie zdradzał podenerwowania. Raczej była nieco zdumiona nieoczekiwanym wybuchem. Sceną jak z taniej sztuki teatralnej, pełną melodramatycznych dialogów.

Poprawiła szlafrok, odrzuciła włosy do tyłu i ruszyła w kierunku sypialni. Wiedziała, że to już koniec występu. Że Samuel za nią nie pójdzie.

Była już w holu, gdy usłyszała:

– Dobrzyński. Byłaś u Dobrzyńskiego. Czułem, że tak będzie. Że pojawią się. Wylezą jak robactwo.

Oniemiała. Wypowiedziane znajome nazwisko przeszyło ją na wskroś. Było jak uderzenie prądem. Nagłe. Niespodziewane. Intensywne. Dobrzyński. Tak. To był on. Tyle lat, ale jak mogła go nie rozpoznać? Ani on jej? Niemożliwe. To absurd!

Wszystko wydawało się absolutną bzdurą.

Z salonu dolatywały pojedyncze słowa, coraz trudniejsze do uchwycenia.

* * *

Rafał Dobrzyński. Milion lat. I to tutaj, na końcu świata. Jakiego trzeba fartu, by trafić na siebie po takim czasie? A wydawało się, że Lili wyparła przeszłość już dawno. Może to właśnie sprawiło, że ani w twarzy, ani w sylwetce tego stonowanego, sprawiającego wrażenie nieśmiałego lekarza nie rozpoznała koszmaru.

Ręka bezwiednie przesunęła się w dół, jakby próbując zagrodzić drogę. Zakaz wstępu! Jak wówczas, gdy ojciec przychodził do jej pokoju i wkładał swoje wielkie łapy pod pierzynę. Gdy głaskał Lili lubieżnie po udach.

Leżała z otwartymi oczami. Słabe nitki światła migały w oknach. Przebijały się przez kolorowe witraże. Z salonu dochodziło głośne chrapanie Samuela.

Rafał

Powietrze było wilgotne. Od jeziora ciągnęło chłodem. Deski mostka, gdzieniegdzie zmurszałe, odsłaniały przejrzyste dno. Widać było przepływające spokojnie ławice małych rybek, a za nimi pojedyncze większe sztuki. Ich srebrzyste gibkie ciała mieniły się wielobarwnymi refleksami, igrającymi w świetle ostatnich promieni zachodzącego słońca. Jak na październik było bardzo ciepło, ale Rafał dygotał. Tkwił tutaj już jakiś czas. Siedział oparty o niewielki słupek. Ramionami obejmował podkulone kolana. Tak było cieplej.

Jezioro było nieregularną błękitną płachtą, pełną małych, poskrywanych w zaroślach zatoczek. Jego brzegi porastały tatarakowe szuwary, wybujałe gęstwą rozpierzchłych już i pochylonych wiech, szumiących przy byle podmuchu. W ich gąszczu wiły gniazda dzikie kaczki, perkozy z miedzianą kryzą, które o tej porze roku bywały już nieco spokojniejsze, bo rzadko kiedy płoszyły je odgłosy kąpiących czy uderzenia wioseł przy brzegu, rozlegające się niemal od wczesnej wiosny.

Lubił to miejsce.

Z domku dochodziła głośna muzyka. Towarzystwo miało już trochę w głowie. Jankowski przywoływał Rafała raz po raz, lecz w końcu skupił się na kształtnej pupie nowej panienki z interny, którą wypatrzył w szpitalnym bufecie.

Czas się ruszyć, pomyślał Rafał z ociąganiem. Czuł się nieco znużony. W zasadzie pożałował, że dał się namówić na ten wypad. Nie miał nastroju. Myślał o córce. I o Oldze.

Zadzwonił do Zosi. Nie odbierała długo, ale wreszcie usłyszał zaspany głos.

– Sama jesteś? – zapytał.

– A z kim miałabym być? Jasne, że sama – ziewnęła przeciągle. – Przysnęłam na chwilę. Dobrze, że zadzwoniłeś.

Między ojcem i córką dawało się wyczuć pełne wyczekiwania napięcie. Oboje wiedzieli, że zaraz zostanie wywołany temat Olgi.

– Tato... Rozmawiałeś z nią? – zaczęła Zosia ostrożnie.

– Nie – powiedział cicho.

Tak cicho, że sam nie był pewien, czy rzeczywiście wymówił to „nie", czy tylko pomyślał.

– Przecież obiecałeś!

Wiedział, co zaraz usłyszy.

– Tak jak sądziłem, mama nie odbiera moich telefonów – odparł. – Odrzuciła kilka razy, a potem całkiem wyłączyła komórkę.

– Próbuj jeszcze, proszę. Ja wiem, że... Że ona za którymś razem odbierze. – W głosie Zosi pobrzmiewało gorliwe błaganie.

– Rafał, dlaczego od nas uciekłeś? Jakieś problemy? Izolujesz się? Nie przeszkadzam? – zaszczebiotała tuż przy jego uchu Jagodzińska.

Odruchowo osłonił głośnik. Nie chciał, żeby Zosia usłyszała kobiecy głos i jeszcze, nie daj Bóg!, coś sobie ubzdurała.

Pani doktor stała tuż nad nim. Zbyt blisko. Wsunęła dłoń w jego włosy, mierzwiąc je delikatnie. Przytuliła uda do jego pleców. Chciał wstać, ale musiałby dokonać nie lada akrobatycznego wyczynu.

– Zosia? Muszę już kończyć.

Odsunął się nieco i poczuł, że czubki butów dotykają tafli wody.

– Wiem, że mnie zbywasz. Cześć!

– Nie, nie! – zaprzeczył pośpiesznie. – Spróbuję. Obiecuję.

Po drugiej stronie zapadła głucha cisza.

– Żona? Nie chciała przyjechać? Nie lubi nas?

To „nas" zostało wypowiedziane z taką wyższością, jakby Jagodzińska mówiła o elitarnym klubie, do którego chcieliby należeć wszyscy, a który z racji niedostępności obdarzany jest lekceważeniem, graniczącym niemal z pogardą.

Rafał milczał. Nie próbował negować. Zresztą był pewien, że to prowokacja. Jagodzińska, jak reszta, doskonale wiedziała o wyprowadzce Olgi. Znała tajemnicę poliszynela, którą raczyli się wszyscy, począwszy od salowych, na wyższym personelu medycznym skończywszy. A Rafał nie był głupi. Od pewnego czasu dostrzegał te szeptanki po kątach, ustające, gdy tylko pojawiał się w zasięgu wzroku. Mało go obchodziły. Nie zamierzał z nikim rozmawiać na ten temat. Z nikim. Daniel Jankowski też złożył broń, kiedy po ostatniej aluzji spotkał się ze stanowczą odmową; był zaskoczony reakcją, ale dał spokój. Zresztą ostatnio znacznie bardziej zajmowała go nowa miłostka, niż problemy małżeńskie przyjaciela.

– Przyniosłam ci drinka. – Jagodzińska ściszyła głos.

Nie patrzył w jej stronę, ale czuł na sobie jej wzrok.

Zmysłowo upiła łyk, pozostawiając na rancie grubego szkła bladoróżowy półksiężyc.

– Mogę? – zapytała.

Usiadła obok.

– Zimno tutaj.

Drażniła go ta bliskość, niepozostawiająca minimum wolnej przestrzeni między nimi.

– Rzeczywiście. Chodźmy stąd. Przy ognisku jest cieplej.

Wstał energicznie i wyciągnął dłoń.

393

Jagodzińska z ociąganiem skorzystała z pomocy. Przez krótką chwilę znalazła się przy Rafale na odległość oddechu. Ich oczy zetknęły się. Przytrzymała go za rękę.

– Nie musimy tam iść. Możemy… – zawiesiła głos.

– Zaraz Jarecki przywiezie ryby. Trzeba będzie je sprawić – oznajmił, siląc się na entuzjazm. – Ależ mam ochotę na taką świeżynkę! – dodał, idąc w kierunku pozostałych.

Ognisko przed domkiem płonęło w najlepsze. Stos poukładanych metodycznie polan wyrzucał w przestrzeń trzaskające iskry. Zapach świeżego, żywicznego drewna rozchodził się po okolicy. Płomień był równy i wysoki.

Jankowski trzymał na kolanach mocno już rozochoconą panienkę, której piersi znajdowały się na wysokości jego ust. Maruszak i Fangerd, zostawiwszy swoje połowy z butelką czerwonego wina, żywo dyskutowali na tematy zawodowe. Inni podrygiwali w rytm muzyki puszczanej niezmiennie z tego samego boomboxa.

* * *

– No, dzięki Bogu, że państwo doktorostwo przyjechali, bo tu na tej wsi to ino psy dupami szczekają! A teraz to widać, że jest życie! – Przez muzykę przebił się głos Jareckiego.

Jego właściciel szedł mocno już chwiejnym krokiem, ledwie dźwigając dużą reklamówkę z rybami.

– Ja to jak tylko doktór Daniel zadzwonił, jużem rybki łowił! O, ja to wiem, że takich, jak te... – zaszeleścił
torbą z wizerunkiem czarnego psa – ...to i w najlepszych
knajpach nie uświadczy!

Nikt nie zwracał na niego uwagi. Rafał pośpieszył
wprawdzie w jego kierunku, by odebrać połów, ale przede
wszystkim po to, by wyrwać się z łap Jagodzińskiej, której
awanse stawały się coraz bardziej natrętne i jednoznaczne.

– No, witam panie Czesiu! A co my dzisiaj mamy?
I ile się należy? – Wyciągnął na powitanie rękę.

Jarecki roztarł zdrętwiałą od ciężaru dłoń o umorusa-
ne spodnie i odwzajemnił uścisk.

– A, tam. Jakie tam „należy"? To z grzeczności, żeby się
doktór źle nie poczuł. Na flaszeczkę... – zaciągał zabawnie.
– Pan doktór wie, że ja to z przyjaźni? A jeszcze dla kogo
jak dla kogo, ale dla szanownej małżonki... – urwał, próbując odszukać wzrokiem Olgę, trudno mu było odróżnić,
kto jest kto. – Oj, ty panie doktorze mój kochany! Doktor
to ma szczęście w życiu. Taką kobitkę. Miód! A swoją drogą, to ja od razu zmiarkowałem, że trzeba ryby łowić, jak
tyko zobaczyłem szanowną małżonkę u nas w Dino. Ale
chyba mnie nie poznała? I nie dziwota, bo gdzieżby się
taka dama na takiego ochlapusa jak ja miała zapatrywać?
– zaśmiał się skrzekliwie, ukazując niepełne uzębienie.

– Oj, Czesiu! Czesiu! Ty to masz bajer! Widzisz, kogo
chcesz zobaczyć. – Dobrzyński poklepał mężczyznę po
ramieniu.

Wsunął mu w dłoń banknot.

– He, he! Pani doktorowa to nie byle kto, o nie! Jak tylko zobaczyłem, to, panie kochany, zaraz włosy przyczesałem i w te pędy ukłony składać...

Rafał zesztywniał i przyjrzał się Jareckiemu dokładniej. Facet był wypity, owszem, ale nie na tyle, by pleść bzdury. Na wszelki wypadek postanowił się upewnić.

– A kiedyś to, Czesiu, moją żonę widział?

Chłop podrapał się po głowie, jakby ten gest miał wpływ na jakość pamięci.

– A żeby nie skłamać... Nie dalej, jak we środę. I nawet pomyślałem, że taki piękny październik, to se państwo na kilka dni na jezioro przyjechali. I pewnie czegoś zbrakło, to i po to sklep. Przecież w tym naszym Ługowie to niczego innego nie ma, co nie?

Jarecki odetchnął. Kątem oka oszacował należność i wyciągnął z kieszeni pomiętą paczkę papierosów.

Zaciągnął się głęboko, aż dym mu nosem wyleciał.

– A trzeba przyznać, że kobitka jak łania – ciągnął rozmarzony. – A ludzie, jak to ludzie. Jak tylko ktoś nowy się pokaże, to od razu opowieści snują. Uśmiał się ja co niemiara, jak Staśka Łaszczewska po wyjściu ze sklepu do Kryśki Skorupy szeptała, że to ta, co u starej Rytwińskiej mieszka. Ale ja tam im, że byle co jedzą, to i byle co gadają! Doktorowa i Rytwińska! Durne baby, oj durne! Ale wie pan doktór, jak to na takim zadupiu. Ludzi głupie, to i pletą, co im ślina na język.

Rewelacje Czesia zakrawały na absurd. Olga i Pełczyce? A co ona niby miałaby w takich Pełczycach robić? To niby ma być ta ucieczka?

Jarecki zerkał na tańce przy ognisku. Klaskał, gotów w każdej chwili przyłączyć się do rozbawionego towarzystwa. Pośrodku kółeczka prężyła się Jagodzińska; splótłszy ręce nad głową, kołysała się zmysłowo, jak wabiąca samca samica. W blasku ognia błyszczały jej oczy. Rafał czuł to spojrzenie, jednak sensacyjne wieści nie dawały mu spokoju. Jak, nie zdradzając się przed Czesiem, zagaić rozmowę i upewnić się co do ich prawdziwości?

Jarecki jakby czytał w jego myślach. Przetarł załzawione od dymu oczy.

– A swoją drogą, to gdzie szanowna małżonka? – zapytał.

– Coś robi w domku. Pewnie kawę – skłamał gładko Rafał.

– No to ja już pójdę. Bo stara znowu będzie mi głowę suszyć. A ja tak lubię patrzeć, jak się państwo bawi...

Skłonił się i chwiejnym krokiem ruszył w kierunku bramy.

– Durne ludzie! Co one wiedzą o życiu? – mamrotał pod nosem.

* * *

– Chodź zatańczyć – wionęła Rafałowi wprost do ucha Jagodzińska.

Pojawiła się znienacka, dobrze już wstawiona. Jej oczy błyszczały nienaturalnie, głos zacinał się lekko i zabawnie szeleścił. Była wiotka i chętna. Zarzuciła mu ręce na szyję.

– Wyluzuj! Od jakiegoś czasu cię nie poznaję – rzuciła, prężąc pierś.

Trzymał ją sztywno w ramionach, usiłując nadążyć za rytmem. Nigdy nie był mistrzem parkietu, ale przy Oldze nauczył się wyczucia, pilnowania tempa. Zawsze, ilekroć zdarzyło im się tańczyć razem, pozwalał jej prowadzić. Robiła to z wprawą, dyskretnie i profesjonalnie. A Rafał nie przestawał się dziwić, że ona wydobywa z niego pokłady umiejętności, o które sam by siebie nie posądzał.

Teraz postanowił odbębnić jeden kawałek. Potem musi zadzwonić.

Do niej. Do Olgi.

Muzyka płynęła leniwie. Jankowski całował swoją kobietę, nie przejmując się resztą towarzystwa. I słusznie, bo nikt nie zwracał na nich uwagi. Rafał poczuł lekkie ugryzienie i do jego ucha wpełzł śliski język. Biodra Jagodzińskiej napierały. Oddech przyśpieszał. Woń wypitego alkoholu mieszała się z mocnymi perfumami.

– Zwolnij! – upomniał ją cicho.

Ostry ton nie zrobił na niej najmniejszego wrażenia. Po chwili pełzające dłonie przeniosły się na plecy Rafała, zuchwale zahaczyły o pośladki i przesunęły po udzie w stronę rozporka. Powstrzymał je, dając kobiecie szansę, by się opamiętała.

Skorzystała z niej zaledwie na chwilę. Kiedy wydawało się, że odpuściła, przylgnęła z nowym impetem. Splotła ciasno palce na jego szyi, ale zaraz dłonie rozpoczęły powolny zjazd w dół, ku pośladkom.

– Nie bądź taki, możesz wiele skorzystać – powiedziała.

– Potrafię dać ci niebo, o jakim nie śmiałeś dotąd marzyć. Nie to, co ta twoja... – zawahała się, szukając odpowiedniego słowa.

Rafał powstrzymywał się przed wykonywaniem zdecydowanych ruchów, żeby nie wzbudzać niepotrzebnej sensacji, jednak babskie awanse przerosły jego wytrzymałość. Rozejrzał się dokoła, ale na szczęście wszyscy byli zajęci sobą i nikt nie patrzył. Jagodzińska była pijana. Strącił jej ręce, chwytając mocno za nadgarstki, aż syknęła z bólu.

– Uspokój się!

Roześmiała mu się w twarz.

– Bo co? Chcesz mi wmówić, że nie masz na mnie ochoty? Pamiętaj, że na bezrybiu i rak ryba... Możesz mnie nazywać jej imieniem. Wtedy ci stanie?

– Milcz!

– Dupek z ciebie! Zwykły dupek! Wypierdalaj do tej swojej dziewczynki, co to pewnie bułkę przez bibułkę! Pieprzony Otello!

Jagodzińska poprawiła obcisłą bluzkę, przerzuciła włosy przez ramię i odeszła, urągając w duchu zarówno Rafałowi, jak i jego rozkapryszonej żonie, która go w trąbę zrobiła i pewnie gdzieś w Polsce przyprawia mu rogi dłuższe niż bawole.

* * *

Rafał szedł drogą przed siebie. Byle dalej od daczy Jankowskiego. Asfalt ciągnął się prosto jak strzelił, choć upstrzony dziurami jak skóra bliznami po ospie. Pobocze znaczyły koślawe słupki z wymalowanymi fosforyzującą farbą paskami, na których widniały jakieś liczby. Panowały tu kompletne ciemności; światła wiejskich domostw i letniskowych domków pozostały w tyle. W powietrzu unosił się zapach jesieni: skoszonych traw, butwiejących liści i wilgoci ciągnącej od jeziora, rozpościerającego się po prawej jak wielka czarna płachta, połyskująca jak kupon jedwabiu.

Ściskał w dłoni telefon.

Przystanął za zakrętem. Nie miał pojęcia, ile przeszedł. Przestraszył się braku zasięgu, ale wystarczył rzut oka na wyświetlacz. Ikona była aktywna.

– Odbierz, błagam! – zaklinał szeptem.

Dochodzący z komórki dźwięk raził po stokroć bardziej, niż dudnienie marszowych werbli wzywających do walki. Rafał czuł nieprzyjemne kłucie w dołku, pojawiające się zawsze, ilekroć myślał o Oldze. Niekiedy modlił się o zawał, o utratę przytomności. Może wtedy by się pojawiła? Może wówczas dostałby szansę powiedzieć jej, jak bardzo ją kocha i jak mu cholernie źle? Tak bardzo źle, że nie ma siły na nic. Nic go nie interesuje. Ani praca, ani dom.

Na litość boską! Odbierz ten cholerny telefon!, skamlał w myślach, bliski rozpaczy.

Komórka Olgi milczała.

W ciszy, przerywanej pojedynczymi odgłosami dochodzącymi z coraz bardziej odległej daczy, to milczenie było jak cięcie tępym nożem. Bolało bardziej niż najgłośniejszy hałas.

Rafał zmrużył oczy.

„Olga, błagam, odbierz! – napisał. – Wiem, gdzie jesteś, ale nie zrobię niczego wbrew Tobie! Kocham Cię. To niemożliwe, że wszystko stracone! R.".

Przesunął palcem po ekranie. „Wyślij".

Nadanie esemesa potwierdziło piśnięcie.

Olga

Kolejną już noc nie mogła zasnąć.

Musiała podjąć decyzję. Co do swojego życia. Nie sądziła, że będzie to aż tak trudne.

Wszelkiej samodzielności oduczyła się już dawno. A właściwie nie marzyła o niej nigdy. Obce jej były farmazony zakompleksionych kobiet wykrzykujących feministyczne hasła, walczących o parytety. Wystarczająco napatrzyła się na matkę i ojca. Na to ich ciągłe ciułanie, to nieustające biadolenie, że tego mało, że powinno być inaczej, że brak i że w ogóle życie jest do niczego. Tylko tyrać trzeba, na jedzenie. Jakby poza stołem nie było innych potrzeb i jakby samym chlebem człowiek żył! Olga przypominała sobie, jak matka, rozmarzona, zasiadała przed telewizorem i wpatrywała się w ekran, na którym leciała *Dynastia*. I jak zazdrościła kobietom z domu Carringtonów! Tego pławienia się w przepychu. Tego braku przymusu zabiegania o codzienne trywialne sprawy! One brylowały w towarzystwie, zabawiały się, intrygowały. To było życie, a nie to, które miała. Wzdychała ciężko, wyklinając na Orzeszkową, że się babie emancypacji zachciało! Wprawdzie za komuny i milicji nie było źle, ale potem w Polsce zrobił się kapitalizm. I trudno było się odnaleźć w nowej rzeczywistości. Matka Olgi coraz częściej utyskiwała, że się marnuje. Że gdyby wyszła za Tadka Laskowskiego – który był malarzem i to nie jakimś pokojowym, ale prawdziwym, co to jelenie na rykowisku malował jak żywe! – albo choćby i za Janka Barskiego, który miał hurtownie warzyw, teraz pewnie mieszkałaby w Warszawie. I zamiast zachrzaniać w sklepie od rana do nocy, po wernisażach by się prowadzała. A jeśli nie – to siedziałaby za miastem, w wypasionej willi, liczyła pieniądze. A tak ma milicjanta. Bo miłości się jej zachciało!

Olga napatrzyła się na matkę wystarczająco. A że niedaleko pada jabłko od jabłoni, pomyślała sobie, że ona to by chciała mieć bogatego męża.

Nie chciała takiego życia jak matki.

Marzyła, żeby tańczyć. Od dziecka przebierała się w rzeczy wytargane z pawlaczy w przedpokoju: sztywne organdyny, wytłaczane bistory, połyskliwe tafty. Mieniły się i szelściły.

– Ej, ty, córcia, pojęcia nie masz, jaka ja byłam kiedyś piękna! – wzdychała matka. – Na balu to ojciec nawet awanturę mi zrobił, bo wszyscy – sam komendant też

– się za mną oglądali. Zaraz po północy wróciliśmy do domu, ale już po drodze z tej zazdrości, co się z niego żółcią wylewała, poszarpał mi czarną sukienkę! – mówiła, widząc Olgę z naręczem strojów. – O, tę!

Brała do ręki zwiniętą kieckę, przytulała do twarzy, jakby zamierzając odnaleźć w niej zapach minionego. A potem brała następne i przymierzała do sylwetki, choć zaraz, rozczarowana, odrzucała.

– Może choć tobie się uda – dodawała. – Tańcz, córka, tańcz!

I Olga tańczyła. Całymi dniami. Tańczyła nawet we śnie. Całe dzieciństwo w zespole „Ciechanowiczanki", a potem w liceum, w szkole tańca „Bachata Dance". I nawet brała udział w konkursach.

Za mało. Wszystko za mało. Trzeba było urodzić się w Warszawie albo choćby w Poznaniu. I chodzić do szkoły baletowej. A na to wszystko jeszcze mieć pieniądze.

Olga coraz częściej zdawała sobie sprawę, że mimo talentu i pokończonych kursów z tańca nie wyżyje. Zatem klub go-go, dobry na chwilę, na podłatanie dziur, na zaspokojenie doraźnych potrzeb. Widziała, że przyjdzie moment, gdy nie wytrzyma lubieżnych spojrzeń, poklepywania po pośladkach i lepkich łap wsuwających jej banknoty za świecące majtki.

* * *

Rafał pojawił się w jej życiu jak na zawołanie.
I w gruncie rzeczy było jej z nim dobrze. Zapewniał jej wszystko, czego potrzebowała. Nie wymagał
wiele. W zasadzie musiała dbać o dom, siebie, Zosię.
To przecież nic. I niczego jej nie zabraniał. Nie ograniczał. Mogła zrobić ze swoim życiem, co chciała. Mogła
chociażby założyć szkołę tańca. Kiedyś przyszedł jej
do głowy taki pomysł, ale zarzuciła go. Coś się w niej
złamało. Tłumaczyła się sama przed sobą, że bała się,
bo wiadomo jak to w życiu – przeszłość potrafi odnaleźć człowieka na końcu świata, a co dopiero w Gorzowie. Nie chciała, by Rafał musiał się tłumaczyć
w swoim lekarskim środowisku z żony o podejrzanej
proweniencji.

– Olga! Dla mnie to nie ma znaczenia – przekonywał.
– Nie mam czasu, by ci pomóc, ale jeśli chcesz? Jeżeli cię
to uszczęśliwi?

Miała wolne pole. Ale polubiła wygodę. Trudno jest
przyznać, nawet przed sobą, że czas potrafi być jak łagodne fale ciepłego morza – przepływać niepostrzeżenie.
Rozleniwiać, muskać przyjemnie i pozwalać zapomnieć
o wszystkim. Dopiero kiedy braknie tchu albo brzeg zdaje się oddalać niebezpiecznie, wraca poczucie rzeczywistości. Jałowość życia.

Czekała, aż znów coś w niej drgnie. Na próżno. Niekiedy puszczała muzykę i tańczyła. Przyłapana kilkakrotnie przez córkę, zamiast porwać ją do zabawy, zarazić bakcylem, wyłączała odtwarzacz, udając cokolwiek, aby się nie zdradzić. Czekała. Aż Zosia urośnie. Aż powstanie dom. Wymyślała preteksty. I tylko we śnie, niekiedy, tańczyła na wielkich scenach. Unosiła się nad powierzchnią teatralnych desek. Gibka jak z plasteliny. W rzeczywistości nie zauważyła jednak, że w jej życie wkradła się nuda. Wykonywanie wciąż tych samych czynności. Odliczanie godzin do powrotu Rafała z pracy, Zosi ze szkoły. Schematy. Na początku pomocne, z czasem zaczynały ciążyć i uwierać.

Stawy zesztywniały. Straciła gibkość. Stopy przywarły od ziemi.

* * *

Nie mogła przestać o nim myśleć.

Rafał powracał do niej za każdym razem, kiedy przymykała oczy. Leżała na wznak, owinięta w kołdrę jak naleśnik, obserwowała przebijające się przez ciężkie zasłony migoczące światełka. Niewielki ruch powietrza poruszał grubą żakardową tkaniną. Dom skrzypiał nierozpoznawalnymi dźwiękami. Emanował magicznym zapachem, niedającym się przyporządkować niczemu. Była w tym zapachu i przeszłość, i tęsknota. Ludzka opowieść. Wszystko ma swoją historię. On też.

We wspomnieniach powróciła tamta noc. Jakby nieco mniej boleśnie. Może prawdą jest, co mówią ludzie w dramatycznych chwilach: „Trzeba czasu". Widać Olga nie potrzebowała go znowu tak wiele. Spłowiało, zbladło, straciło ostrość, która tamtego dnia nakazała jej wyjść z domu. Próbowała w pamięci odtworzyć treść sądowych pism, ale dawało się przywołać zaledwie co któreś słowo. Reszta to domysły. Nazwisko Rafała, ale nie tylko. Jeszcze Adama Niebieszczańskiego. I jakiejś Czarneckiej. I czort wie czyje jeszcze.

Wszystko mgliło się w pamięci absolutnie nierozpoznawalnymi znakami.

Nie dała mu szansy. Rzuciła wszystko. Wystarczył impuls. A może poddała się tak łatwo, bo potrzebowała pretekstu? Ot, takiego zapalnika, który wytłumaczy wszystko. Nie dała mu szansy. Walizka. Jeden telefon. W szale wyimaginowanej krzywdy zgarnięte z domu rzeczy. Bezsensowna rozmowa z córką, która okazała się tylko udającą dorosłość nastolatką. Naoglądała się amerykańskich filmów o rozstaniach i powrotach. Dlaczego Olga uczyniła ją, Zosię, powierniczką własnych niespełnień? Zamiast pozwolić jej się wygadać, obejrzeć jej świat, ona – dorosła, dojrzała baba – obarczyła dziecko ciężarem własnych fobii. Ej, ty próżna Olgo! Tyłek miodem ci smarowano i źle?

Mimo zamkniętych drzwi do pokoju dolatywały przytłumione dźwięki. Pewnie stara Rytwińska ogląda któryś z tych łzawych seriali. Za dnia, kursując po mieście i zbierając wszystkie plotki, nie ma czasu na telewizję. Zdarzało się, że banalne dialogi, dochodzące z pokoju położonego dokładnie pod pokojem Olgi, były tak donośne, że trzeba było zatykać uszy małymi słuchawkami, w których rozbrzmiewały kawałki zgrane na małą empetrójkę przez Zosię. Stare rockowe ballady w stylu *Brothers in Arms* czy *Still loving you,* przy których Olga, jak nigdy, doświadczyła prawdy płynącej z psychodelicznego kawałka Scorpionsów: „(...) czasu potrzeba, czasu, by odzyskać twą miłość (...)", leciało. Dźganiem w najwrażliwsze miejsca wdzierało się do głowy. Ale były i energetyczne rytmy argentyńskiego tanga czy smętne portugalskie fado. Ożywiały.

Jak zbudzona z letargu Olga podnosiła się do ruchu.

Włączyła telefon. Od wyprowadzki z domu nabrała zwyczaju wyłączania komórki z sieci. Wolała nie słyszeć niczego. Nie oglądać jego zdjęcia, podpiętego do kontaktów. Kilka razy zdarzało się jej sprawdzać połączenia, w oczekiwaniu na ewentualne oferty pracy. Choć i tak, jeżeli już się pojawiały, to w formie mejli. Po podaniu „informacji uzupełniających" skrzynka pozostawała głucha.

Nosiła się z zamiarem zmiany karty, ale zawsze coś było ważniejsze.

Wśród połączeń nieznane numery. I kilka od Zosi. Od Ewy Niebieszczańskiej. I kilkanaście od niego.

Przełączyła na wiadomości. Zosia. Newsy w stylu: „Ogar-nęłam fizę. Hurra!", seria śmiesznych emotikonek i oto-czona wykrzyknikami desperacka prośba: „!!!!!!Mamo!! !!!!Błagam!!!!!Odbierz telefon od taty!!!!!! Błagam!!!!!".

Olga wpatrywała się w to wołanie, zaciskając palce na ekranie.

Esemes.

„Olga! Błagam odbierz! Wiem, gdzie jesteś, ale nie zrobię niczego wbrew Tobie! Kocham Cię. To niemożli-we, że wszystko stracone! R.".

Litery tańczyły przed oczami.

Olga odrzuciła głowę do tyłu, oparła się o twardy kant łóżka. Rozwierała szeroko powieki, a następnie mrugała szybko; robiła tak zawsze, ilekroć chciało się jej płakać. Oddychała głośno przez otwarte usta. Przykryła je wierz-chem dłoni, jakby w obawie, że wbrew jej woli wydobę-dzie się z nich spazmatyczny krzyk.

Fosforyzujące wskazówki wielkiego budzika na ko-modzie wskazywały dwudziestą drugą trzydzieści. Olga wczytywała się w krótki tekst. „Wiem, gdzie jesteś...". Wiem, gdzie jesteś. Nie wiedziała, czy on blefuje, czy w istocie zna miejsce jej pobytu, ale uświadomiła sobie, że to nie ma żadnego znaczenia. Bo ona pragnie jego obecności. Teraz. Natychmiast!

Nie liczyło się nic. Tylko zobaczyć go tu i teraz.

Usiadła. Taka pozycja dawała jej pewność. Odchrząk-nęła. Nie chciała, by zadrżał jej głos. Wcisnęła klawisz ze słuchawką i niemal w tej samej chwili usłyszała głos Rafała.

– Bogu dzięki! – powiedział.

Było jak podczas trudnej operacji, gdy pacjentka schodziła, a oni stali przy niej pozbawieni nadziei. I nagle powracała do życia.

– Przyjedź po mnie – wyszeptała, ale on usłyszał ten szept wyraźnie. – Jestem w Pełczycach.

– Gdzie dokładnie? Olga, powiedz gdzie jesteś? Już jadę!

Mówił szybko. Jakby się bał, że się rozmyśli. Albo że coś się stanie i zniknie mu ponownie.

– To mała uliczka. Nie trafisz. Będę czekać na ciebie przy kościele.

– Jadę. Daj mi kwadrans. Kocham cię, Olga. Kocham!

Rafał

Z pokoju na poddaszu dobiegały przerywane głośnymi westchnieniami szepty pełne miłosnych zapewnień, nakazów, rozkazów. Z saloniku, którego okna wychodziły na jezioro, widać było pomost, a na nim jakąś parę, tulącą się do siebie namiętnie. Przy ognisku siedziała skulona Jagodzińska. Chyba przysnęła, bo głowa opadła jej na piersi. Z palców zwisał nieruchomo tlący się papieros. Maruszak i Fangerd wciąż rozprawiali żywo, jakby przyjechali właśnie po to, by nagadać się do woli.

Rafał stanął w progu. Chwila namysłu, czy zabrał wszystko, chociaż nie było nad czym myśleć, bo przyjechał z niewielką torbą, której nie zdążył nawet rozpakować. Zadzwonił kluczykami od samochodu.

– A ty dokąd? – Zaskoczyła go Aneta Maruszak, wyrastając jak spod ziemi tuż obok dociągającego klamkę Rafała.

– Muszę wracać.

Nie zamierzał wdawać się w wyjaśnienia, zwłaszcza że koleżanka niekoniecznie była zainteresowana. Ani tym, czy on jest, ani tym, że go nie będzie. Znali się tyle o ile.

Jednak ruch przy drzwiach zwrócił uwagę innych.

– No co ty, stary! Zmywasz się? Tak po angielsku?

W kierunku Rafała szedł Radek Fangerd, a w ślad za nim Darek Maruszak. Ocknęła się nawet doktor Jagodzińska. I naraz wszyscy otoczyli go kordonem, domagając się wyjaśnień.

Pokręcił głową, wzruszył ramionami.

– Siła wyższa! – uciął.

Złowił jeszcze spojrzenie Jagodzińskiej. Pełne pogardy i wyrzutu.

Olga i Rafał

Droga do Pełczyc wiła się zakrętami wśród pól, posmutniałych o tej porze roku. Niektóre, już zaorane, brunatniejące na tle krajobrazu kolorowej jesieni, wabiły w ciągu dnia roje gawronów, inne czekały na jesienne prace. Zdarzało się, że na jakichś połaciach widniały nie do końca zwiezione walcowate snopki, poubierane w koszule z białego flizu, ułożone w piramidy. Nocą wyglądały jak zjawy. Wzdłuż pustej drogi gdzieniegdzie pojawiały się przycupnięte nieśmiało pojedyncze, oddalone od siebie chałupy. Tu nikt nikomu w okna nie zaglądał. Niezmieniona od lat sceneria zapuszczonych podwórzy, pełna pałętającego się luzem domowego ptactwa, sprawiała wrażenie, że czas przystanął. Inne przyciągały oczy nowoczesnością i luksusem. Schowane z dala od wielkich aglomeracji, pozwalały właścicielom na zaszycie się w tej enklawie spokoju i odosobnienia.

Rafał niecierpliwie patrzył przed siebie, raz po raz przecierając oczy. Od dawna nie lubił jazdy po ciemku. Męczyło go wysilanie wzroku, czujne wypatrywanie czającej się na takich opuszczonych trasach dzikiej zwierzyny. Jeszcze tylko niewielkie wzniesienie...

Pogięta tabliczka oznajmiła pordzewiałym napisem z wytartym „ł": „Pełczyce".

Zjechał w dół Krzywą, pozostawiając po prawej położony nieco wyżej cmentarz. Serce biło mu jak młotem. Czuł, że napływająca do ust ślina gęstnieje i nie pozwala się przełknąć. Rękami ściskał kierownicę. W uszach wciąż słyszał jej głos. Pragnął znaleźć się przy Oldze jak najszybciej. Bał się, że to wszystko okaże się snem, pęknie jak mydlana bańka. Dojeżdżał już do Chrobrego, głównej ulicy miasteczka, gdy jak na złość drogę zatarasowała kawalkada tirów, którą musiał przepuścić. Tuż przed horyzontem zamajaczyła podświetlona wieża pełczyckiego kościoła.

To tam. Ona. Olga.

Jego żona.

Samochód z piskiem opon skręcił w Kościelną. Ręce spotniały, więc wytarł je o spodnie. Skumulowana wezbrana tęsknota targała jego myślami. Nie miał pojęcia, co jej powie, ani co ona powie jemu. Czy potrafią wrócić do siebie? Do domu?

Uliczkę oświetlały lampy. Snopy światła czyniły przestrzeń magiczną. Uroku dopełniała lśniąca jak jedwab granatowa tafla niewielkiego jeziorka po lewej. To Stawno, na które z pobliskiego eliptycznego wzniesienia, z dawna nazwanego Wzgórzem Zamkowym, spoglądały ledwie jaśniejące, pobladłe światła zabytkowej plebanii.

Bajka. To było jak bajka. A on tak bardzo pragnął, by skończyła się dobrze. Były już wina i kara, musi zatem nastąpić szczęśliwe zakończenie.

Na tle monumentalnego kościoła z ryglową wieżą i barokowym hełmem, podświetlonym wedle najnowszej mody, zobaczył nikły zarys sylwetki. Każdy metr drogi wielokrotniał, zdawał się powiększać dystans, ale on wiedział, że to już. Napięte do granic mięśnie i podniecenie mąciły zmysły.

Kobieta, widząc światła nadjeżdżającego samochodu, przysłoniła oczy. To ona. Rozpoznałby tę postać wśród tysiąca innych. Nieprawdopodobnie proporcjonalną. Poruszającą się w niezwykle dopracowanej sekwencji. Płynnie, perfekcyjnie. To, co urzekało, było właśnie ową harmonią obrazu i ruchu. Jak wówczas, w klubie, kiedy mimo fizycznej obecności była poza wszystkim. Z daleka od feerii świateł, transowej muzyki. Z daleka od liżących spojrzeń i lepkich rąk. W jedności z kosmosem. Bliżej nieba niż ziemi.

Zaparkował przy szkole.

Ruszyła w jego kierunku umiarkowanym, opanowanym krokiem.

Zaszczekał pies. Rzadko kto trzymał tu psy uwiązane na łańcuchu. Nie to, co kiedyś, gdy przy każdym domu stała z byle czego sklecona buda, a pojawienie się intruza skutkowało kakofonią ujadań, która nie ustawała długo po zniknięciu intruza, a rozbrzmiewała do rana. Nikt nie przejmował się tym rumorem, bo stanowił on pewien porządek ulicy. Co innego teraz.

Okolica tkwiła w uśpieniu. Oprócz kościoła i położonej opodal plebanii, znajdowało się tutaj zaledwie kilka domów. Niektóre bliskie ruiny, z obdrapanymi elewacjami, kostropatymi okiennicami i koślawymi bramami, inne – jak dom Rytwińskiej – nieco podrasowane. Wszystkie jednak czujne, gotowe pozapalać w oknach światła na byle szmer.

– Cii. – Olga przyłożyła palec do ust i rozejrzała się podejrzliwie dokoła.

Chwyciła Rafała za rękę i pociągnęła za sobą, nie pozwalając mu nic powiedzieć. Sama też milczała, skradając się niemal na palcach. Była w kapciach, które nie wydawały odgłosów, nie licząc cichego szurania po wyłożonym brukiem przykościelnym placu.

Zeszli w dół i zaraz za głównym wejściem do świątyni skierowali się w prawo, mijając po jednej stronie jakieś upadłe gospodarskie zabudowania, po drugiej wypielęgnowane obejście kościoła pod wezwaniem Narodzenia Najświętszej Marii Panny, którego sztandary kołatały się w niespokojnych snach Olgi.

Było coś łobuzerskiego w tym skradaniu się w środku nocy i podniecającego jednocześnie. Rafał trzymał jej dłoń. Zaciskał mocno spotniałe palce, ze strachem, że mu się wyśliźnie. Zniknie. Rozpłynie się w ciemnej nocy jak sen. Nie przeżyłby ponownej straty.

Przystanęli przy niewielkim domku. Olga ostrożnie przekręciła klucz w drzwiach. Zaskrzypiały zdradziecko. Odczekali chwilę, a kiedy na powrót zaległa cisza, niezmącona jakimkolwiek podejrzanym dźwiękiem, poprowadziła go schodami na górę. Przez chwilę wydawało się, że w pokoju Rytwińskiej coś się poruszyło.

Szybko weszli do pokoju. Zgrzyt przekręconego klucza dał im namiastkę bezpieczeństwa.

* * *

Stali naprzeciwko. Onieśmieleni. Dziwne, że wśród kilkudziesięciu tysięcy, a może i setek tysięcy słów nie potrafili znaleźć tych właściwych. On w niespokojnych palcach obracał w kieszeni kluczyki i oba telefony – służbowy (na wypadek gdyby ktoś, któraś, coś) i drugi (gdyby ona albo Zosia – jego dwa światy, w których od czasu, gdy odeszła zupełnie się pogubił).

Teraz miał ją na odległość oddechu. Bał się poruszyć, by jej nie spłoszyć. Tutaj, na jakiejś Rycerskiej, w przypadkowych Pełczycach, pojawił się świat ich wspólnych spraw.

Olga była jak wyrzut sumienia. Milczeli. I dobrze. Słowa wydawały się zbędne. Cóż mieli mówić? Coś się zadziało kiedyś. Było. Minęło. Kamień w wodę.

Rafał powoli wyciągał rękę.

Wodził delikatnie czubkiem palca, obrysowywał kontur twarzy, jakby sprawdzał, czy to wciąż ta sama Olga.

* * *

Sufit płynął w różnych kierunkach. Przedostające się przez niedosunięte zasłony światło z zewnątrz rzucało na ścianę niewyraźne cienie. Oczy, przyzwyczajone do ciemności, z wolna zaczynały wyodrębniać kształty mebli i zarysy przedmiotów: wazonów, obrazów, sprzętów i porozrzucanych bezładnie ubrań. Ona, wtulona w niego. Leżeli zmęczeni gorączkowym, chaotycznym seksem. Chłód, wkradający się nieprzyjemnie wszelkimi szparami, zakręcił tuż przy nich. Olga nasunęła na siebie kołdrę.

Było jej dobrze. Rozkoszowała się jego bliskością, zapachem.

– Chciałbym ci tyle powiedzieć... – zaczął. – Wiesz, że kiepsko mi to wychodzi. W filmach i książkach faceci potrafią pięknie mówić, a ja... – odchrząknął.

Szukał odpowiednich słów na tęsknotę, miłość i ogromne szczęście, które go wypełniało, ale wszystko, co przychodziło mu do głowy trąciło sztucznością. Było nazbyt pompatyczne. Nigdy nie rozmawiali o uczuciach;

Rafałowi wydawało się, że nie ma potrzeby wyrzucania z siebie tysiąca banalnych słów, melodramatycznych wyznań, poetyckich deklaracji, zapewnień, kwiecistych komplementów. Kochał ją i tyle. To było oczywiste. Natomiast kiedy odeszła, słowa same pchały się do jego głowy, tyle że nie miał do kogo ich wypowiedzieć. Tyle razy przyrzekał sobie, że się zmieni. Niechby tylko wróciła, odebrała telefon.

Teraz była obok. Odruchowo skubała krótkie włoski na jego torsie, oddychała tuż przy jego ciele. Przygarnął ją mocniej, jakby potrzebował ponownego potwierdzenia jej obecności.

– A ty? – podchwyciła, nie przestając go dotykać.

– Nie masz pojęcia, ile razy z tobą rozmawiałem! – westchnął z uśmiechem. – Jakich słów używałem! Nigdy nie posądziłbym siebie, że takie znam! A teraz, kiedy jesteś przy mnie, wszystkie uleciały. Jestem jak kaleka. Jak niemota.

Olga wyczuwała to zakłopotanie. Nie oczekiwała nagłej zmiany. Że naraz zagada ją, sypnie jak z rękawa oryginalnymi wynurzeniami, pokaja się przed nią. Na swój sposób bawiła ją ta sytuacja. To napięcie Rafała, to poszukiwanie słów, które na dobrą sprawę wcale nie były jej potrzebne.

Podciągnęła się wyżej. Jej twarz znalazła się tuż nad nim. Olga poszukała jego wzroku.

– Nic nie mów – szepnęła. – Przeszłość nie istnieje.

* * *

Ranek przywitał ich głośnym bębnieniem w parapet.
Lało. Krople wielkie jak grochy siekły natarczywie po
szybach, dudniąc o blaszany parapet, który w słoneczne
dni parzył dłonie. Odgłos odbijał się echem w niewielkim
pokoju na Rycerskiej.

Otworzył oczy. Chwilę zajęło mu uświadomienie sobie
czasu i miejsca. Potrzasnął zdrętwiałą ręką, poruszał szybko palcami, by przegonić mrówki. Ciche pomrukiwanie
Olgi uspokajało. Rozejrzał się po pokoju. Tandetne stiu-
ki, udająca klasykę prostota wymieszana z tak banalnymi
wtrętami jak kiczowaty widok. Oto azyl jego żony. To tutaj się schroniła. Uciekła pod osłoną nocy i odnalazła się
pod osłoną nocy. Pogładził ją po włosach. Ledwie musnął.
Chciał sprawdzić, czy to nie sen. Przeciągnęła się.

Mógłby tak leżeć choćby i wieki. Bał się, że gdy wstanie, wszystko okaże się fikcją.

Deszcz zacinał coraz odważniej. Sączył się do środka
nieszczelnymi oknami. Było bardzo zimno. Z ulicy dobiegały jakieś głosy; to sąsiedzi, zdążający jak co niedziela
do kościoła na skróty (czyli wąskim przesmykiem między
zrujnowanym komórkami, w których gnieździły się niespokojnie gołębie, a wymuskanym parkanem należącym
do przylegającego do kościoła placu) wyklinali na ulewę.
Pewnie tak samo klęli na upał, na brak słońca, na śnieg.
Albo pijaczkowie wylegli z domów w poszukiwaniu

klina. Gdzieś w tle słychać było muzykę. Radio albo telewizor. Dopiero po chwili Rafał zorientował się, że to organy. Jak po wielkim kacu zaczynał kojarzyć zdarzenia i miejsca. Ługowo. Daniel Jankowski. Doktor Jagodzińska. Jarecki. Wszystko to fakty. Przepełniło go bezbrzeżne szczęścic. Nie sądził, że kiedyś w życiu zazna go, że je zdefiniuje.

Rafał Dobrzyński był szczęśliwy.

Namierzył swoje rzeczy. Uśmiechnął się na widok ubrań porozrzucanych gdzie bądź.

Targnął nim przeszywający chłód, więc ubrał się szybko. Wrócił do łóżka. Pochylił się i bezszelestnie otulił Olgę, niemal hermetycznie, miękką kołdrą. Spała jak dziecko. Jak Zosia. Były identyczne.

Zosia.

„Jestem z mamą", wysłał wiadomość.

Wahał się, czy włączyć telewizor, ale czuł się nieswojo. W obcym domu. W tej ciszy.

Z dołu dobiegł trzask zamykanych drzwi wejściowych. Nie miał pojęcia, kto poza nimi zasiedla to miejsce. Po chwili usłyszał tupot drobnych stóp. Najpierw tuż, niemal przy oknie. Potem odgłosy się oddaliły. Zza zasłony obserwował sylwetkę starszej kobiety, przemykającą, podobnie jak inni miejscowi, na skróty do kościoła. Domyślił się w niej właścicielki.

Jej nieobecność dodała mu odwagi. Ostrożnie otworzył drzwi. Przez chwilę nasłuchiwał głosów z głębi domu, ale trwała niczym niezmącona cisza. Omiótł wzrokiem przestrzeń. Nie licząc tych, w których stał, niezdecydowany, zobaczył tylko dwoje drzwi. Jedne, byle jak pomalowane pożółkłą farbą olejną, najwyraźniej prowadziły na strych, drugie, z mosiężnym tandetnym emblematem sikającej do nocnika postaci, do WC. Odetchnął z ulgą.

Na palcach, boso przeszedł przez korytarz wyłożony starymi, lecz niedawno odnowionymi, wycyklinowanymi i pociągniętymi bejcą dębowymi deskami, które zaskrzypiały żałośnie pod naporem kroków. Rafał zaklął pod nosem. Przystanął, niepewny, czy stęknięcie podłogi nie przywiedzie na górę gospodarza. Nie miał pojęcia, czy poza kobietą, którą widział, jest w domu ktoś jeszcze.

Cisza.

Łazienka okazała się małą, wychłodzoną klatką z kremowymi kaflami, położonymi w karo, z nierównymi fugami i nieładnymi odpryskami w kątach. Stała w niej narożna wanna i buchający złowieszczo piecyk gazowy. W niewielkim lustrze, zawieszonym ponad niewielką umywalką, Rafał zobaczył twarz. Pociągnął po szorstkiej brodzie palcami. Nabrał zimnej wody w zagłębienie dłoni i chlapnął energicznie.

Odbicie w lustrze nie znikło.

A więc to nie sen. To się dzieje naprawdę. Co za ulga!

Rafał postanowił się opłukać. Zaliczyć oczyszczenie. Oto jego sadzawka Siloe.

Zimne strumienie wody dźgały skórę, pozostawiając czerwone cętki. Nie potrafił się modlić, ale gdyby umiał, mówiłby wszystkie pacierze po kolei. W podzięce za minioną noc. I za nią. Za Olgę.

Wycisnął pastę na palec i przeciągnął nim po zębach. Miętowy smak orzeźwiał.

Wszystko tutaj należy do niej. Ręcznik z nutą jej zapachu, kosmetyki, szczotka do włosów... Nawet kosz na pranie, w którym leżało ledwie kilka rzeczy. Wszystko wskazywało na to, że Olga przebywa tutaj samotnie.

Myśl, że mógłby wchodzić w grę jakikolwiek inny mężczyzna, zabolała dotkliwie, ale Rafał odpędził ją czym prędzej. Niemożliwe. Nie ona. Nie przyjęłaby go przecież tak żarliwie...

Gdy wrócił do pokoju, tkwiła w niezmienionej pozycji. Patrzył. Na jej twarzy malował się spokój. Była niezmiennie piękna. Jak wówczas, kiedy oglądał ją wijącą się na parkiecie w ekstatycznym tańcu.

Jego Olga.

Zawibrował telefon – Zosia swoim zwyczajem wysyłała serię uśmieszków, serduszek czy innych słoneczek. Rafał wyłączył komórkę.

Kościelne dzwony nawoływały na kolejną mszę.

– Wstałeś?

Olga przeciągała się zmysłowo.

W pytaniu była zwyczajność, jakby nie nastąpił upływ czasu. „Przeszłość nie istnieje", przypomniał sobie.

Cokolwiek miała na myśli, był wdzięczny, że nie żąda wyjaśnień, przeprosin, deklaracji. Nie wiedział jednak, co dalej. Czy wróci z nim? Czy przeszłość nie istnieje, bo każde z nich podąży swoją drogą? Czy nieistniejąca przeszłość to akt amnestii, darowania winy? Zaniechania. Obojętności.

– Gdzie masz walizki? – Zaryzykował. – Pomogę ci się spakować. Wychodziła stąd jakaś kobieta. To gospodyni? Czy ktoś tu poza nią mieszka?

Olga siedziała w łóżku. Oparta o poręcz. Rękami przytrzymywała kołdrę. Jej nagie ramiona wzruszały go i podniecały jednocześnie. Pragnął do niej wrócić. Pieścić ją, wejść w nią powoli, z rozmysłem. I kochać. Kochać. Nie był jednak pewien, czy nie spotka się z odmową. A przede wszystkim – zabrać ją do domu. Do ich domu. O który dbała z takim pietyzmem.

Naprędce pakowane rzeczy z trudem zmieściły się w walizce. Nie chciała, by jej pomagał. Sama zdejmowała ubrania z wieszaków, kompulsywnie przetrząsała szuflady. Zaglądała w kąty, jakby się obawiała, że pozostawiona nieopatrznie rzecz sprowokuje powrót.

Pamiętała matkę, opuszczającą ciechanowski szpital po operacji woreczka, ledwie stojącą na nogach. Ojciec ponaglał, taksówka czekała na dole, a matka zaglądała wszędzie, modląc się, by nie daj Bóg coś się gdzieś zapodziało, bo by sobie w życiu nie darowała, że musi wrócić.

Walizka i kilka szmacianych toreb czekały w szeregu przy drzwiach, gdy do pokoju wpadła Rytwińska. Zielona ze złości. Jedną ręką trzymała się ostentacyjnie za pierś.

– Ja już wcześniej czułam, że coś się święci! – Wygrażała drugą. – O nie! Nie tak łatwo starej Rytwińskiej oczy zamydlić! Tylko czekałam, że wyjdzie szydło z worka! I wyszło! Jak mi Bóg i Panienka Przenajświętsza mili!

Opuściła ręce, chwyciła się pod boki. Nic nie wskazywało na to, że przerwie występ. Nabrała powietrza i przypuściła kolejny atak:

– Już mi ludzie, jak tylko nos z kościoła wyściubiłam, w twarz się śmiali, kogo to sobie pod dach przyjęłam! Taką, co to po nocach gachów do domu sprowadza!

Ubawiony Rafał uśmiechał się pod nosem, natomiast Olga usiłowała wstrzelić się w tyradę gospodyni.

– Pani Rytwińska…

– Niech mi nawet nie próbuje kitu wciskać! Żądam…

– Pozwoli pani: mój mąż, Rafał Dobrzyński!

Skłonił się, z trudem hamując atak wesołości. Wyciągnął dłoń i cmoknął Rytwińską szarmancko w mankiet. Podał grzecznie kobiecie dokumenty.

Gospodyni zastygła w niemym zdziwieniu. Obejrzała dowód starannic. Z jednej strony. Z drugiej.

– Jak to: mąż? Skąd? Przecież mówiła pani, że… Że…

Nagle do niej dotarło, że Olga nie była skora do zwierzeń. Wobec takiego stanu rzeczy przetarła w zakłopotaniu czoło i odczekawszy chwilę, gdy nikt nie pośpieszył z interpretacją wydarzeń, powiedziała obrażona:

– Ale zgodnie z umową miał być czas na wypowiedzenie. Co ja teraz zrobię? Z kapelusza lokatora nie wyczaruję.

– Proszę się nie martwić – wszedł jej w słowo Rafał. – Pokryję wszystkie koszty.

Rytwińska obrzuciła chytrym spojrzeniem najpierw jego, a później pokój.

– Mam nadzieję, że nic nie zostało zniszczone.

Wymownie zatrzymała wzrok na łóżku. Jeszcze niezasłanym.

– Zapewniam panią, że wszystko jest w jak najlepszym porządku – oznajmiła Olga. – A teraz, pozwoli pani, że skończę się pakować.

Rytwińska wycofała się niechętnie. W progu zawahała się, zaskoczona, że Olga wyprowadzi się, nie pozostawiając po sobie żadnej opowieści. Co wobec tego powiedzieć ludziom?

– To może się państwo jeszcze herbatki napiją? – Spuściła z tonu. – Angielskiej? Córka mi przysłała.

* * *

Droga do Gorzowa minęła niepostrzeżenie. Olga odliczała odcinki od – do. Jeździli tędy tyle razy, że nietrudno było się zorientować, gdzie są i jak długo jeszcze. Im bardziej zbliżali się do miasta, gdzieś za Łubianką, a przed samą Kłodawą, tym większe czuła podniecenie. Jak ktoś powracający z długiej podróży. Z obcego krajobrazu znienacka wyłaniały się znane miejsca, przechowane w pamięci, kojarzące się jednoznacznie i wyzwalające uczucie zniecierpliwienia, które intensywniało w pobliżu celu. Ostatnie kilometry przesiedziała jak na szpilkach, coraz to odsuwając fotel, szukając czegoś w torbie, odchylając lusterko, by poprawić makijaż. Kątem oka widziała uśmiechniętą twarz Rafała. Zapomniała już, jak bardzo lubi ten uśmiech.

Za zakrętem prowadzącym na podjazd zauważyła w oknie przyklejoną do szyby twarz Zosi. Serce zabiło szybciej. Dopiero teraz poczuła pełnię szczęścia. Przeszłość nie istnieje i koniec!, pomyślała.

Dotknęła jego dłoni.

Zosia wybiegła przed dom.

– Niebieszczańscy zapraszają nas na rocznicę. Powiedziałem im, że będziemy. – Rafał mrugnął do żony.

Przypomniał Oldze o nieodebranym połączeniu od Ewy. Naprawię to później, stwierdziła.

Teraz była w domu.

Córka wydorośalała. Zaledwie kilka chwil i już nie dziecko. Zosia była prawie taka jak matka.

Lili

S tał przed nią. Ze spuszczoną głową, błaganiem, którym epatował cały, począwszy od przekrzywionej groteskowo głowy, przez przygarbione plecy, po uginające się kolana. Jakby za chwilę miał uklęknąć.

Tylko nie to! Nie zniesie jego upokorzenia! Tego skamlania!

Wszystko, tylko nie to.

– Nie zostawiaj mnie – powiedział.

Lili po raz pierwszy od dawna poczuła coś w rodzaju tkliwości.

Litość była dla niej pojęciem obcym. Nikt nie nauczył jej miękkości gestów, czułości słów. Po raz pierwszy coś w niej drgnęło, gdy dawno temu, w domu niemieckiego męża, patrzyła w twarz uśpionej bólem córki. Ale nie pozwoliła zawładnąć sobą taniemu sentymentalizmowi.

Teraz żal jej się zrobiło tego rycerzyka. Wiernego i tak oddanego, że nie sposób wyobrazić sobie siły tego przywiązania. Przez te wszystkie lata. Na wyciągnięcie ręki. Dobry duch. Nieodstępujący jej na krok. Anioł stróż. Jak z tandetnych jarmarków. Szeroko rozpostartymi skrzydłami chronił ją przed światem.

– Nic nie poradzę to, że kocham cię do szaleństwa. Od zawsze. Nie masz pojęcia, jak można zaprogramować życie. Krok po kroku. Metodycznie. Byłaś moim jedynym celem. Cokolwiek robiłem, gdziekolwiek byłem, byłaś ze mną! Zobacz! – Rozłożył ręce i okręcił się wokół własnej osi. – To wszystko dla ciebie. Chcesz? Chcesz księżyc?

Lili nie bała się tego szaleństwa. Słowa Samuela rozpuszczały się w niej i niesione krwiobiegiem wypełniały wszystkie tkanki. Każde zdawało się elementem nieznanej gry, której reguły usiłowała poznać.

– Czekałem na ciebie latami. A kiedy zmarł twój ojciec... Zaplanowałem wszystko, żeby tylko cię zwabić. Żeby ci dowieść, że nie jestem skończonym dupkiem. Panem cieniem, którego mijałaś. Nie, nawet nie wysilałaś się, żeby ominąć. Deptałaś. Jak wszyscy. Jak oni.

Zamilkł, jakby to, co powiedział, wyzwoliło silny ból. Nie patrzył na nią. Wodził wzrokiem gdzieś ponad, nie zatrzymując go na niczym. I nagle zmienił ton. Zmarszczył czoło, ściągnął usta. Wybrzuszona żyłka nad skronią zadrgała i zaczęła pulsować w równych odstępach czasu. Jak tykająca bomba.

– To dla nich tańczyłaś – rzucił szybko, jakby chciał pozbyć się tych słów jak najszybciej. – Wydłubałbym im

oczy! Tymi rękami! – Wyciągnął dłonie w jej kierunku.
– Zawsze mieli wszystko! Sięgali po to, czego zapragnęli. Jak po swoje! Bez skrupułów. Chciwie. Nie małymi łyżeczkami, dla przyzwoitości i niepoznaki, ale pełnymi garściami! Nawet tutaj pełno tych ich macek. Lepkich i wciąż nienasyconych. Haustem łykali życie. Szlag mnie trafia! – Wzburzenie niemal odbierało mu głos. – Skąd oni się tu wzięli? No skąd? To ty ich przywabiłaś!

– Samuel, o czym ty mówisz? Jacy oni? Jesteś chory – powiedziała cicho.

Była zdumiona. Starała się ogarnąć to, co mówił, posklejać i nadać temu sens, ale głowa broniła się przed prawdą. Na wykrzywionej ironią twarzy Lili pojawiło się zakłopotanie. To jakaś popieprzona bajka!

– Żebyś wiedziała, że jestem chory! Na ciebie! Jesteś moją obsesją! Tak! Ja, Samuel Ziemiński, opętany miłością! Patrz! Mówią, że miłość może przenosić góry! Zobacz, co może! – Sarkastyczny śmiech, gotowy zamienić się w szloch, rozbrzmiewał w całym domu. – Całe to moje imperium! Wszystko dla ciebie! Chcesz? Puszczę je z dymem. Powiedz tylko słowo. Chcesz tego? Chcesz?

– Uspokój się.

Objęła go. Czuła łomot jego serca. Silne uderzenia współgrały z donośnym oddechem. Stał nieruchomo, z opuszczonymi rękami. Zbity, pokiereszowany. Lili uświadomiła sobie, że oprócz niego tak naprawdę nie ma nikogo. Jest samotną kobietą. Nie ma już sił. Nie chce już szukać, miotać się. Skorupa, która tak szczelnie okrywała ją przez całe życie, zaczynała pękać, przepuszczać dochodzące z zewnątrz ciepło. A ona miała wrażenie, że zaraz zachłyśnie się nadmiarem powietrza, które znalazłszy szczeliny, wdzierało się do środka. Napełniało tkanki, budziło do życia uśpione neurony, powodowało spięcia na synapsach. I wywoływało poczucie bezpieczeństwa, które pozwalało jej się zatrzymać.

Samuel powoli podnosił ręce. Delikatnie przesuwał nimi po plecach Lili, bojąc się, że nieco bardziej zdecydowany ruch ją spłoszy. Że Lili mu się wymknie.

– Zostanę z tobą – oświadczyła ledwie słyszalnym szeptem. – Na zawsze.

W jej głosie była zarówno łaska, jak i pokorne dziękczynienie.

Wszyscy

Salę restauracyjną w Bella Toscanie przygotowano pod dyktando Ewy. Wszystko obmyślone. Duży stół, który powstał z dwóch mniejszych, osłonięto ze wszystkich stron dyskretnymi parawanami. Ta sympatyczna kombinacja zapewniała gościom intymność. Przy każdym nakryciu leżał wytłaczany kartonik z imieniem. Podobna do Sary kelnerka obrzuciła całość fachowym okiem. Uśmiechnęła się, zadowolona.

Na zewnątrz zmierzchało. Uliczny mrok, potęgowany jeszcze pochmurnym, stalowym niebem, rozganiały światła lamp i samochodów. W Warcie, toczącej leniwie swój nurt, odbijały się pojedyncze refleksy neonów, reklam bijących od przybrzeżnych budynków. Rozmazane i zniekształcone przez nieustanny ruch światła, formującego się w okazałe snopy, pojedyncze wiązki czy rachityczne nitki. Wszystko pławiło się w ruchomej tafli rzeki. Rozpikselowywały się. Traciły ostrość. Jak na obrazach impresjonistów, na których świat rzeczywisty – kanciasty i niekiedy trudny do zniesienia – zyskuje ową niefrasobliwą lekkość i ulotność.

W restauracji panował przyjemny półmrok. Punktowe lampki dawały efekt przytulności. Wielkie malowidła, z polami dumnie sterczących słoneczników, których ogromne czasze, obrócone niczym wojsko w jedną stronę, zdawały się wzmagać ciepło, którego źródło trudno było znaleźć na pierwszy rzut oka. Wydawało się, że promieniuje z niewielkiego, pięknego, ażurowego piecyka kozy. Było to, oczywiście, złudzenie, bo naprawdę emitowały je trywialne żeliwne grzejniki, umocowane za drewnianymi osłonami, pomalowanymi białą wapienną farbą w ziemistych odcieniach bieli. Tą samą, co krzesła i stoły z litego drewna.

Z równie sprytnie zakamuflowanych głośników sączyła się muzyka. Nie tylko rytmiczne italo disco, ale i utwory z młodości jubilatów. Kelnerka aż piszczała z zachwytu nad repertuarem, bezbłędnie odgadując tytuły i wykonawców.

– O jejku! – wołała, zachwycona Różami Europy. – Mój chłopak ich uwielbia!

Zakołysała się zmysłowo w takt *She's Like The Wind* i dopiero reprymenda w spojrzeniu Ewy przywoływała ją do porządku.

Przypominająca Sarę dziewczyna spuszczała wtedy oczy jak pensjonarka, przepraszała cicho i brała się do roboty, skrupulatnie notując życzenia klientki.

* * *

Niebieszczańscy usadowili się na wygodnych ławach wyłożonych miękkimi poduchami. Ewa niecierpliwie zerkała to na zegar, to na męża, który przeglądał na smartfonie strony internetowe. Wciąż marszczył czoło, jakby na wyświetlaczu pojawiały się rzeczy niesamowite. Po chwili zarzucił rozrywkę, klnąc pod nosem, że znów „uciekło mi połączenie". Przeniósł wzrok na ściany. Z zainteresowaniem przyglądał się wystrojowi.

– No, popatrz! Ktoś miał niezły pomysł na wykorzystanie tych niszy pod wiaduktem. Lepsze to niż pofajtane mury i smród.

Ewa zgodnie skinęła głową, ale nie podjęła tematu. Adam wzruszył ramionami.

– A skąd twój pomysł? Żeby urządzić spotkanie właśnie tutaj? Znasz ten lokal? – zapytał zdziwiony.

Jego żona i znajomość gorzowskich lokali?

– Przychodzimy tu czasem na kawę z Lili. Zazwyczaj bywa pusto i spokojnie – odparła.

– Aha. A gdzie Paweł? – Adam usiłował być rzeczowy, choć tak naprawdę pytał, aby pokryć zmieszanie niezręcznym tête-à-tête w nieznanym miejscu.

Owszem, zdarzało im się wybrać na obiad poza domem, ale najczęściej do niewielkiej osiedlowej pizzerii. A i to rzadko. Kiedyś bywali częściej – z okazji zabaw branżowych, andrzejek, sylwestrów. Z czasem przestali.

Szkoda było czasu i pieniędzy. A poza tym oboje nie lubili oczekiwania na zamówienie i towarzyszącego mu zakłopotania. W domu niewiele mieli sobie do powiedzenia, a co dopiero w otoczeniu innych. O czym tu rozmawiać? Wpatrywali się w karty menu, sczytując tytuły wymyślnych dań, przypatrywali się gościom, przysłuchiwali rozmowom. A gdy kelnerka przynosiła dania, zazwyczaj jedli w milczeniu, wymieniając zdawkowe uwagi. Potem płacili i wychodzili pośpiesznie, nierzadko żałując w duchu.

Teraz czekali na gości. Rzadko występowali w roli gospodarzy. Goście bywali u nich sporadycznie. Ostatnio najczęściej Dobrzyńscy. Ewa szykowała wówczas jakąś kolację, zazwyczaj skromną i niewyszukaną, która i tak schodziła na dalszy plan. Mężczyźni bowiem mieli swoje męskie sprawy, a kobiety – ona i Olga – zawsze potrafiły uchwycić się wspólnego wątku i rozwijać go trakcie spotkania.

Adam dał się namówić na Bella Toscanę wyłącznie dlatego, że Ewie zależało. Ściągnęła nawet Pawła, co niemal graniczyło z cudem.

– Aaa, pewnie przyjdzie z tą swoją dziewczyną! – Klepnął się w czoło. – Jak jej tam? Daria? Klaudia?

– Sara! – poprawiła go Ewa. – Najwyższy czas, żebyś zapamiętał. A poza tym to piękne imię. Sara...

Obaj chłopcy stanęli w progu niemal w tej samej chwili. Piotr przywitał się szybko i usiadł.

Paweł pomógł zdjąć płaszcz towarzyszce, a następnie, nie wypuszczając jej dłoni ze swojej, podprowadził ją do stołu. Chciał dokonać prezentacji, ale go ubiegła.

– Sara! – Skinęła głową.

Serdecznie uściskała się z Ewą, Adamowi podała oporną dłoń, sztywno, w oczekiwaniu na pocałunek. Nie lubiła, gdy całowano ją w rękę. Niebieszczański zamknął jej dłoń w swoich i przytrzymał krótko, wyczuwając skrępowanie. Przez chwilę przyglądał się badawczo, a potem rozłożył szeroko ramiona, w geście: „Nic dodać, nic ująć".

– Jak widać, mój syn ma gust po ojcu! – powiedział na głos. – Kogoś mi pani...

– Sara – przerwała uprzejmie. – Proszę mi mówić po imieniu. Jestem Sara.

– Zatem, droga Saro, właśnie zachodzę w głowę, kogo mi przypominasz.

Podrapał się po czole na dowód, że usilnie szuka w pamięci.

– Daj spokój! – ofuknęła go żona. – Napijecie się czegoś od razu, czy jeszcze chwilę zaczekamy? – zwróciła się do młodych.

Wszyscy zgodnie orzekli, że zaczekają. Zresztą do osiemnastej pozostało zaledwie siedem minut.

Sara czuła na sobie wzrok Adama. Peszył ją, ale starała się to ignorować, wdając w dyskusję z Ewą o pracy w szkole. Przyłączył się do nich Piotr, który z gruntu przeciwny był zarówno całemu systemowi szkolnictwa, jak i systemowemu funkcjonowaniu państwa w ogóle. Widać rozgoryczenie wywołane pierwszymi zawodowymi porażkami nie przeszło mu, choć silił się na wisielczy humor. Zwłaszcza gdy napotykał wzrok matki, proszący, by nie psuł imprezy, którą przygotowała tak starannie.

Rozmowę przerwało pojawienie się Dobrzyńskich. Ewa z Adamem wstali od stołu i serdecznie uściskali przyjaciół. Olga wyglądała świeżo i szykownie, a Niebieszczańskiej przemknęła przez głowę myśl, że może warto czasem zniknąć, wyprowadzić się, choćby po to, by wydobyć z zakamarków duszy zapadniętą na jej dnie kobiecość. Rafał trzymał się tuż za żoną, jakby chciał jej uniemożliwić ewentualną ucieczkę.

Kelnerka, jak się okazało, wcale nie taka podobna do Sary, podeszła, pytając usłużnie, czy już podawać. Ewa spojrzała na gości, ale obecni pokręcili głowami. Wieczór miał swoją gospodynię.

Z głośników dobiegały energetyzujące akordy gitarzysty AC/DC. Rozdzierający przestrzeń wokal Briana Johnsona zdominował ją na krótko, bo Ewa szybko poprosiła o przyciszenie. Sara i Paweł wymienili porozumiewawcze spojrzenia. Zapowiadało się sympatycznie.

Rafał zamyślił się tak intensywnie, że zwróciło to wreszcie uwagę jego żony. Olga pociągnęła go delikatnie za rękaw.

– A ty dokąd odleciałeś? – zapytała. – I to zanim zabawa rozpoczęła się na dobre...

Z czułością podniósł do ust jej dłoń.

– Nie mogę oprzeć się wrażeniu, że skądś panią znam... – zwrócił się do Sary. – Albo się już spotkaliśmy, albo jest pani do kogoś łudząco podobna.

Refleksja wzbudziła przy stole salwy śmiechu. Skonsternowany Rafał rozłożył ręce.

– Nie jest pan pierwszy – zakomunikowała spokojnie dziewczyna.

W jej spokojnym uśmiechu było coś znajomego. Nie dawał mu spokoju. Może to jedna z moich pacjentek? Rafał coraz częściej łapał się na tym, że zawodzi go pamięć, ale składał to na karb nie tyle starości, ile przepracowania.

– Dopiero co pan Adam powiedział to samo. Chyba powinnam zacząć się martwić, bo okazuje się, że jestem mało oryginalna. Taka sama jak inne, czyli żadna – dodała kokieteryjnie.

Wysunęła dolną wargę w udawanym zmartwieniu.

Panowie jak na komendę pośpieszyli z zaprzeczaniem. Czego jak czego, ale dziewczynie nie sposób było odmówić urody. Była śliczną młodą kobietą, zdolną zawrócić w głowie niejednemu facetowi.

Paweł, który zdecydował się zmienić temat, wstał i nie bacząc na protesty matki, co chwila zerkającej na drzwi w oczekiwaniu na ostatnich gości, ostentacyjnie wzniósł toast za rodziców. Zaintonował *Sto lat*. Adam pocałował rozkojarzoną żonę.

– Mam wrażenie, że stworzyłaś cały ten teatr wyłącznie dla niej – powiedział półgębkiem. – Jesteś kompletnie nieobecna. Wracaj! To nasze święto – dodał z naciskiem. Kelnerka czekała na dyspozycje.

Uwaga Adama pozostała bez komentarza. Ewa zaprezentowała wymuszony uśmiech, bąkając coś pod nosem, ale nie była na tyle sprawną aktorką, by dobrze udać rezerwę. W istocie, czuła podekscytowanie. Taksowała wszystko, by broń Boże nie pominąć żadnego szczegółu. Miało być perfekcyjnie. Zabawiała gości uprzejmą rozmową, ale nie potrafiła powstrzymać się przed zerkaniem przez wąską szparę na zagięciach skrzydeł parawanu. Widziała wycinek świata za oknem restauracji. Trzymała przy ustach kieliszek, ale nie zamoczyła w nim warg. Wino. Czerwone i wytrawne. Wciąż usiłowała zdefiniować na własny użytek ów cierpki posmak, intrygującą głęboką burgundową czerwień i aromat szlachetnej wykwintności, pomieszanej z trywialnym zapachem fermentujących owoców. Ten ostatni pamiętała z domu, kiedy ojciec w wielkim gąsiorze nastawiał domowe procenty, pełne słodyczy i kwasu, bulgoczące w powykręcanych jak artretyczne palce rurkach, zbierające się subtelną pianką (przypominającą koniakowskie koronki) wokół spokojnej tafli rozpostartej w obrysowanej grubym szkłem krzywiźnie gąsiora.

Wyczekiwała. Nie przyznawała się, nawet przed sobą, że owszem, całe to przedstawienie jest dla Lili. Tak bardzo chciała jej zaimponować, zabłysnąć, zaprezentować przyjaciółce tę nową – odnowioną – Ewę. Bo w rzeczy samej, to jej zawdzięczała metamorfozę. Pragnęła zdać przed nią egzamin z przedzierzgnięcia się z szarej myszy, kury domowej, w kobietę nowoczesną. Taką, która bywa tu i tam. Która ucieka z kuchni w świat blichtru. Która u progu dojrzałego życia, z całym ekwipunkiem szablonów, szarzyzn, schematów, potrafiła na powrót obudzić w sobie kobietę.

*** *** ***

Za oknem miga znajoma sylwetka.

Ewa czuje przypływ adrenaliny. Nie, to nie pomyłka! Już idzie. Ona. Lili. Charakterystycznego sposobu poruszania się, wystudiowanego każdego ruchu, przemyślanego, nie można pomylić z nikim. Nie ma zbędnych czy przypadkowych. Wysoko uniesiona głowa, wyprężona sylwetka, pływająca kibić – jak żywcem przeniesione ze światowych wybiegów. Ewie zdarzało się ćwiczyć ów twardy, zdecydowany krok przed lustrem, ale w jej wykonaniu był po prostu śmieszny.

U boku Lili mężczyzna. A zatem udało się jej namówić partnera!

Podniecenie gospodyni przyjęcia sięgnęło zenitu, wzmagając jednocześnie skrępowanie.

Ewa odruchowo wyprostowała plecy. Była gotowa.

Olga z Sarą akurat rozmawiały o tańcu, panów, nachylonych ku sobie, zajmował kryzys na Ukrainie.

Sympatyczna, niemal familiarna atmosfera sprawiała, że nikt nie rozglądał się po sali. Nikt, oprócz Ewy, która ruszyła pośpiesznie, niemal przewracając parawan. Rozłożyła ramiona, by zamknąć Lili i jej towarzysza w serdecznym uścisku.

– Samuel bronił się dzielnie, lecz uległ naporowi argumentów – rzuciła żartobliwie Lili, puszczając oko do obojga.

Ale mówiła prawdę. Uparła się na to wspólne wyjście. Skoro mają być ze sobą do końca życia?

– Ziemiński. Samuel. Kłaniam się. – Mężczyzna szarmancko ucałował dłoń gospodyni. – Prace drogowe w naszym kraju to istna katastrofa – tłumaczył. – A drogi to koszmar. Proszę nam wybaczyć spóźnienie. Wszystko u nas musi rodzi się w bólach – dodał sarkastycznie.

– Ewa Niebieszczańska. I proszę mi mówić po imieniu.

Nazwisko było jak zgrzyt metalu na szkle. Samuel drgnął mimowolnie. Uaktywniła się niewielka żyłka na skroni. W sercu poczuł ukłucie, krótkie, intensywne. Jak porażenie prądem. Już po raz drugi w tak krótkim czasie... Przypomnienie dzieciństwa, młodości. Czasów, gdy dzień po dniu, obsesyjnie, projektował własne życie. Uporczywa myśl. Cóż, przypadek.

Zza parawanu dobiegał odgłos rozmów, zmiksowany z rozbrzmiewającą wszędzie muzyką. Samuel czekał cierpliwie, aż kobiety zlustrują się nawzajem, wymienią grzecznościami, achami i ochami, i dołączą towarzystwa.

– Przedstawiam wam Lili i Samuela! – Ewa zaanonsowała gości jak królewską parę.

Między Adamem i Rafałem zaiskrzyło natychmiast. Obaj, jak na komendę, wyprostowali się, choć żaden nie wstał.

Dobrzyński otrząsnął się, przetarł oczy. Jak za dotknięciem różdżki skojarzył pacjentkę, którą tak niedawno przyjmował w gabinecie. I nagle zrozumiał, skąd tamten niepokój, nieprzyjemne uczucie, burzące spokój i niepozwalające żyć. Czuł, że ślina więźnie mu w gardle. Odchrząknął. Tylko na tyle potrafił się zdobyć.

Adam wbił wzrok w żonę, a potem przeniósł spojrzenie na gości. I jeszcze raz na Ewę. Czekał, że coś powie. Był pewien, że ukartowała to wszystko. Że dowiedziała się o tamtej i wyczekała na moment, by go dobić. Tylko dlaczego teraz, kiedy on niemal zapomniał. Nareszcie, po tylu latach, udało mu się wyprzeć wspomnienia. Usunąć, jak jątrzący się wrzód.

Naraz wszystko zaczęło się składać w całość. Te wyjścia, te spotkania z tajemniczą koleżanką, ta metamorfoza! Nie rozumiał tylko, po co ten spektakl. Czyżby jego żona potrzebowała widowni? Tak! Biedna Ewunia, całe życie w cieniu, w kolorze szarym jak każdy jej dzień, teraz ma swoje pięć minut!

Adam był wściekły. Na siebie. Że pozwolił się uśpić i nie zwietrzył podstępu. Co za tanie przedstawienie!

Podniósł się z krzesła. Przez chwilę mierzył Lili i Ziemińskiego nienawistnym wzrokiem, a potem wsunął ręce w kieszenie, jakby usiłował przywołać zestaw impertynenckich gestów, opanowanych tak perfekcyjnie. W czasach, kiedy ten pokurcz, ten usmarkany Semik, napatoczył się na ich drodze. Na tej miedzy bieżuńskiej, którą wracali do domu, z wypiekami na twarzy, z pełnymi rozporkami. A on wyrastał przed nimi jak spod ziemi, z głupim uśmiechem. Do włóczenia się za nimi tylko po to, by dźgać ich niewypowiedzianym ostrzem ironii i pogardy, nie zniechęcało go nawet cykliczne lanie.

Stali tutaj. Ona i on. Koszmar z przeszłości.

– Co to jest, do kurwy nędzy? – wycedził powoli. – Chcesz mi powiedzieć, że to właśnie twoja tajemnicza przyjaciółka?

Był czerwony ze złości. Twarz nabiegła mu krwią, żyły na szyi nabrzmiały; za moment przebiją cienką skórę i wytrysną fontanną.

Na sali zapanowała martwa cisza. Kelnerka znikła za kontuarem. Konsternacja. Jakaś para w drugim końcu restauracji oderwała się od talerzy i bez skrępowania przyglądała się widowisku.

Rafał milczał. Składał nerwowo w harmonijkę serwetkę w lawendowe bukiety, kątem oka zerkając na żonę. Olga siedziała niewzruszona jak posąg. Jakby nie wydarzyło się nic szczególnego.

Ewa patrzyła, zdezorientowana. To na przybyłych, to na męża. Jednak zanim zdążyła zareagować, tuż obok

rozległ się przyciszony, ale dobitny głos Lili. Domagający
się natychmiastowej odpowiedzi.

– Dlaczego mi to zrobiłaś? Dlaczego? Zaplanowałaś
to? Po co? Chciałaś mnie upokorzyć?

– Ja? – Ewa położyła dłoń na mostku.

Odwróciła głowę, jakby szukała adresata tych pytań.
Nie potrafiła uwierzyć, że są skierowane do niej.

– Jakie planowanie? Ja nic nie rozumiem... Czy ktoś
mi to wyjaśni? Na litość boską!

Lili czuła napływające do oczu łzy wściekłości i upokorzenia. Powstrzymała je siłą woli. Bo Lili przecież nie
płacze. Nie mogła uwierzyć, że tak dała się podejść tej
kobiecie! Bliskiej, zaprzyjaźnionej. Ona, Lili Czarnecka!

Gotowa na przyjaźń. Na pierwszą w życiu.

– Żal mi cię! – prychnęła ze wzgardą w twarz Ewy.

Nie zamierzała mówić nic więcej. Chciała stąd wyjść.
Natychmiast!

I nagle jej spojrzenie dosięgło Sary. Do Lili dotarło,
kogo widzi. Jest tutaj. Z nimi. Ona również bierze udział
w tym groteskowym przedstawieniu.

W głowie kotłowały się rozszalałe myśli. Obrazy,
coraz to inne, pojawiały się i znikały, jak w zepsutym
kalejdoskopie. Nie starała się nawet ich uporządkować.
Wzburzenie było ogromne.

Spojrzenia matki i córki skrzyżowały się i w tej samej chwili Sara podniosła się z krzesła. Nie rozumiała nic ze sceny, której była świadkiem. To jakiś absurd,

pomyślała. Przypadkiem znalazłam się w nie swoim filmie. Czuła uspokajający dotyk dłoni Pawła, nakazującej jej, aby usiadła. Tyle że Sary nic nie mogło powstrzymać. Zupełnie jakby jakaś nadrzędna siła nakazywała jej udział w czymś, improwizację. Bez jakiejkolwiek znajomości dalszego ciągu.

– Mamo...! – zdołała wykrztusić.

Brzęk upadającego kieliszka towarzyszył temu słowu jak kiepski akompaniament.

Paweł rzucił się zbierać rozbite szkło.

Oczy obecnych skierowały się na Sarę natychmiast. Zdarzenie goniło zdarzenie, umykała logika sekwencji. Rzeczywistość nabierała cech groteski.

– Mamo? – powtórzyła jak echo Ewa. – Jesteś...? Znaczy, czy ona jest... – jąkała się. Ostatkiem sił i nerwów próbowała ogarnąć sytuację. – Kim wy jesteście, do cholery? I o co tu chodzi? – zwróciła się do męża.

Obok niej przebiegła dziewczyna Pawła, przewracając białe krzesła. Trzask restauracyjnych drzwi był jak ostre uderzenie. Zimny powiew powietrza wtargnął do środka. Młoda kelnerka, przyglądająca się zajściu zza wahadłowego przepierzenia na zapleczu, wyszła na salę i udawała, że poprawia kwiaty w wazonach.

Ewa schowała twarz w dłoniach. Szczypała się w policzki. Wciąż miała nadzieję, że to tylko sen, że wystarczy się obudzić. Kiedyś kończą się nawet najgorsze koszmary. Trzeba tylko otworzyć oczy...

Słoneczniki na ścianach. Bielone meble. Surowe ściany. Goście z wymalowanym na twarzy zdumieniem.

Nie czas na złudzenia.

To nie był sen.

Lili

Zaczekaj! – Samuel przytrzymał ją za rękę.

Wyrwała się.

Spacerująca po bulwarze para obejrzała się za nimi z nieukrywanym zainteresowaniem, ale zaraz przeszła dalej i zatonęła w namiętnym pocałunku. W oddali, po drugiej stronie Warty, migotały kolorowe światła Zawarcia.

– Zostaw mnie samą, Samuel. Błagam!

Było w tej prośby coś, co kazało mu posłuchać.

Patrzył, jak biegnie przed siebie. Cienkie obcasy stukały po bruku.

Powróciła przeszłość.

* * *

Przyjechała na ślub Anki. Cieszyła się na tę imprezę od dawna. Choć odwykła już od Bieżunia, gdy w końcu udało się jej uwolnić od domu, od matki i niego, ale tęskniła za zapachami letnich pól – dojrzałych zbóż, macierzanki. I za złotościami dojrzewającej pszenicy, z zaplątanymi w nich gdzieniegdzie czerwonymi makami i niebieskimi chabrami. I za swoim grajdołkiem, enklawą spokoju i bezpieczeństwa. Tutaj czuła się najlepiej, z twarzą wystawioną do słońca, z napierającym niebem, z leniwie płynącymi po nim ptakami bez nazw. Nie było ważne, czy to świergotki, mazurki czy czajki. Zachwycały, gdy znienacka burzyły błękit, a na dodatek koiły serce. Lili godzinami potrafiła śledzić ich loty, czekać, aż przyfruną zza horyzontu albo znikną za cirrusami czy cumulusami. Czasem, pół leżąc, pół śpiąc, myślała nawet, że jest w niebie. Chociaż nie wierzyła w Boga. Może i był, ale ona wiedziała, że musi radzić sobie bez niego i już. Może i był... Ale jeśli tam, w tym niebie bezkresnym, za daleko mu było do ziemskich spraw. Kogo jak kogo, ale jej maluczkiej nie dostrzeże na pewno. Wystarczy mu bliższych, bardziej bogobojnych. A może ciężej doświadczonych przez życie? Może i jest...

Ale Lili nie wtrącała się do niego. I życzyła sobie rewanżu.

Wokół szemrały leniwie zboża, odwieczną opowieścią o niezmienności, powtarzalności cyklu. W którym zawsze są początek i koniec, lato i zima...

Uwielbiała czuć pod placami szorstkie trawy.

Spokój i cisza. Ta ostatnia mącona szelestem opodal, wywołanym skradaniem się naiwniaków, dla których odgrywała wyreżyserowany spektakl.

Bieżuńskie pola były jak oaza szczęścia.

* * *

Anka Matusiak? Lili zdziwiła się, gdy listonosz stanął przed drzwiami dopiero co wynajętego mieszkania i podał jej list. Białą kopertę, sztywną i elegancką. Z początku pomyślała, że to jakaś ankieta, ale gdy otworzyła, rozrywając kopertę byle jak, nie zważając na poszarpane brzegi, i ujrzała wytłaczany papier w kolorze écru z dwiema złotymi obrączkami, zdziwiła się bardzo. Nikt jakoś nie przychodził jej do głowy. Zaproszenie na ślub? Zaintrygowana, pomijała formuły i wierszyki. Wreszcie doczytała: „Niniejszym mamy zaszczyt zaprosić...". Tu następowało jej imię i nazwisko, a później szczegóły i okoliczności. Ucieszyła się, jednak radość nie trwała długo. Ustąpiła miejsca zdumieniu. Skąd pomysł, żeby zaprosić akurat ją?

Anka Matusiak? Owszem. Znały się tyle o ile. No, może ciut lepiej. Inne były naiwne i głupie. Nie zajmowało ich nic oprócz pryszczy, przykrywających je pudrów i opowiastek o miesiączkach. No i kochania się w którymś z nich: Dobrzyńskim, Jaśkiewiczu albo Niebieszczańskim. Mimo to żadna pary z ust nie puszczała,

449

bojąc się zdemaskowania. Czerwieniły się, zaciskały kolana, piszczały jak młode myszy. Czasami skupiały się w grupki i szemrząc coś, od czasu do czasu wybuchały irytującym śmiechem. Na widok Lili milkły, obrzucając ją ironicznymi spojrzeniami. Z domów wyniosły plotki, uprzedzenia i przestrogi, by się trzymać od Czarneckiej jak najdalej.

Z Anką było inaczej. Bez szeptania po kątach, obdarzania się wzajemnie szczęściami i nieszczęściami. Bez żadnych deklaracji przyjaźni na śmierć i życie, bez mieszania krwi i dziubdziania się – cmok, cmok – przy byle okazji. Ot, zwyczajnie! W szkole w jednej ławce. Czasami po szkole spacer na pola albo nad Wkrę, na rozlewiska. Plotły trzy po trzy, bez jakichkolwiek osobistych wycieczek. Żadne pierdoły w stylu „co matka", „co ojciec" czy inne cierpkie ble, ble. Nie dziwiło zatem, że Anka nie puściła pary o planowanym weselu.

Lili przesuwała bezwiednie palcami po chropowatej strukturze papieru. W jednej chwili postanowiła, że pojedzie. Nie odmówi sobie rozrywki. A może i nie o nią chodzi, a o wspomnienia, które się obudziły i nie dawały żyć.

Fakt, ojciec Anki uciułał trochę grosza, pnąc się uparcie po drabinie społecznej. Pewnie dosięgnąłby nieba, nie przymierzając jak budowniczy wieży Babel, gdyby go na stare lata nie zmógł udar. W Bieżuniu znali go wszyscy. Jedni jawnie smarowali go wazeliną, wiedząc, że jak kto ma tyle forsy, to wiele może, inni złorzeczyli mu za plecami, gotowi w łyżce wody utopić. Ale i jedni, i drudzy zazdrościli mu ze szczerego serca.

Wesele jedynaczce postanowił wyprawić na sto fajerek. W Rościszewie. Tam, z zapłodnionego onegdaj jaja biznesu, dojrzewającego w sprzyjających warunkach zmieniającej się koniunktury, ostatecznie wykluł się Matusiakowy sukces. Przez długie miesiące tkwiący ością w gardle, uwierający piaskiem w oku, jątrzący wrzodem na tyłku, spędzający sen z powiek bieżunianom, którzy tragedie ludzkie znosili o wiele łagodniej niż pasma sukcesów.

Anka Matusiakówna była oczkiem w głowie ojca. Nieba by jej przychylił, gwiazdkę z nieba strącił. Ale nade wszystko chciał zagrać na nosie tym wszystkim bufonom, co to do elity się zaliczali, nie raz i nie dwa pokazując mu, że za nic go mają. Do czasu. Do czasu, kiedy jeden z drugim nie poczuli zapachu farby na nowych banknotach, którymi zaszeleścił im pod nosem przy okazji różnych transakcji. Ludzie odurzali się zapachem pieniędzy, zapominając o pozycji, stosunkach czy wykształceniu.

Na wesele zaproszono również Lili Czarnecką.

* * *

W butiku na Czackiego kupiła zwiewną sukienkę. Z najprawdziwszego, milanowskiego jedwabiu. W czerwone, różowe i niebieskie (w odcieniu nieba ocierającego się o turkus) kwiaty lilii, rzucone bezładnie na płaszczyznę czarnej tkaniny. Do góry nogami, główkami w prawo, w lewo. Sukienka miała odkryte plecy i wiązanie na szyi. Fason jak ten, który nosiła Marylin Monroe w *Słomianym wdowcu*. Wymagający umiejętnego wiązania, które nie pozwalałoby odczuć ciężaru piersi i nie pozostawiłoby na szyi czerwonej pręgi jak po próbie samobójczej.

Lili kupiła także bieliznę. Czarną. Z koronki. I pończochy z pasem na żabki. A na koniec wysokie szpilki z kokardką na pięcie.

* * *

W autobusie był tłok.

Minął czas sesji i studenci uciekali z Warszawy, która zawłaszczała ich niechętnie, nie dając poczucia ciepła, swojskości i bezpieczeństwa. Mało tego – pozostawała niezmiennie trudną do zdobycia „warszawką", kamuflującą niezdefiniowane kompleksy, poturbowane dzieje, historyczne zaszłości.

Lili udało się wywalczyć miejsce obok młodej, choć otyłej i spływającej potem dziewczyny, która zmiętą chusteczką raz po raz ocierała zroszone czoło. Twarz nosiła znamiona choroby Cushinga. Sąsiadka pochrząkiwała od czasu do czasu, spoglądając na Lili, jakby sprawdzała, czy jej to nie przeszkadza. Przeszkadzało, a jakże. Tyle że wolała znosić te odgłosy niż kołyszących się pasażerów, przylegających do niej spoconymi ciałami. Przyklejona do szyby jak płaszczka, zapatrzona w zmieniające się dynamicznie obrazy przeplatających się pól i przycupniętych wzdłuż drogi niewielkich wiosek, rozmyślała o sobocie i swoim występie. Ona. Lili Czarnecka vel Mariola. Albo i na odwrót, pal szcść. Jcchała do Bicżunia. W zakamarkach, na stykach synaps czuła niepokojące drażnienie. Jak pocieranie odnóży muchy.

Autobus toczył się leniwie, zatrzymując się we wszystkich pipidówkach. Łapał chwilę oddechu i zaraz, wysypując kolejną garść ludzi, ruszał dalej. Rozluźniało się. Pasażerka obok z wyraźną ulgą przesiadła się kilka rzędów do przodu, bliżej wyjścia. Koślawe tabliczki oznajmiały nazwy wiosek. Makomazy, Petrykozy. Lili czuła ucisk w brzuchu. Miała tak zawsze, ilekroć zbliżała się do domu. Nawet nie potrzebowała sprawdzać, czy daleko jeszcze. Metafizyczny ból, który nie zawodził jej nigdy.

Pierwsze zabudowania Bieżunia pojawiły się tuż za zakrętem.

* * *

Wiedziała, że na Anki ślubie będzie większość jej znajomych. Po pierwsze dlatego, że Bieżuń to zaścianek, gdzie wszyscy wszystkich znają, po drugie, że czyjego jak czyjego, ale Matusiaka córki wesele mało kto przepuści. Czekało całe miasto. Już kilka miesięcy do przodu rozprawiano o białych limuzynach, takich jak w amerykańskich filmach, o orkiestrze z samej stolicy, bo wiejscy grajkowie to nie dla Matusiaka, o nie! O kościele, który proboszcz Cegiełka wymalował za pieniądze ojca panny młodej. Nawet plac przed świątynią wybrukował, żeby się pannie młodej tren ciągnący na kilka metrów w piachu nie poniewierał. A najbardziej to ludzi ciekawiła sala weselna. Jeden z drugim bajki wymyślali, jakie tam luksusy: baseny, jacuzzi, sauny. W tyłku się bogaczowi wielkiemu – co to do niedawna słoma mu z butów wystawała – przewróciło. Z chłopa pan się zrobił, psia mać.

Lili mierziła ta małomiasteczkowość, ciekawość wyzierająca zza firan, pokątne szemrania. Może to właśnie prowokowało ją, by coraz jakiś numer wywinąć i na języki ludzi wleźć. Czuła się jak hazardzista. Lubiła igrać z tymi, którzy niejednokrotnie będąc sprawcami domowych dramatów, wylegali na ulice, wystawali pod sklepami, szepcząc sobie nawzajem do uszu pozbierane po drodze z domu na rynek plotki. Ubarwiali je nieprzyzwoicie, dodając pikanterii, okraszali fantazją i podawali dalej. Ledwie człowiek nos z mieszkania wyściubił, wszyscy już wiedzieli, jak był ubrany i dokąd poszedł.

* * *

Odkąd przeczytała zaproszenie, nie opuszczało jej uczucie podniecenia. Usadowiło się w niej, nie pozwalając

454

skoncentrować się na zwykłych sprawach. Będą i oni. Trzech przyjaciół. Odwieczna paczka. Miejska śmietanka miasta. Każdy ustawiony. Zapewne z przywiezionymi z Warszawy dziewczynami.

Drogi Lili i ich rozeszły się zaraz po szkole. Układy ojców, forsa, koneksje pomogły chłopakom sforsować niejedne drzwi. Po maturze widziała ich zaledwie kilka razy, zawsze we trzech. Wyprzystojnieli, zmężnieli. Jedno pozostało niezmienne – spojrzenia, gdy ich mijała. Wciąż nienasycone. Głodne. Pożądliwe. Świadoma własnej urody Lili prężyła się zmysłowo, odrzucała włosy do tyłu. Czuła na sobie ich wzrok. Rzucali jej krótkie „cześć" i nie zatrzymując się, szli dalej. Ale ona dokładnie słyszała, że rozmowa gasła. Śledzili każdy jej ruch, dopóki nie znikła za zakrętem. Ona zwalniała kroku, pozwalała im się sobą nasycić. Ot, taka kontynuacja zabawy w zbożu. Na co dzień nie pamiętała o tej grze, ale ilekroć oni pojawiali się w polu widzenia, podejmowała ją na nowo. W uszach pojawiał się wytęskniony szum zbóż, czuła zapach łąk i słońce ogrzewające jej ciało. Biegła tam. Zwłaszcza wtedy, gdy nie potrafiła pozbyć się piekących śladów po koszmarnych nocach. Rozgrzanymi dłońmi rozprowadzała ciepło po brzuchu, piersiach i udach. Wpuszczała w siebie spokój i zapomnienie.

Lili i matka

Czekała na to wesele. Rosła w niej ochota, budziła się pełna wyczekiwania niecierpliwość. Byle przespać noc. Wówczas zaczną się przygotowania. Makijaż. Fryzura. Chciała bardzo. Sama. Miała w tym swój cel.

W domu nikt jej nie witał. Było pusto. I czysto. Jednak mimo porządku w powietrzu unosił się zapach niewietrzonych pomieszczeń. Okna były szczelnie pozamykane, zasłony pozasuwane jak przed zarazą albo wścibskimi spojrzeniami, które chciałyby dosięgnąć wszystkich tajemnic.

Lili otworzyła okna na oścież. Ciepły strumień powietrza buchnął do środka.

Po chwili usłyszała chrobotanie klucza w zamku. To matka, sapiąc i stękając, wróciła objuczona zakupami. Ojca nie było. Lili domyślała się, gdzie jest, ale nie pytała.

– O, już jesteś? A co tak wietrzysz, jakbyś chciała złe przepędzić?

Matka chwilę szarpała się z uwięzioną na zewnątrz firaną, a później energicznie zatrzasnęła okno. Zdawkowo zapytała „co tam słychać" i znikła w kuchni. Stukały drzwiczki szafek, szeleściły reklamówki.

– Nic ciekawego – odparła Lili. – Przyjechałam na ślub.

Czarnecka wystawiła głowę z kuchni.

– Do Matusiaków? – zapytała z niedowierzaniem. – Zaprosili cię? A to z jakiej okazji?

– Zaprosili. Też nie wiem z jakiej, ale idę. – W głosie Lili zabrzmiała zamierzona satysfakcja.

– Sama? – dopytywała matka.

Jej córka nie prowadzała się nigdzie. Owszem, ludzie gadali, ale nie o tym, że się włóczy, a o tym jej wylegiwaniu się w zbożach na polu za domem. Z cyckami gołymi. Trochę ucichli poprzedniego lata, bo wiosną na polu mało co od ziemi odrosło, a córka wyjechała zaraz po maturze. Do Warszawy.

– Sama, sama. A po co mi ktokolwiek?

Matka fuknęła coś pod nosem, wzruszyła ramionami i znikła ponownie. Wzięła się za rozpakowywanie sprawunków. Lili, wymawiając się zmęczeniem, zamknęła się w pokoju.

Torbę podróżną rzuciła w kąt. Nie zamierzała się zadomawiać. Zaraz po weselu wracam do Warszawy, postanowiła. Czekają lekcje włoskiego, a poza nimi praca w niewielkiej knajpce na Pradze. Kelnerowanie. Właścicielka poszła Lili na rękę i obiecała ją zatrudnić także w trakcie roku akademickiego, w zamian za co uzyskała obietnicę, że w wakacje pomoc będzie do dyspozycji non stop.

Od wyjazdu z domu w jej pokoju nic się nie zmieniło. Widać matka zaglądała tu rzadko. Teraz ledwie przetarła po wierzchu blaty, bo w zakamarkach siwiała gruba warstwa kurzu.

Lili przesunęła dłonią po regale. Ten sam zapach, co w reszcie domu. Odsłoniła stylonową firanę w łabędzie i bistorowe story. Za oknem, w oddali, złociły się pola. Zdawało się jej, że nawołują, wabiąc złotem, zapachem i ciepłem. Westchnęła głęboko.

Włączyła magnetofon, stary, kupiony na początku liceum. Długo nieużywany, traktowany jak rekompensata. Nagroda za milczenie. Nie pamięta, kiedy się przemogła. Chyba wówczas, gdy postanowiła uczyć się włoskiego. Zgromadziła kolekcję kaset i tłukła słówka.

Rozwiesiła na wieszaku suknię. Porozkładała rzeczy na półkach. Wszystko wytworne. Bo Lili uwielbiała wytworność. Wierzyła, że kiedyś będzie ją na nią stać. Ubrania pachniały. Dotykała z lubością koronkowej bielizny w misterne wzory, gładziła jedwabną suknię.

Była pewna, że zrobi wrażenie. Czuła przyjemną ekscytację. Z magnetofonu leciała jakaś smętna ballada. Objęła się ramionami i zakołysała się, śledząc swoje odbicie w szybie meblościanki na wysoki połysk, odziedziczonej po babce Irce. Która tuż przed śmiercią uparła

się, by na stare lata sprawić sobie luksus, na który przecież „zapracowała sobie". Lili nie znosiła ani nieginące-
go zapachu politury, ani przesuwanych szybek, za którymi matka poukładała talerze, wazy, kubki, niekubki, całą
zastawę rodzinną, ale nikt jej o zdanie nie pytał.

Sterty nieużywanych, zdekompletowanych, fajanso-
wych garniturów rosły, bo przecież żal było wyrzucić na
śmietnik.

Lili i ojciec

Z głębi domu dobiegały głosy.

Nie słyszała, kiedy wrócił. Chyba się kłócili. Poznawała płaczliwość głosu matki. Zaraz będzie go przepraszać, zaklinać, że kocha go na śmierć i życie. I błagać, żeby jej nie zostawiał.

A potem będą się kochać. Szybko i głośno.

Zatykała uszy, by nie słyszeć. Położyła się wcześniej. Brakowało jej snu, a poza tym chciała nazajutrz wstać wcześniej i poświęcić czas własnej urodzie.

Zasnęła z głową pod poduszką.

Śnił się jej stary sen, powtarzający się od lat, którego za nic nie potrafiła przepędzić. Był jak niekończący się serial. O ciężkim pająku, szykującym się do ataku. Znów wisiał na nią, strydulujący chelicerami i pedipalpami. Jak zawsze mechaty i odrażający. Nie miała dokąd uciec.

Walczyła. Spocona i umęczona, zrzuciła go z siebie nad-
ludzkim wysiłkiem. Całą siłą, wydobytą z wnętrza jam
ciała i umysłu. Ze strachu pomieszanego z obrzydzeniem.
Jego twarz była tuż nad nią. Lili szarpnęła się. To nie sen!
Było ciemno; zza zasłoniętego okna wpadała nikła wiąz-
ka światła. W powietrzu unosił się zapach potu i smarów.
Rozległ się łomot.

Leżał na podłodze, kuląc się z bólu. Bardziej zdziwiony niż wściekły. Lili wyskoczyła z łóżka i narzuciła
na siebie kołdrę.

– Wynoś się, ty świnio! Bo zabiję!

Podniósł się niezdarnie. Zatoczył się. Był bardzo pijany. Otworzył usta, ale w twarzy Lili było coś takiego, co
nakazało mu się wycofać. Natychmiast.

Przestraszył się. Po raz pierwszy.

Stała naprzeciwko, z trudem powstrzymując nerwy. Dy-
gotała. Ręka zawisła w powietrzu, gotowa do ciosu. Bijący
od ojca odór przetrawionego alkoholu wykrzywił jej usta.

– Wynoś się! – syknęła wrogo. – Bo narobię takiego
rumoru, że się pół ulicy zleci!

Bolały ją ramiona. Rozmasowywała je, jak po ciężkim
treningu.

Ani drgnął. Albo był zdezorientowany, albo udawał.
Spojrzenie miał otępiałe. Gibał się w tę i we w tę. W ob-
wisłych slipach, w rozciągniętym podkoszulku wyglądał
żałośnie. Usiłował mówić, ale strach – albo nadmiar wódki
– odbierał mu moc.

W korytarzu rozległy się kroki.

Matka stanęła w drzwiach, rozmemłana, z tym swoim wiecznie niewidzącym spojrzeniem. Widok Lili, nagiej, owiniętej w kołdrę, i jego z rękami zasłaniającymi krocze, wywołał panikę na jej twarzy. Złapała się za głowę. Rozbieganymi oczami próbowała ogarnąć pokój i to, co w nim zaszło. Trudno jej było uwierzyć, że znów. Uciekała przed spojrzeniem córki.

– Co się tutaj dzieje? O co chodzi? Co ty… – Patrzyła to na Lili, to na męża. – Co wy tu robicie? – poprawiła się.

Tak było łatwiej. Bo owo „wy" podważało oczywistą winę. Zwalniało go z odpowiedzi. W oczach matki czaiły się strach i wstyd, ale zareagowała agresją. Klęła w żywy kamień, wyrzucając z siebie salwę nic nieznaczących fraz. Byle tylko nie dopuścić do konfrontacji.

– Cholera! Noc ciemna, wszyscy już śpią, a wy tu urządzacie jakieś cyrki! Tłuczecie się po nocy jak Marki po piekle. Całą ulicę stawiasz na nogi! – zwróciła się do córki z wyrzutem.

I ziewnęła. Jakby zamierzała podkreślić, że jest noc, a ją właśnie obudziły hałasy. Że chce spać.

Lili aż pokręciła głową. Wyminęła matkę, ocierając się o nią.

– Jego zapytaj! – rzuciła, nie odwracając się, z najbardziej jadowitą ironią, na jaką było ją stać.

Stał. Kiwał się, udając bardziej pijanego niż był. Z jego ust wydobywał się tylko niewyraźny bełkot.

Lili i matka

Siedziała na brzegu wanny z głową ukrytą w dłoniach. Szum wody zagłuszał domagający się wyjaśnień matczyny krzyk i uderzenia w drzwi. Co z tego, jeżeli Lili wiedziała, że ona za nic nie dopuści do siebie prawdy. Była zbyt słaba, by mierzyć się z faktami. Zbyt słaba, by go zostawić. Strach przed życiem paraliżował, potrafił zakłamać wszystko.

Odkąd Lili pamiętała, matka żyła we własnym świecie, w którym pozostawała piękna i młoda, a on nie był najzwyklejszym gnojem, ale zakochanym po uszy wiernym mężem. Przymykała oczy na Kryśki i Elki. Na wszystko. Dawała się urobić – albo marnymi prezentami, albo mocnym seksem, po którym odradzała się w niej wiara w mężowską miłość. Kiedy wymykał się z łóżka, natychmiast zapadała w twardy sen, zakopana pod pierzyną. Z poduszką naciągniętą na głowę tak, że trudno było oddychać.

Łazienka wypełniła się parą. Było jak w saunie – mleczna przestrzeń pozbawiona kształtów i kolorów. Woda chlupotała jednostajnie. Lili leżała. W wannie. Rozgarniała ręką piramidy piany. Nie płakała. Bo Lili nie umiała płakać. Miała ochotę go zabić. Bez skrupułów zatopić nóż prosto w jego sercu. Poczuć jak wchodzi, miękko i ślisko. Jak w masło.

Za drzwiami zaległa cisza, a potem rozległo się trzaśnięcie drzwiami, w niewielkim oknie pojawiła się przyklejona do szyby twarz. Rozpłaszczona, z rozmytymi konturami. Matka uderzała pięściami, lecz tym razem lżej. Jakby traciła impet.

– Wychodź! Wychodź natychmiast! Musimy porozmawiać!

Głos brzmiał rozpaczliwie. Załamywał się. Był kompletnie bezradny.

Lili nie otworzyła. Nie chciała patrzeć na nią. Słuchać jej wyrzutów. Idiotycznych argumentów i zapewnień. „Nic się przecież nie stało!". „Przecież nic ci nie zrobił!". „Za co ty go tak nienawidzisz?". „Dlaczego chcesz zmarnować mi życie?". I ten nieustający płacz.

Nie. Nie zniesie tego dłużej.

Lili

Za oknem dniało. Nieśmiałe promienie słońca przebijały się przez okno.

Nie wiedziała, ile czasu spędziła w łazience. Chyba przysnęła, bo woda była chłodna. Ciałem Lili targnął dreszcz. Wyszła z wanny, zakręciła turban na głowie, bo mokre strąki, które opadały na jej twarz i ramiona, ziębiły jeszcze bardziej. Owinęła się ręcznikiem. W lustrze zobaczyła swoje odbicie, oczy pełne buty i nienawiści. Była sina.

By znaleźć się w pokoju potrzebowała zaledwie kilku kroków. Ostrożnie uchyliła drzwi, lecz zawiasy zaskrzypiały piskliwie.

– Wyrzuciłam go. – Usłyszała zgaszony głos matki.

Stała w progu kuchni. W starej, połyskliwej podomce z lureksu. Wyglądała na strapioną. Zrezygnowaną. Miała podkrążone oczy.

Lili uciekła spojrzeniem. Nie miała ochoty na kolejny spektakl wymuszonego poczucia winy. I tym razem była pewna, że matka nie dopuściła do siebie złej myśli o nim.

Zdjęła pościel, zwinęła ją byle jak i odrzuciła w kąt, za meble. W zawiniętym wokół ciała grubym ręczniku położyła się do łóżka. Chciała się ogrzać, zanim wstanie na dobre. Skuliła się, obserwując igrające w pokoju promienie wczesnego słońca.

Zapowiadał się ciepły dzień.

* * *

Przed bieżuńskim kościołem tkwił nieprzebrany tłum. Oprócz weselników, przystrojonych kotylionami przez druhny różniące się od panny młodej tylko brakiem welonu, w mniejszych lub większych grupkach stali mieszkańcy miasteczka. Na pobliskich ławkach rozsiadły się jak kwoki babki kościelne, codziennym zwyczajem przebierające różańce owinięte wokół zgrabiałych placów, inkantując psalmodie, prośby oraz litanie wychwalające Najdroższą Krew Chrystusa, Przenajświętszy Sakrament i wszystkie inne świętości. Tej lipcowej soboty zamierzały modlić się jeszcze gorliwiej, bo już w południe wyległy z domów i niecierpliwie czekały w boksach, by wystartować do kościoła, gdy tylko nadejdzie ich czas. Najpierw jednak, wiercąc się niespokojnie, coraz to podnosząc się ciężko z ławek, jakby coś je w tyłki parzyło, czekały na białą limuzynę, którą córka Matysiaka miała na kościelny plac zajechać.

Zaraz za kościelną bramą stali muzykanci sprowadzeni z samej Warszawy. Chwilę postroiwszy instrumenty, żeby żaden fałszywy dźwięk się nie wkradł, bo by dopiero poruta była, a ojciec młodej przegonił ich w cholerę jasną, gotowali się do gry. Gdy już dopasowali gitarę do akordeonu i saksofonu, od którego blask padał taki, że trzeba było oczy przesłaniać, zaczęli. Najpierw poleciała *Felicita*, a potem, kiedy na końcu ulicy pojawiła się limuzyna z napisem „Just married", zagrali wcale nie po wielkomiejsku, ale najzwyczajniej *Szumiała leszczyna*. Co niektórym nogi same poderwały się do tańca i nawet proboszcz Cegiełka na stopniach przed wejściem do kruchty podrygiwał ochoczo. Gęba mu się śmiała na myśl, ile to stary Matusiak w kopertę wcisnął i ile jeszcze na tacę wpadnie. Bo gości było co niemiara.

Para młoda weszła do kościoła smagana cickawskimi spojrzeniami. Welon ciągnął się za nią powłóczyście. Ksiądz Cegiełka rozpoczął mszę świętą. Co chwila spoglądał na zegarek, bo mu ojciec panny młodej nakazał, żeby nie przedłużać bez potrzeby.

Po nabożeństwie ustawiła się do młodej pary kolejka tak długa, że nawet w czasach kolejek trudno byłoby taką znaleźć. No, chyba że za lodówką albo za pralką. A potem ludzie powsiadali do swoich samochodów (niewielu) albo do wielkiego autokaru wypożyczonego od Pekaesu, podstawionego tuż za bramą.

Silnik zawarczał i weselny autosan ruszył, ścigany wzrokiem gapiów.

Weselnicy kręcili się niespokojnie i wyglądali przez okna, kiedyż to ukaże się ten Matusiakowy raj. I doczekali się, bo po ledwie dziesięciu kilometrach, zaraz za tabliczką „Rościszewo", autokar zjechał z drogi i po kilkudziesięciu metrach zatrzymał się pod odrestaurowanym rościszewskim zamkiem. Kto by się spodziewał, że z takiej ruiny, zapomnianej przez Boga i ludzi, gdzie dzika zwierzyna nory robiła, a okoliczni mieszkańcy, rozebrawszy przez lata wszystko, co można było rozebrać, wysypywali tam śmieci, zwozili stare opony i co tylko nie dawało się spalić w domowych piecach, można takie cudo jak z najpiękniejszej bajki pobudować!

Lili i Michał,
Adam i Rafał

Siedziała niedaleko młodej pary, jakichś kuzynek
i kuzynów oraz grupy ludzi, których kojarzyła ze szkoły.
Głównie rówieśników, bo starszyzna zasiadła w dalszej
części sali. Ci od młodej po jednej stronie, ci od młodego
po przeciwnej; na oko tych drugich było znacznie mniej
i zachowywali się jakby nieco ciszej, słabo skrywając
skrępowanie. Zwłaszcza że nie wzniesiono jeszcze żadnego toastu, toteż języki były sztywne i mało chętne do
rozmowy.

Anka z nowo poślubionym małżonkiem krążyli po sali,
zabawiając ciotki i wujków. Raz na jakiś czas ktoś kogoś
o coś zagajał, jednak po kilku zdawkowych zdaniach o niczym rozmowa się urywała. Za to Lili chętnie pozwalała
zapraszać się do tańca. Coraz to porywał ją jakiś mężczyzna, obrzucając łakomym wzrokiem od stóp do głów.

Zabawa się rozkręcała. Lili przechodziła z rąk do rąk, brylowała wśród weselnych gości, budząc zachwyt wśród facetów i zazdrość u kobiet. Po kilku kolejkach przypomnieli sobie o niej licealni koledzy – zostawiali swoje dziewczyny przy stolikach i przestępując z nogi na nogę czekali na swoją szansę. Gotowi pokazać, jak to niczym dżinn z amfory wyjdzie z nich John Travolta albo Patrick Swayze.

Lili wiła się na parkiecie, pląsała, kołysała biodrami, kręciła głową, zarzucając włosami na wszystkie strony. Wyglądała jak wirujący derwisz. Sukienka falowała w rytm muzyki, która nabierała tempa. Tańcząca wymykała się partnerom z rąk i szalała, pokazując zgrabne nogi i skrawki koronkowej bielizny. Roześmiana, rozbawiona, świadoma, że znalazła się w centrum uwagi. Żony trzymały za mankiety, specjalnie na tę okoliczność zakupionych garniturów, swoich mężów, którzy klaskali głośno i marzyli, aby choć przez ułamek sekundy poczuć taką kibić… Blisko. Nasycić się młodością, seksapilem, wdrukować obraz go głowy, by potem przywołać go, leżąc obok żon.

Pierwszy poprosił ją do tańca Michał. Czy to za sprawą wypitych drinków, serwowanych przez kelnerów na każdym kroku (nie trzeba było podchodzić, zjawiali się, jakby wyrastali spod błyszczącego od lakieru parkietu), czy za namową kumpli odbił ją w tańcu staremu Matusiakowi, który trzymał się trzeźwo. Nie przeszkadzało mu to obmacywać pleców Lili i wsuwać uda głęboko pomiędzy jej uda, gdy orkiestra zagrała tango *La Paloma*.

Z początku prowadził sztywno, kilka razy przydeptując czubki wysokich szpilek, ale kiedy chłopaki wzięli ich w kółko, ośmielił się. A ona kręciła piruety, wabiła, kusiła, śmiała się głośno. Oni klaskali w spocone dłonie. Bez wyczucia rytmu. Każdy sobie.

Zabawa stopniowo przeradzała się w spektakl. Jak wówczas w zbożach, czuła, że powietrze syci się podnieceniem. Duszne, parne, niespokojne.

Adam Niebieszczański skinął na kelnera, który podszedł ze lśniącą tacą pełną wykwintnych drinków i drogich win. Solistka warszawskiej kapeli darła się fałszywie: „Baju, baj, baju, baj, proszę pana...". Lili jej wtórowała.

Chłopaki przekazywali ją sobie coraz chętniej; nie miała pojęcia, że teraz to ich czas.

Kolejny drink albo miał chemiczny posmak, albo ona najzwyczajniej miała już za dużo w głowie. Ale chciała się bawić. Zapomnieć o poprzedniej nocy.

O wszystkich nocach.

* * *

Nie pamiętała, który zaproponował spacer. Plątały się jej nogi. Zwiotczała. Ale gdyby nie nieprzyjemne uczucie w żołądku, wszystko byłoby dobrze.

Na zewnątrz stało kilkanaście osób, rozpływających się w zachwytach nad fantastycznym weselem, nad urodą panny młodej, nad szerokim gestem ojca, który sprawił, że nie tylko ptasiego mleka nie brakło, ale i „wykwintnych roladek muśniętych sosem prowansalskim", „szlachetnych ryb podanych w towarzystwie zblanszowanego pora", „wołowiny z darami lasu". I innych potraw o równie egzotycznych nazwach.

Chwiejny krok Lili ściągnął ich spojrzenia. Zapewne niejeden mężczyzna pośpieszyłby jej z pomocą, gdyby nie żony, zajęte wachlowaniem się i odpędzaniem uderzeń gorąca, a przy sposobności sprawdzające, czy ich połowy wciąż subordynowanie tkwią pod pantoflem.

Mimo że ledwie minęła północ, na zewnątrz było jasno. Czyste niebo rozświetlał księżyc i miriady gwiazd.

* * *

Powieki ciążyły. Wokół unosił się zapach traw. Wilgotnych, przyjemnie chłodnych. W głowie pojawiały się i znikały surrealistyczne obrazy, zastępowane przez kolejne. Świat kręcił się jak karuzela. Ktoś obok szeptał coś gorączkowo, wsuwając rękę za czarne majtki. Próbowała przytrzymać jego dłoń, ale w środku już budziła się rozkosz prowadząca ją tam, gdzie było najprzyjemniej To nie były lepkie łapy, które zrzucała z siebie z obrzydzeniem, ale drażniące upojnie palce, eksplorujące każdy centymetr skóry. Było dobrze. Wilgotna rozkosz wprawiała w ruch jej ciało, posłuszne, poddane wewnętrznemu głosowi, domagającemu się więcej i więcej.

Pod powiekami wyświetlały się coraz to nowe portrety filmowych młodzieńców, w uszach dudniła muzyka. Rozgwieżdżone niebo przywoływało. Była w tym w niebie. Uczucie absolutnej błogości. Jedność ciała i ducha. Świat przestawał istnieć. Zanurzona w Kosmosie, pragnęła trwać w nieopisanej rozkoszy. Oddychała głośno, usiłując wyrównać rytm. Jej oddech mieszał się z oddechem chłopaka, który niepewnym ruchem rozpinał rozporek, uwalniając nabrzmiały członek.

Poczuła twarde pchnięcie, lecz zaraz spazm rozkoszy, połączony ze spływającym do wewnątrz ciepłem, wyrwał ją z odrętwienia. Zawyła w przestrzeń, przekraczając granicę bólu i niewyobrażalnego szczęścia. Ciało, pozbawione woli, poddawało się, miękkie jak szmaciana lalka.

Chropawa dłoń przysłoniła jej usta. Lili poczuła wsuwający się głęboko język. Brakowało jej tchu. Leżała. Rękami wodziła po mokrych trawach, ocierała twarz. Rozwierała szeroko oczy, by nie zapaść się w nieznaną czeluść.

Była spokojna.

Muzyka odległa o tysiące lat przywoływała poczucie realności, ale tak słabe, że nierzeczywiste. Nie miała pojęcia, co się dzieje. Obok toczyła się jakaś rozmowa, której sensu nie pojmowała. Chciało jej się spać. Pod tym niebem, z błyszczącymi jak brokat gwiazdami, wśród traw szemrzących cichym brzęczeniem owadów, pełnych zapachów rumianku i szałwii.

– Teraz ja.

Ponaglenie zabrzmiało tuż obok. Niemal histerycznie. A świat kołysał się i dryfował w jej głowie. Oddalał się i przybliżał. Raz wyraźny i czysty jak łza, a raz mętny, z zatartymi konturami. Mleczny jak poranna mgła.

I znów czyjeś ręce na jej ciele. Muszę być bardzo pijana, pomyślała, bo chyba przeżywam déjà vu. Świadomość to zapalała się, to gasła. Czy to się dzieje naprawdę? Ten totalny chaos?

Leżała z podciągniętą sukienką. Wiązania zostały rozplątane. Doznania zmieniały się. Teraz czuła nieprzyjemny chłód ciągnący od wilgotnej gleby. Była bardzo zmęczona. Bodźce docierały z opóźnieniem. Nie potrafiła udźwignąć ciężaru, który przyciskał ją do ziemi. Nie podobało jej się to, ale słowo nie chciało przejść przez gardło, choć tak wyraźnie wyglądało w głowie. Krtań opuszczał zaledwie bełkot, tłumiony kolejnym przesuwającym się po podniebieniu językiem. Ruchliwym i niespokojnym. Próbowała wypchnąć go z siebie, ale nie dawała rady. Łapczywie chwytała powietrze, brakowało jej tchu. Chciała wstać, ale nie miała siły, żeby się podnieść. Silne męskie ciało krępowało ruchy. Słyszała nad sobą gorączkowy oddech i pojedyncze słowa, pozbawione sensu. On przygniatał ją całym sobą. Ślizgał się po niej nerwowo. Była pełna jego rąk.

Ledwie wybrzmiałe „nie" stłumiło sapanie i dziki charkot. Walczyła, żeby się wyswobodzić. Bolały ją łopatki. Rozsunięte uda piekły. Nad głową miała ogromne pająki. Ocierające się o siebie mechate odnóża. Chciała zatkać uszy, by nie słyszeć, ale ręce były skrępowane, nieposłuszne woli. Przegrywała. Wielki pająk przejmował władzę...

Niezbornie okładała pięściami plecy leżącego na niej mężczyzny, który nie zważając na protesty opadał całym sobą. Całą brutalnością obudzonej chuci. Raz. I raz. I jeszcze raz.

Pomiędzy majakami docierała do Lili istota rzeczy. Zapragnęła powstrzymać bieg wydarzeń, ale z jej ust ledwie wydobywało się brzmiące coraz wyraźniej „nie". Kolejna fala lepkiej cieczy między udami. Obrzydliwa. Pajęcza sieć. Wewnątrz.

Zwymiotowała poprzez zatkane usta. Odleciała. Świat przestał istnieć.

* * *

Wciąż widziała ręce, wiszące nad nią jak wielkie macki. Przebierające palcami jak odnóża wielkich pająków strydulujących chelicerami i pedipalpami. Wydających ostateczne ostrzeżenie przed atakiem. Zapadała się w sobie, zaciskała szczelnie, zwinięta w niewielki kokonik. Mechaty i bezpłciowy.

Matka

Siedziała nad nią. Podkrążone oczy, chusteczka przy-
tknięta do nosa. Pochlipywała cicho. Nie wiadomo, czy
nad sobą, czy nad córką.

Widok sponiewieranego dziecka budził w niej litość
pomieszaną ze strachem, bardziej niż matczyną miłość
i troskę. Dość miała rodzinnych tragedii.

Lili przywieziono do szpitala w środku nocy; ponoć
natknął się na nią w pobliżu sali weselnej któryś z gości.
Zaraz za gęstwą krzaków. Ledwie przytomną. Wydawała się po prostu pijana, ale gdy próbowano ją podnieść,
leciała z rąk. Niepokoiła nie półnagość, nie odór alkoholu, ile owa bezwładność. Gość od razu pobiegł do gospodarza, jakby czuł, że powinien zachować dyskrecję.
Stary Matusiak sam dopilnował, żeby paniki żadnej ani
plotek nie wzbudzać, i wezwał karetkę. Na własnych rękach targał dziewczynę, byle dalej od tętniącej muzyki
i oczepin jego ukochanej jedynaczki. Nie po to żyły sobie

wypruwał, żeby teraz jakaś pijana pannica pokrzyżowała mu szyki. Jak Bóg przykazał oddał Lili w dobre ręce lekarza z pogotowia, wręczając mu banknot oraz wódkę weselną obwiązaną złotą kokardą, z dobrą wróżbą na wspólne życie młodej pary.

W szpitalu od razu chciano dzwonić do matki, ale nikt nie znał numeru. Dobrze, że akurat na izbie przyjęć była ciotka Ludka ze swoim mężem, co mu się przetoka zatkała. Numeru nie znała i ona, ale zaofiarowała się, że poleci co tchu, bo to tyle co rzut kamieniem.

Wyrwana ze snu matka ubrała się w co bądź i pobiegła w te pędy do szpitala. Sama, bo on po ostatniej nocy, obrażony, jeszcze do domu nie wrócił. Pewnie szukał pocieszenia u którejś ze swoich Krysiek czy Elek.

Spodziewała się widoku krwi i plątaniny rurek ratujących życie. Ale Lili leżała spokojnie. Tylko twarz była zmęczona i trochę jakby... rozczarowana? Skulone w kabłąk ciało pod szpitalną pościelą. Zamknięte powieki. Spała? Może i spała, bo kiedy matka stanęła nad łóżkiem, nawet nie drgnęła.

Przysunęła sobie krzesło z czerwonym kanciastym oparciem i położyła głowę na splecionych dłoniach. Przymknęła oczy, jakby chciała dokończyć przerwany sen. Ale była czujna. Każdy ruch stawiał ją na baczność. Otwierała szeroko oczy.

– Coś mówisz? – pytała. – Córka, czy ty coś mówisz?

Była ciekawa relacji z przebiegu nocy.

Ale Lili tylko przewracała się z boku na bok.

Matka zapadała w drzemkę, przerywaną głośnym oddechem córki i uwierającym twardym oparciem. Noc trwała w nieskończoność. Z korytarzy dobiegały jęki chorych i stukot podeszew zaspanych pielęgniarek w białych krótkich kitlach, z czepkami na czole. Migało zapalane i gaszone na przemian światło. Wpatrywała się w twarz dziecka i odpędzała od siebie czułość.

* * *

W drzwiach stanął lekarz, który rozmawiał z nią w nocy, a potem pojawiał się co chwila, by sprawdzić parametry na monitorach. Do sali wdzierało się agresywne słońce. Poderwała się. Chwilę trwało, zanim dotarło do niej, gdzie jest i dlaczego.

Lili spała.

– Zapraszam panią do siebie – powiedział doktor, ściszając głos.

Czarnecka poprawiła siwiejące włosy i udała się za nim długim szpitalnym korytarzem.

– Musieliśmy poinformować organa ścigania... – Lekarz odczekał chwilę, spodziewając się histerycznej reakcji. – Zdaje sobie pani sprawę z tego, że... – Szukał słów, które byłyby mniej dosadne, ale nie znalazł. – To był gwałt. Zbiorowy. Przykro mi.

Lili i matka

Nie możesz zmarnować mi życia! Wycofaj pozew! Przecież ten, jak mu tam...? Jaśkiewicz przyznał się do wszystkiego! Obiecał, że wszystkim się zajmie. Nie pożałujesz! Dał słowo honoru! – błagała.

Sprawa się przeciągała. Coraz to inne okoliczności, coraz to inne dowody. Ludzie w Bieżuniu szeptali po kątach, wytykali palcami, podśmiewając się pod nosem.

Lili milczała. Postępowanie sądowe nużyło również ją. Biegli, którzy szukali potwierdzenia dla swoich teorii. Matka, bojąca się, że kiedy zaczną drążyć i szukać, dokopią się do rodzinnych brudów.

– Ptasiego mleka ci nie zbraknie! Nie ty pierwsza i nie ostatnia panną z dzieckiem będziesz – ciągnęła Czarnecka.

Lili milczała.

– Jak trzeba, pomogę. Jedź, kształć się. Świat czeka! Ale nie paskudź mi życia...

Była żałosna. W tej swojej spolegliwości. W zakłamaniu i ślepocie. Już dawno złożyła ją – córkę – na ołtarzu nieznanego boga. W imię spokoju i miłości małżeńskiej. „Co Bóg złączy, człowiek niech nie rozłącza". Kto wie, niech zamilknie na wieki.

* * *

Po latach przyznała się córce, że zaraz po porodzie przyszedł do niej Jaśkiewicz i powiedział, że jego syn „poczuwa się do odpowiedzialności i będzie łożył na dziecko". Zgodziła się, bo co miała wybrzydzać. A nie powiedziała jej, bo co miała mówić? Każda z nich miałaby swoje racje, a przecież żyć trzeba. Honorem i unoszeniem się dzieciaka ani się nie wykarmi, ani nie wychowa.

Po pogrzebie matki Lili wystosowała do mecenasa Jaśkiewicza list, w którym kategorycznie zrzekała się jakiejkolwiek pomocy. Zażądała również, aby zarówno on, jak i jego syn trzymali się od niej z daleka.

Z latami sprawa przyblakła. A Lili, spacerując kiedyś po bieżuńskim cmentarzu, doczytała się z niejaką ulgą na świeżo usypanym grobie, że młody Jaśkiewicz nie żyje. Cóż, ludzie rodzą się i umierają. Czasem to smuci, ale niekiedy przynosi ulgę.

Lili i Sara

Dopadła matkę na końcu bulwaru.

Lili tkwiła tam, przewieszona przez poręcz. Nie płakała.

Bo Lili nie umiała płakać.

– Mamo, co tu jest grane? Wytłumacz mi ten cyrk! – Sara ledwie łapała oddech.

– Nie teraz! – odparła Lili stanowczo, prostując plecy.

Gapiła się na przeciwległy brzeg Warty w pozycji na baczność, gotowa do odparcia najcięższego ataku. Opanowana i harda.

– Nie! Mamo, nie możesz mnie tak zbyć! Już nie! Raz w życiu zdobądź się na szczerość! O co chodzi? Błagam cię. Na litość boską! Ja chyba zwariuję!

Sara miała ochotę chwycić matkę, potrząsnąć nią ze wszystkich sił. Zamiast tego schowała tylko twarz w dłoniach, jakby chciała ukryć emocje. Rozpacz. Wściekłość. Zdumienie.

– Słyszysz? Nie możesz milczeć! To nie rozwiąże naszych problemów! Moich! Zrozum, ja wreszcie chcę żyć normalnie! Mam do tego prawo!

Lili odwróciła się. Powoli, z rozmysłem. Nabrała powietrza.

Spojrzała na córkę. Na kobietę. Na swoją replikę. Różniły się zaledwie jednym, może dwoma detalami. Na krew z jej krwi, kość z jej kości.

Sara zasługiwała na tożsamość.

Czas rozprawić się z przeszłością, pomyślała.

Dotarło do niej, że nie może być jak jej matka. Nie może okłamywać. Ani Sary, ani siebie. Czuła, że musi pozbyć się ciężaru. Natychmiast.

Starała się wyrównać oddech. Chłodne powietrze wdzierało się przez rozwarte nozdrza. Ogromny ciężar uciskał jej pierś. Ostry ból rozprzestrzeniał się po całym ciele.

Chwyciła dłonie córki. Były ciepłe i miękkie. Opuszkami palców pogładziła ich wierzch. Przez myśl przemknęło jej, że takie trzymanie się za ręce to przyjemność. Zamknięty obieg. Krąg życia.

Zdała sobie sprawę z własnego sentymentalizmu, którego źródeł nie potrafiła odnaleźć. Dlaczego pojawił się wbrew jej woli?

Odwróciła się do Sary plecami. Nie chciała patrzeć córce w oczy. Powinna się opanować. Zdystansować się do wydarzeń sprzed chwili.

Na przeciwległym brzegu Warty jarzyła się kolorami galeria. Po prawej tkwił dumnie – oświetlając ruchliwe o tej porze rondo – monstrualny pająk z zegarem na szczycie osobliwej konstrukcji, imitującej wielki łeb stawonoga.

– Pytałaś mnie o ojca... – zaczęła Lili, głośno przełykając nadmiar śliny.

Rozmowa będzie trudna, ale nie można jej dłużej unikać. Lili wywołano do odpowiedzi. Postawiono pod murem.

– Pytałam, ale... – Sara pragnęła powiedzieć, że przestało to mieć dla niej znaczenie już dawno.

– Nigdy ci nie powiedziałam... – przerwała jej Lili. – Nie powiedziałam, bo nie mogłam. Nie wiem, kto nim jest.

– Mamo, co ty? – Głos Sary zawibrował niepokojem. – Przecież mój ojciec... A spadek? Do cholery! Ja chyba śnię!

Próbując się opanować, przechadzała się miarowo. Dziesięć kroków do przodu, dziesięć w tył. Odgłos kroków niósł się echem po bulwarze.

Samuel stał nieco dalej. Czekał. Wierny, jak zawsze. Próbował zrozumieć. Co jakiś czas zerkał w kierunku restauracji, za której drzwiami byli oni.

Koszmar z przeszłości.

– Sara... – zaczęła ponownie Lili. – Nie potrafię cofnąć czasu. Zegary nie chodzą wstecz...

– Jezu, mamo! Przestań filozofować! Choć raz zdobądź się na odwagę! Przestań grać i powiedz, co tu się dzieje?

Chwyciła córkę za ręce. Wyczuła opór. Uciskała dłonie Sary palcami, jakby chciała obudzić w nich życie. Wlać w nie ciepło.

Obydwie wiedziały, że nie zdołają się przed sobą ochronić. I że nic nie uchroni ich przed prawdą.

– Ci mężczyźni. Tam, w lokalu...

Napięcie rosło. Sara przygotowała się na przyjęcie ciosu.

– Oni... Michał Jaśkiewicz... Nie potrafię ci o tym opowiedzieć! Nie chcę. Nie wiem.

Widać było, że każde słowo przychodzi jej z trudem. Kanciaste, niepełne, raniące jak drut kolczasty. Lili raz po raz przełykała ślinę. W gardle zaschło jej tak, że język przyklejał się do ust.

Wszystko, co mówiła, było niespójne, pozbawione sensu. Próbowała przywołać zdarzenia sprzed lat. Opowiadała córce poszatkowaną historię, pełną luk i niedomówień.

– Nie wiem, kto jest twoim ojcem! – wykrztusiła.

Nie spuszczały z siebie wzroku. Symetryczne. Zastygłe w identycznych pozach.

– Nie wiem... – powtórzyła ciszej.

Sara szarpnęła się. Odgarnęła nerwowo włosy. W głowie miała tysiące myśli, obrazów. Wszystkie porozrywane na strzępy. Trudno było ułożyć je w logiczną całość, choć dawały pewność, że oto świat Sary został wywrócony do góry nogami.

– Ale jak to? Czy to znaczy, że oni...? Ciebie? Że ty z nimi...? – Próbowała zadać pytanie, które wyjaśniłoby cokolwiek.

W oddali zobaczyła sylwetkę Pawła. Jej Pawła. Patrzył w jej kierunku. Czekał na nią.

I nagle doznała objawienia.

– Mamo! Mamo! – Chwyciła matkę za ramiona. Brakowało jej tchu. – Czy ty chcesz mi powiedzieć, że ja... Że Paweł... Że jego ojciec...

Czy Paweł jest jej bratem? To niemożliwe! To okrucieństwo! To nie może być prawdą! Takie rzeczy dzieją się wyłącznie w filmach!

Szarpała matką. Lili nie broniła się. Jej ciało było bezwolne.

– Powiedz, że to nieprawda, błagam! Nic więcej się nie liczy, ale, powiedz, że to niemożliwe! Mamo! Powiedz!

Była zdruzgotana. Złamana. Nagle cały jej świat okazał się jakimś pieprzonym melodramatem.

Lili odważyła się i spojrzała córce w twarz. Wwiercało się w nią pełne błagania i nadziei spojrzenie. Że zaprzeczy. Że powie „przepraszam".

– Nie wiem – usłyszała ciche, lecz wyraźne. – Wybacz. Po prostu nie wiem.

Słowa zabrzmiały naturalnie. Spokojnie. Jakby nie dotyczyły końca świata.

Sara zwolniła uścisk. Nienawidziła matki! Za wszystko. Za całe życie. Milczała.

– Nie potrafię cofnąć czasu – powiedziała Lili.

Wydawało się jej, że to jedyne logiczne zdanie, jakie może wyartykułować.

Bezradnie wzruszyła ramionami.

– Nie potrafię... – powtórzyła

***

Bulwar nad Wartą cichł. Zagospodarowane nisze kolejowego wiaduktu zapadały w sen. Noc parła do przodu.

Ranek witał kolejny dzień.

***

Dziękuję Krzysztofowi za to, że przez wiele, wiele wieczorów słuchał opowieści o Lili, był pierwszym odbiorcą i recenzentem. Grażynie – za utrzymywanie mnie w wierze, że to co robię, ma sens.

Barlinek, 6 grudnia 2014